人新世の「資本論」

斎藤幸平
Saito Kohei

a pilot of wisdom

JN091847

はじめに――ＳＤＧｓは「大衆のアヘン」である！

温暖化対策として、あなたは、なにかしているだろうか。レジ袋削減のために、エコバッグを買った？　ペットボトル入り飲料を買わないようにマイボトルを持ち歩いている？　車をハイブリッドカーにした？

はっきり言おう。その善意だけなら無意味に終わる。それどころか、その善意は有害でさえある。

なぜだろうか。温暖化対策をしていると思い込むことで、真に必要とされているもっと大胆なアクションを起こさなくなってしまうからだ。良心の呵責（かしゃく）から逃れ、現実の危機から目を背けることを許す「免罪符」として機能する消費行動は、資本の側が環境配慮を装って私たちを欺くグリーン・ウォッシュにいとも簡単に取り込まれてしまう。

では、国連が掲げ、各国政府も大企業も推進する「ＳＤＧｓ（持続可能な開発目標）」なら地球全体の環境を変えていくことができるだろうか。いや、それもやはりうまくいかない。政府や企業がＳＤＧｓの行動指針をいくつかなぞったところで、気候変動は止められないのだ。ＳＤＧｓはアリバイ作りのようなものであり、目下の危機から目を背けさせる効果しかない。

かつて、マルクスは、資本主義の辛(つら)い現実が引き起こす苦悩を和らげる「宗教」を「大衆のアヘン」だと批判した。ＳＤＧｓはまさに現代版「大衆のアヘン」である。

アヘンに逃げ込むことなく、直視しなくてはならない現実は、私たち人間が地球のあり方を取り返しのつかないほど大きく変えてしまっているということだ。

人類の経済活動が地球に与えた影響があまりに大きいため、ノーベル化学賞受賞者のパウル・クルッツェンは、地質学的に見て、地球は新たな年代に突入したと言い、それを「人新世(ひとしんせい)」（Anthropocene）と名付けた。人間たちの活動の痕跡が、地球の表面を覆いつくした年代という意味である。

実際、ビル、工場、道路、農地、ダムなどが地表を埋めつくし、海洋にはマイクロ・プラスチックが大量に浮遊している。人工物が地球を大きく変えているのだ。とりわけそのなかでも、人類の活動によって飛躍的に増大しているのが、大気中の二酸化炭素である。

ご存じのとおり、二酸化炭素は温室効果ガスのひとつだ。温室効果ガスが地表から放射された熱を吸収し、大気は暖まっていく。その温室効果のおかげで、地球は、人間が暮らしていける気温に保たれてきた。

ところが、産業革命以降、人間は石炭や石油などの化石燃料を大量に使用し、膨大な二酸化炭素を排出するようになった。産業革命以前には二八〇ｐｐｍであった大気中の二酸化炭素濃度が、ついに二〇一六年には、南極でも四〇〇ｐｐｍを超えてしまった。これは四〇〇万年ぶりのことだという。そして、その値は、今この瞬間も増え続けている。

四〇〇万年前の「鮮新世」の平均気温は現在よりも二～三℃高く、南極やグリーンランドの氷床は融解しており、海面は最低でも六ｍ高かったという。なかには一〇～二〇ｍほど高かったとする研究もある。

「人新世」の気候変動も、当時と同じような状況に地球環境を近づけていくのだろうか。人類が築いてきた文明が、存続の危機に直面しているのは間違いない。

近代化による経済成長は、豊かな生活を約束していたはずだった。ところが、「人新世」の環境危機によって明らかになりつつあるのは、皮肉なことに、まさに経済成長が、人類の繁栄の基盤を切り崩しつつあるという事実である。

気候変動が急激に進んでも、超富裕層は、これまでどおりの放埒な生活を続けることができるかもしれない。しかし、私たち庶民のほとんどは、これまでの暮らしを失い、どう生き延びるのかを必死で探ることになる。

そのような事態を避けるためには、政治家や専門家だけに危機対応を任せていてはならない。「人任せ」では、超富裕層が優遇されるだけだろう。だからより良い未来を選択するためには、市民の一人ひとりが当事者として立ち上がり、声を上げ、行動しなければならないのだ。そうはいっても、ただ闇雲に声を上げるだけでは貴重な時間を浪費してしまう。正しい方向を目指すのが肝腎となる。

この正しい方向を突き止めるためには、気候危機の原因にまでさかのぼる必要がある。その原因の鍵を握るのが、資本主義にほかならない。なぜなら二酸化炭素の排出量が大きく増え始めたのは、産業革命以降、つまり資本主義が本格的に始動して以来のことだからだ。そして、その直後に、資本について考え抜いた思想家がいた。そう、カール・マルクスである。

本書はそのマルクスの『資本論』を折々に参照しながら、「人新世」における資本と社会と自然の絡み合いを分析していく。もちろん、これまでのマルクス主義の焼き直しをするつもりは毛頭ない。一五〇年ほど眠っていたマルクスの思想のまったく新しい面を「発掘」し、展開するつもりだ。

この「人新世の『資本論』」は、気候危機の時代に、より良い社会を作り出すための想像力を解放してくれるだろう。

目次

資本主義を批判するZ世代／取り残される日本の政治／旧世代の脱成長論の限界
日本の楽観的脱成長論／新しい脱成長論の出発点／「脱成長資本主義」は存在しえない
「失われた三〇年」は脱成長なのか？／「脱成長」の意味を問い直す
自由、平等で公正な脱成長論を！／「人新世」に甦るマルクス

第四章　「人新世」のマルクス

マルクスの復権／〈コモン〉という第三の道
地球を〈コモン〉として管理する／コミュニズムは〈コモン〉を再建する
社会保障を生み出したアソシエーション／新たな全集プロジェクトMEGA
生産力至上主義者としての若きマルクス／未完の『資本論』と晩期マルクスの大転換
進歩史観の特徴――生産力至上主義とヨーロッパ中心主義
生産力至上主義の問題点／物質代謝論の誕生――『資本論』でのエコロジカルな理論的転換
資本主義が引き起こす物質代謝の攪乱／修復不可能な亀裂
『資本論』以降のエコロジー研究の深化／生産力至上主義からの完全な決別
持続可能な経済発展を目指す「エコ社会主義」へ／進歩史観の揺らぎ
『資本論』におけるヨーロッパ中心主義／サイードによる批判――若きマルクスのオリエンタリズム
非西欧・前資本主義社会へのまなざし／「ザスーリチ宛の手紙」――ヨーロッパ中心主義からの決別
『共産党宣言』ロシア語版という証拠／マルクスのコミュニズムが変貌した？
なぜ『資本論』の執筆は遅れたのか／崩壊した文明と生き残った共同体

第一章　気候変動と帝国的生活様式

▼ノーベル経済学賞の罪

二〇一八年にノーベル経済学賞を受賞したイェール大学のウィリアム・ノードハウスの専門分野は、気候変動の経済学である。そんな人物がノーベル賞を受賞したのは、気候危機に直面する現代社会にとって素晴らしいことだと思われるかもしれない。だが、一部の環境運動家たちからは、授賞の決定に対して、厳しい批判の声が上がったのだ。[1] どうしてだろうか。

批判の俎上（そじょう）にのせられたのは、ノードハウスが一九九一年に発表した論文であった。この論文は、ノーベル経済学賞をもたらした一連の研究の端緒になったものである。[2]

一九九一年といえば、折しも冷戦終結直後であり、グローバル化が二酸化炭素排出量を激増させる前夜だった。ノードハウスはいち早く、気候変動の問題を経済学に取り込んだ。そして、経済学者らしく、炭素税を導入することを提唱し、最適な二酸化炭素削減率を決めるためのモデルを構築しようとしたのである。

だが、問題はそこで引き出された最適解だ。あまりにも高い削減目標を設定すれば、経済成長を阻害してしまう、だから、重要なのは「バランス」だ、と彼は言う。[3] ところが、ノードハウスが設定した「バランス」は、経済成長の側にあまりにも傾きすぎていたのだ。

ノードハウスによれば、私たちは、気候変動を心配しすぎるよりも今のままの経済成長を続けた方が良い。経済成長によって、世界は豊かになり、豊かさは新しい技術を生む。だから、経済成長を続けた方が、将来世代はより高度な技術を用いて、気候変動に対処できるようになる。経済成長と新技術があれば、現在と同じ水準の自然環境を将来世代のために残しておく必要はない、と彼は主張したのである。

ところが、彼の提唱した二酸化炭素削減率では、地球の平均気温は、二一〇〇年までになんと三・五℃も上がってしまう。これは、実質的になにも気候変動対策をしないことが、経済学にとっての最適解だということを意味している。

ちなみに、二〇一六年に発効したパリ協定が目指しているのは二一〇〇年までの気温上昇を産業革命以前と比較して、二℃未満（可能であれば、一・五℃未満）に抑え込むことである。

だが、いまや、その二℃目標でさえ非常に危険であると多くの科学者たちが警鐘を鳴らしている。それなのに、ノードハウスのモデルでは、三・五℃も上昇してしまうのである。

もちろん、三・五℃もの気温上昇が起きれば、アフリカやアジアの途上国を中心に壊滅的な被害が及ぶことになる。だが、世界全体のＧＤＰ（国内総生産）に対する彼らの寄与は小さい。むろん、農業も深刻なダメージを受けるだろう。しかし、農業が世界のＧＤＰに占める割合は、「わずか」四％である。わずか四％ならば、いいではないか。アフリカやアジアの人々に被害が及ぼうとも――。こうした発想がノーベル経済学賞を受賞した研究の内実である。

ノーベル賞を取るほどであるから、当然、環境経済学におけるノードハウスの影響力はとてつもなく大きい。環境経済学が強調するのは、自然の限界であり、資源の希少性だ。希少性や限界のもとで最適な配分を計算するのは、経済学の得意分野である。そして、そこから出てくる最適解は、自然にも、社会にとっても「ウィンウィン」の解決策ということになる。

だから、ノードハウスの解決策は、受け入れられやすい。国際機関などで、経済学者たちが自らの存在感を示すための戦略としては、間違いなく有効である。だが、その代償として、ほとんどなにもしないのに等しい、ノロノロとした気候変動対策が正当化されてしまう。

もちろん、ノードハウス型の思考は、パリ協定にも影響を与えている。先ほど、パリ協定は気温上昇を二℃未満に抑えることを目指していると言った。だが、それは口先の約束にすぎない。実際には各国がパリ協定を守ったとしても、気温は三・三℃上昇するという指摘もある。[4] ノードハウスのモデルの示す数字との近さを見てほしい。やはり、各国の政府も経済成長を最優先にして問題を先送りにしているのだ。

だから、SDGsのような対策がメディアでも盛んに取り上げられるようになっている裏で、世界の二酸化炭素排出量が毎年増え続けているのは不思議ではない。問題の本質はうやむやにされ、「人新世」の気候危機は深まっていく。

▼ポイント・オブ・ノーリターン

ここで、ひとつはっきりさせておかなければならない。気候危機は、二〇五〇年あたりからおもむろに始まるものではない。危機はすでに始まっているのである。

事実、かつてならば「一〇〇年に一度」と呼ばれた類いの異常気象が毎年、世界各地で起きるようになっている。急激で不可逆な変化が起きて、以前の状態に戻れなくなる地点（ポイント・オブ・ノーリターン）は、もうすぐそこに迫っている。

例えば、二〇二〇年六月にシベリアで気温が三八℃に達した。これは北極圏で史上最高気温であった可能性がある。永久凍土が融解すれば、大量のメタンガスが放出され、気候変動はさらに進行する。そのうえ水銀が流出したり、炭疽菌のような細菌やウイルスが解き放たれたりするリスクもある。そして、ホッキョクグマは行き場を失う。

危機は複合的に深まっていくのだ。そして、「時限爆弾」に点火してしまえば、ドミノ倒しのように、危機は連鎖反応を引き起こす。それはもはや人間の手には負えないものだ。だから、この破局を避けるために、二一〇〇年までの平均気温の上昇を産業革命前の気温と比較して一・五℃未満に抑え込むことを科学者たちは求めている。

すでに一℃の上昇が生じているなかで、一・五℃未満に抑え込むためには、今すぐ行動しなくてはならない。具体的には、二〇三〇年までに二酸化炭素排出量をほぼ半減させ、二〇五〇年までに純排出量をゼロにしなくてはならないのである。

その一方で、もし現在の排出ペースを続けるなら、二〇三〇年には気温上昇一・五℃のラインを超えてしまい、二一〇〇年には四℃以上の気温上昇が起こることが危惧されている（図1）。

▼日本の被害予測

図1　対応策別・地球温暖化の進行予測

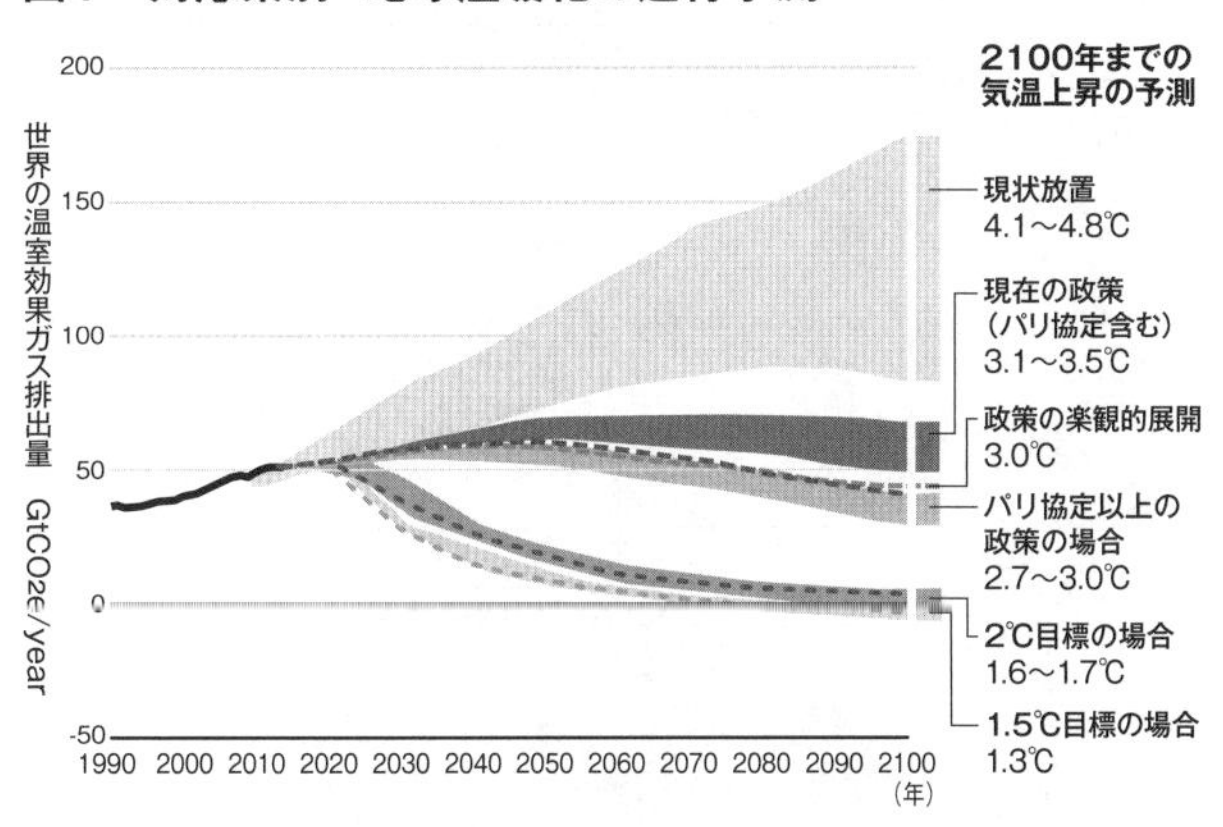

Climate Action Tracker, "2100 Warming Projections"（2018年版）をもとに作成

　このような急激な気温上昇が続けば、日本も無傷でいられるはずがない。二℃の上昇であっても、サンゴは死滅し、漁業にも大きな被害が出る。夏の熱波で、農作物の収穫にも大きな影響が出るだろう。さらに毎夏、各地に傷痕を残す台風の巨大化は一層進む。

　豪雨の被害も大きくなるだろう。二〇一八年の西日本豪雨による被害総額は一兆二〇〇〇億円にものぼるが、この規模の豪雨はすでに毎年起きるようになっており、その確率はさらに高まっていく。

　そして南極などの氷床の融解によって起きる海面上昇は、この島国にも深刻な危機をもたらす。気温上昇が四℃まで進めば、当然、被害は壊滅的なものになり、東京の江東区、

図2　四℃の気温上昇によって冠水する首都圏

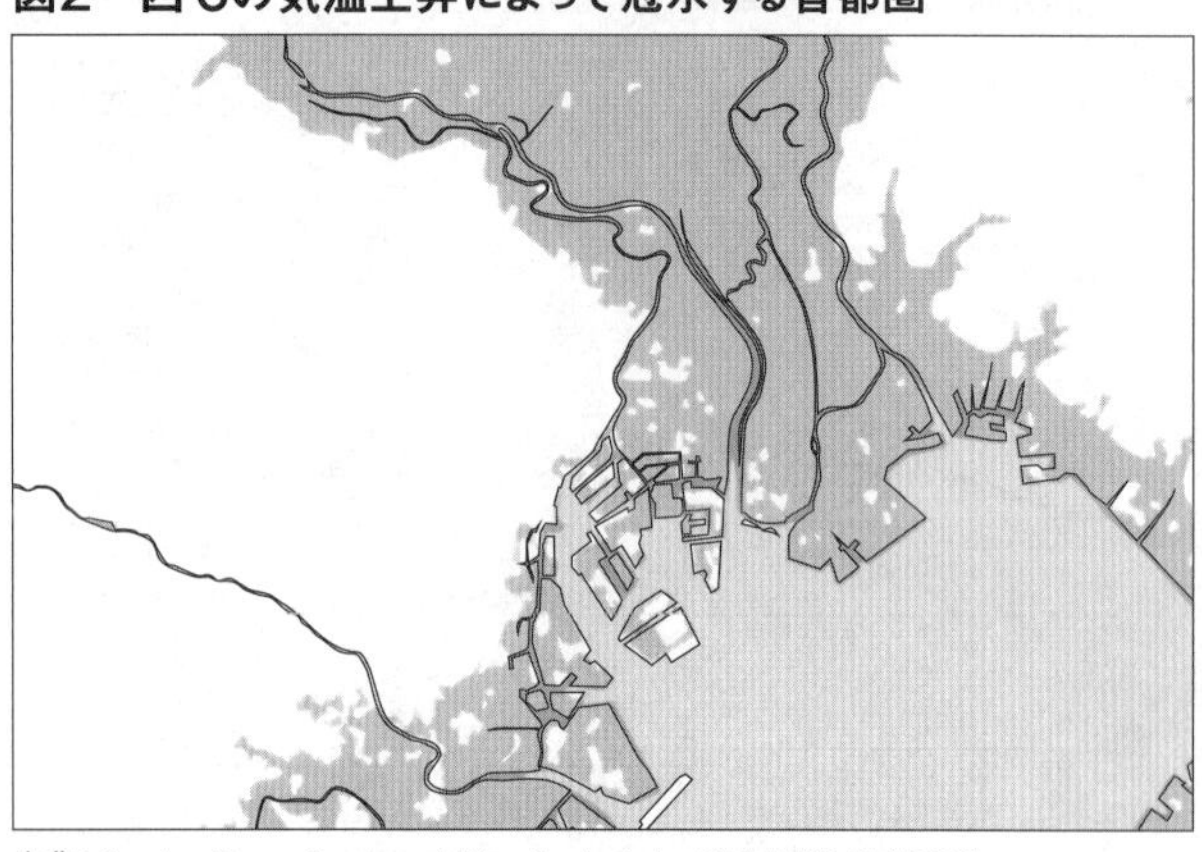

出典：Surging Seas, Sea Level Rise Analysis by CLIMATE CENTRAL

墨田区、江戸川区のような地域では、高潮によって多くの場所が冠水するようになるといわれている（図2）。大阪でも、淀川流域の広範囲の部分が冠水するだろう。沿岸部を中心に日本全土の一〇〇〇万人に影響が出るという予測もある。[5]

世界規模で見れば、億単位の人々が現在の居住地から移住を余儀なくされることになる。そして、人類が必要とする食料供給は不可能になる。経済的損失も莫大で、年間二七兆ドルになるという試算もある。こうした被害が恒常的に続くのだ。

▼大加速時代

もちろん、気候変動には、日本人にも大き

図3　国別・二酸化炭素排出量の割合（2017年）

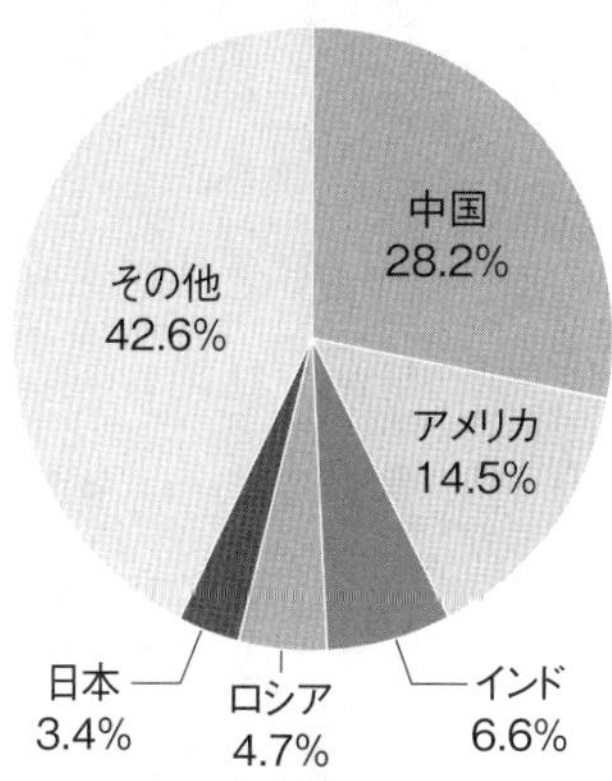

日本エネルギー経済研究所計量分析ユニット編『EDMC/エネルギー・経済統計要覧（2020年版）』（省エネルギーセンター、2020年）をもとに作成

な責任がある。日本は二酸化炭素排出量が世界で五番目に多いからだ。そして、日本を含めた排出量上位の五ヶ国だけで、世界全体の六〇％近くの二酸化炭素を排出しているのである（図3）。

気候変動が将来の世代に与える影響の大きさを考えれば、私たち現役世代が無関心でいることは許されず、今こそ、「大きな変化」をはっきりと求め、起こしていく必要がある。そして、本書が最終的に掲げたい「大きな変化」とは、資本主義システムそのものに挑むことである。

だが、そのような非現実的に見える要求を先走って掲げる前に、まずは気候変動という形で顕在化している環境危機の原因についてきちんと考える必要があるだろう。

ここで、さらにグラフを見てほしい（図4）。これらのグラフからだけでも、産業革命以降の人類の経済活動が地球システムへの負荷を増やしていることは一目瞭然だ。特に、第二次世界大戦後の経済活動の急成長とそれに伴う環境負荷の飛躍的増大は「大加速時代」(Great Acceleration) と呼ばれる。その加速が冷戦体制崩壊後、さらに強まっている。こんな時代が、持続可能なはずがない。やはり、「人新世」は破局へ向かっているようだ。

だが、なぜこのような事態になってしまったのだろうか。その理由を明らかにするためには、資本主義のグローバル化と環境危機の関係性をまずはしっかりと理解しなくてはならない。それが、第一章の課題である。

▼グローバル・サウスで繰り返される人災

「人新世」の資本主義と環境危機の関係を分析するにあたって、まずは、グローバル・サウスに目を向けてみよう。グローバル・サウスとは、グローバル化によって被害を受ける領域ならびにその住民を指す。グローバル・サウスの抱える問題は、以前なら「南北問題」と呼ばれていた事態だ。ただ、新興国の台頭や、先進国への移民増大によって、「南

図4　大加速時代における人間活動と地球システム

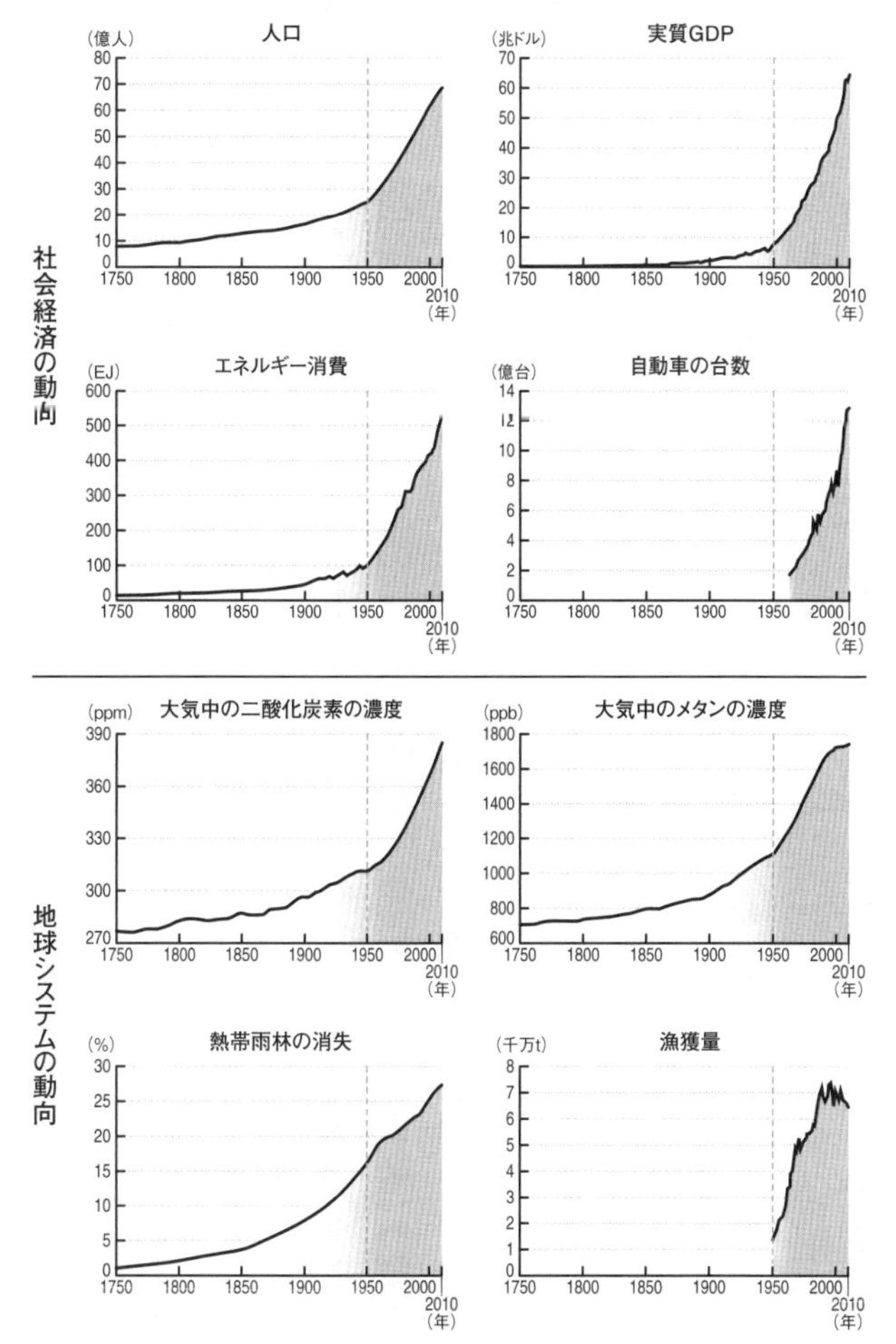

Will Steffen et al., "The trajectory of the Anthropocene: The Great Acceleration," *The Anthropocene Review*, 2, no.1 (2015) をもとに作成

北」格差は地理的位置との関係が必然ではなくなりつつある。そのため、本書では、グローバル・サウスという言葉を使いたい。

ともかく、旧来の南北問題も含め、資本主義の歴史を振り返れば、先進国における豊かな生活の裏側では、さまざまな悲劇が繰り返されてきた。いわば、資本主義の矛盾がグローバル・サウスに凝縮されているのである。

近年の大きな事件に絞ってみても、イギリスのBP社が引き起こしたメキシコ湾原油流出事故、多国籍アグリビジネスが乱開発を進めるアマゾン熱帯雨林での火災、商船三井が運航する貨物船のモーリシャス沖重油流出事故など枚挙にいとまがない。

被害の規模も大きい。二〇一九年に起きたブラジル・ブルマジーニョ尾鉱ダムの決壊事故では二五〇人以上が死亡した。このダムは、資源三大メジャーのひとつであるヴァーレ社の所有で、鉄鉱石の尾鉱（選鉱の際に生じる水と鉱物の混ざったスライム状の廃棄物）を貯めておくダムであった。

ヴァーレ社は二〇一五年にも同様の事故を、別のダムで起こしていたが、今回もずさんな管理によって決壊事故を引き起こし、数百万トンの泥流が近くの集落を一気に呑み込んだのだ。尾鉱があたり一面にぶちまけられることで、河川は汚染され、生態系も深刻なダメージを負った。

これらの事故は単なる「不運な」出来事なのだろうか。いや、そうではない。事故が起こる危険性は、専門家や労働者、住民たちによって繰り返し指摘されてきた。それにもかかわらず、国や企業はコストカットを優先して、有効な対策を取らず放置してきたのである。これらは、起こるべくして起きた「人災」なのだ。

そうはいっても、遠く離れたメキシコやブラジルで起きた事故など、日本人の関心は及ばないかもしれない。自分にはまったく関係ないと思う読者もいるだろう。だが、この「人災」に、私たち日本人も、間違いなく加担してきた。

自動車の鉄、ガソリン、洋服の綿花、牛丼の牛肉にしても、その「遠い」ところから日本に届く。グローバル・サウスからの労働力の搾取と自然資源の収奪なしに、私たちの豊かな生活は不可能だからである。

▼犠牲に基づく帝国的生活様式

ドイツの社会学者ウルリッヒ・ブラントとマルクス・ヴィッセンは、グローバル・サウスからの資源やエネルギーの収奪に基づいた先進国のライフスタイルを「帝国的生活様式」(imperiale Lebensweise)と呼んでいる。

帝国的生活様式とは要するに、グローバル・ノースにおける大量生産・大量消費型の社会のことだ。それは先進国に暮らす私たちにとっては、豊かな生活を実現してくれる。その結果、帝国的生活様式は望ましく、魅力的なものとして受け入れられている。だが、その裏では、グローバル・サウスの地域や社会集団から収奪し、さらには私たちの豊かな生活の代償を押しつける構造が存在するのである。

問題は、このような収奪や代償の転嫁なしには、帝国的生活様式は維持できないということだ。グローバル・サウスの人々の生活条件の悪化は、資本主義の前提条件であり、南北の支配従属関係は、例外的事態ではなく、平常運転なのである。[6]

ひとつ例を挙げよう。私たちの生活にすっかり入り込んだファスト・ファッションの洋服を作っているのは、劣悪な条件で働くバングラデシュの労働者たちである。二〇一三年に、五つの縫製工場が入った商業ビル「ラナ・プラザ」が崩壊し、一〇〇〇人以上の命が犠牲になる事故があったのは有名だ。

そして、バングラデシュで生産される服の原料である綿花を栽培しているのは、四〇℃の酷暑のなかで作業を行うインドの貧しい農民である。[7] ファッション業界からの需要増大に合わせて、遺伝子組み換えの綿花が大規模に導入されている。その結果、自家採取の種子が失われ、農民は、遺伝子組み換え品種の種子と化学肥料、除草剤を毎年購入しなくてはならない。干ばつや熱波のせいで不作ともなれば、農民たちは借金を抱えて、自殺に追い込まれることも少なくない。

ここでの悲劇は、帝国的生活様式による生産と消費に依存しているグローバル・サウスも、グローバル資本主義の構造的理由から、この平常運転に依存せざるを得ないことにある。

先述したように、ブラジル人も、ブルマジーニョの尾鉱ダムが危険なのはわかっていた。同様の事故は起きていたのだ。だが、それにもかかわらず、採掘を続けるよう強制されるのである。そこで働く労働者たちも自らの生活のために、採掘現場で働き、その近くに住むしかないのだ。

バングラデシュのラナ・プラザの縫製工場でも、事故の前日に従業員たちは、壁や柱の異常に気がついていたが、その声は無視されたのだった。また、インド人も、除草剤が身体(からだ)や自然に有害だとわかっている。それでも、ファッション産業の市場は拡大していき、世界中の需要を満たすために生産続行が強制される。

そして、犠牲が増えるほど、大企業の収益は上がる。これが資本の論理である。

▼犠牲を不可視化する外部化社会

もちろん、このような耳の痛い指摘は、これまでも何度もなされてきた。けれども、私たちは、いくばくかのお金を寄付するくらいで、すぐにまた忘れてしまう。すぐに忘れることができるのは、これらの出来事が、日常においては不可視化されているからである。

ミュンヘン大学の社会学者シュテファン・レーセニッヒは、このようにして、代償を遠くに転嫁して、不可視化してしまうことが、先進国社会の「豊かさ」には不可欠だと指摘する。これを「外部化社会」と彼は呼び、批判するのだ。

先進国は、グローバル・サウスを犠牲にして、「豊かな」生活を享受している。そして、「今日だけでなく、明日も、未来も」この特権的な地位を維持しようとしているとレーセニッヒは断罪する。「外部化社会」は、絶えず外部性を作り出し、そこにさまざまな負担を転嫁してきた。私たちの社会は、そうすることでのみ、繁栄してきたのである。[8]

▼労働者も地球環境も搾取の対象

先進国の資本主義とグローバル・サウスの犠牲の関係について、もっと有名なイマニュエル・ウォーラーステインの「世界システム」論を使って、簡単にまとめてみよう。ウォーラーステインの見立てでは、資本主義は「中核」と「周辺」で構成されている。グローバル・サウスという周辺部から廉価な労働力を搾取し、その生産物を買い叩くことで、中核部はより大きな利潤を上げてきた。労働力の「不等価交換」によって、先進国の「過剰発展」と周辺国の「過小発展」を引き起こしていると、ウォーラーステインは考えたのだった。

ところが、資本主義のグローバル化が地球の隅々まで及んだために、新たに収奪の対象となる、「フロンティア」が消滅してしまった。そうした利潤獲得のプロセスが限界に達したということだ。利潤率が低下した結果、資本蓄積や経済成長が困難になり、「資本主義の終焉」が謳われるまでになっている。[9]

ただ、この章で指摘したいのは、その先の話である。ウォーラーステインが主に扱っていた搾取対象は人間の労働力だが、それでは、資本主義の片側しか扱ったことにならないからだ。

もう一方の本質的側面、それが地球環境である。資本主義による収奪の対象は周辺部の労働力だけでなく、地球環境全体なのだ。資源、エネルギー、食料も先進国との「不等価交換」によってグローバル・サウスから奪われていくのである。人間を資本蓄積のための道具として扱う資本主義は、自然もまた単なる掠奪（りゃくだつ）の対象とみなす。このことが本書の基本的主張のひとつをなす。[10]

そして、そのような社会システムが、無限の経済成長を目指せば、地球環境が危機的状況に陥るのは、いわば当然の帰結なのである。

▼外部化される環境負荷

要するに、ウォーラーステインの議論を拡張すれば、中核部は、資源を周辺部から掠奪し、同時に経済発展の背後に潜むコストや負荷を周辺部に押しつけてきたのである。

日本人の食生活の影の主役になっているパーム油を例に取ろう。パーム油は価格が安いだけでなく、酸化しにくいため、加工食品やお菓子、あるいはファストフードなどでよく利用されている。

このパーム油が生産されているのが、インドネシアやマレーシアである。パーム油の原料となるアブラヤシの栽培面積は、今世紀に入ってから倍増しており、熱帯雨林の乱開発による森林破壊が急速に進んでいる。

急増するパーム油の生産の影響は、熱帯雨林の生態系の破壊だけではない。大規模な開発は、熱帯雨林の自然に依存してきた人々の暮らしにも破壊的な影響を与えている。例えば、熱帯雨林を農園として切り拓(ひら)いた結果、土壌侵食が起き、肥料・農薬が河川に流出して、川魚が減少しているのだ。この地域の人々は、川魚からたんぱく質を取っていたが、それができなくなり、お金が以前より必要となった。その結果、金銭を目当てに野生動物、とりわけオランウータンやトラなど絶滅危惧種の違法取引に手を染めるようになったのだ。

このように、中核部での廉価で、便利な生活の背後には、周辺部からの労働力の搾取だけでなく、資源の収奪とそれに伴う環境負荷の押しつけが欠かせないのである。

それゆえ環境危機が引き起こす被害に、地球上の人々がみな等しく苦しむわけではない。食料やエネルギーや原料の生産・消費に結びついた環境負荷は不平等に分配されているのだ。

「外部化社会」として先進国を糾弾するレーセニッヒによれば、このように、「どこか遠く」の人々や自然環境に負荷を転嫁し、その真の費用を不払いにすることこそが、私たちの豊かな生活の前提条件なのである。

▼加害者意識の否認と先延ばしの報い

こうして帝国的生活様式は、日常の私たちの生活を通じて絶えず再生産される。一方で、その暴力性は遠くの地で発揮されているため、不可視化され続けてきた。

環境危機という言葉を知って、私たちが免罪符的に行うことは、エコバッグを「買う」ことだろう。だが、そのエコバッグすらも、新しいデザインのものが次々と発売される。宣伝に刺激され、また次のものを買ってしまう。そして、免罪符がもたらす満足感のせいで、そのエコバッグが作られる際の遠くの地での人間や自然への暴力には、ますます無関心になる。資本が謀る(たばか)グリーン・ウォッシュに取り込まれるとはそういうことだ。

先進国の人々は単に「転嫁」に対する「無知」を強制されるだけではない。自らの生活をより豊かにしてくれる、帝国的生活様式を望ましいものとして積極的に内面化するようになっていくのである。人々は無知の状態を欲望するようになり、真実を直視することを恐れる。「知らない」から「知りたくない」に変わっていくのだ。

しかし、自分たちがうまくいっているのは、誰かがうまくいっていないからだと私たちは暗に気がついているのではないか。

現代ドイツを代表する哲学者マルクス・ガブリエルが述べているように、その不公正を「自分たちに関係のないことだと、（中略）見ないようにしてしまう」だけなのだ。直視することに耐えられない、だから「私たちがその不公正を引き起こしている原因だと知っていながら、現在の秩序の維持を暗に欲している」[11]。

こうして、帝国的生活様式は一層強固なものとなり、危機対応は未来へと先延ばしにされていく。それによって、私たち一人ひとりが、この不公正に加担することになる。だが、その報いがついに気候危機として中核部にも忍びよってきている。

▼「オランダの誤謬（ごびゅう）」——先進国は地球に優しい？

もちろん、こうした指摘自体はそれほど新しいものではない。公害問題や南北問題が盛んに議論された一九七〇～八〇年代にはすでに、似たような議論が展開されてきた。

その一例が、「オランダの誤謬」（Netherlands Fallacy）である。

オランダのような先進国の生活は、地球に大きな負荷をかけている。それにもかかわらず、これらの国での大気汚染や水質汚染の程度は比較的低い。汚染度の低い先進国とは対照的に、途上国では、大気汚染、水質汚染、ごみ処理問題など、さまざまな環境問題に苦しんでいる。人々は慎ましやかな生活をしているにもかかわらずだ。
なぜ、そんな一見すると矛盾した事態が生じるのか。ひとつの説明方法は、技術進歩の成果を理由に挙げるものだ。経済成長がもたらした技術進歩によって、公害を引き起こしてきた汚染物質の削減や除去が可能になったというのである。
だが、環境汚染を軽減しながら、経済成長を果たしたことを先進国が寿ぐことこそ、まさに「誤謬」である。先進国の環境改善は、単に技術発展によるものだけではなく、資源採掘やごみ処理など経済発展に付きまとう否定的影響の少なからぬ部分を、グローバル・サウスという外部に押しつけてきた結果にすぎないからだ。[12]
この国際的な転嫁を無視して、先進国が経済成長と技術開発によって環境問題を解決したと思い込んでしまうのが、「オランダの誤謬」である。

▼外部を使いつくした「人新世」

しかし、人類の経済活動が全地球を覆ってしまった「人新世」とは、そのような収奪と転嫁を行うための外部が消尽した時代だといってもいい。

資本は石油、土壌養分、レアメタルなど、むしり取れるものは何でもむしり取ってきた。

この「採取主義」(extractivism)は地球に甚大な負荷をかけている。ところが、資本が利潤を得るための「安価な労働力」のフロンティアが消滅したように、採取と転嫁を行うための「安価な自然」という外部もついになくなりつつあるのだ。

資本主義がどれだけうまく回っているように見えても、究極的には、地球は有限である。外部化の余地がなくなった結果、採取主義の拡張がもたらす否定的帰結は、ついに先進国へと回帰するようになる。

ここには、資本の力では克服できない限界が存在する。資本は無限の価値増殖を目指すが、地球は有限である。外部を使いつくすと、今までのやり方はうまくいかなくなる。危機が始まるのだ。これが「人新世」の危機の本質である。

その最たる例こそ、今まさに進行している気候変動だろう。外部の消尽が行き着くところまできた今、日本のスーパー台風やオーストラリアの山火事など、その被害が先進国でも可視化されるようになっているのである。

気候変動対策の時間切れが迫るなか、果たして私たちはなにをなすべきなのか。

▼冷戦終結以降の時間の無駄遣い

経済学者ケネス・E・ボールディングはかつて「指数関数的な成長が、有限な世界において永遠に続くと信じているのは、正気を失っている人か、経済学者か、どちらかだ」と述べたとされる。それから半世紀以上がたち、環境危機がこれほど深刻化しても、まだ私たちはひたすら経済成長を追い求め、地球を破壊している。経済学者的な思考は、それほど深く、日常に根づいてしまっているのだ。私たちは「正気を失っている」のかもしれない。

だが、子どもたちは、理性を保っていた。大人たちの気候変動対策の偽善を抉り出したのが、スウェーデン人の環境活動家グレタ・トゥーンベリである。学校ストライキで有名になった当時一五歳の高校生は、政治家たちが人気取りのために「環境に優しい恒久的な経済成長のことしか語らない」ことを厳しく批判したのだ。二〇一八年のCOP24（国連気候変動枠組条約締約国会議）での出来事である。[13]

グレタの主張は、資本主義が経済成長を優先する限りは、気候変動を解決できないというものである。たしかに、そう考えたくなる気持ちもわかる。実際、資本主義は、冷戦体制崩壊後のグローバル化と金融市場の規制緩和で生じた金儲けのチャンスを追いかけることに夢中で、気候変動対策のための貴重な三〇年間を無駄にしてきたのだ。

歴史を振り返れば、当時NASA（米航空宇宙局）の研究者であったジェームズ・ハンセンが「九九％の確率で」気候変動が人為的に引き起こされていると米議会で警告したのは、一九八八年のことだった。さらに、同年にはIPCC（気候変動に関する政府間パネル）が、UNEP（国連環境計画）とWMO（世界気象機関）によって設立された。

ここには、気候変動対策の国際協定締結に向けた希望があった。そして、もしそのころから対策を始めていれば、二酸化炭素の排出量を年三％くらいのペースでゆっくり減らしていく形で、気候変動問題は、十分解決可能だっただろう。

ところが、ハンセンの警告はタイミングがまずかった。直後にベルリンの壁が崩壊し、さらにはソ連が崩壊したことで、アメリカ型の新自由主義が世界を覆うことになったのである。旧共産圏に廉価な労働力や市場を見出した資本主義は新たなフロンティアを切り拓いていったのだ。

だが、経済活動がますます拡大することで、資源の浪費は加速していった。例えば、人類が使用した化石燃料のなんと約半分が、冷戦が終結した一九八九年以降のものなのである。[14]それに伴う二酸化炭素排出量の増大は、図5でも見て取れる。

ノードハウスが甘い見込みで、二酸化炭素削減率に関する件の論文を発表したのも、まさにその時期だ。こうして、気候変動対策のための、貴重な三〇年あまりの歳月が浪費され、状況は著しく悪化してしまった。

だから、グレタがあれほど激しく批判するのは、目先のことだけを考えて、貴重なチャンスを無駄にした大人たちの無責任さに対する怒りからである。そして、それでも依然として、経済成長を優先しようとする政治家やエリートの態度が、彼女の怒りの火に油を注ぐのだ。「あなたたちが科学に耳を傾けないのは、これまでの暮らし方を続けられる解決策しか興味がないからです。そんな答えはもうありません。あなたたち大人が、まだ間に合うときに行動しなかったからです[15]」。

ここまできたら、今のシステムのうちには解決策がない、だから、「システムそのものを変えるべきだ」と、グレタは、COP24の演説を締めくくった。世界中の若者たちは、グレタを熱狂的に支持した。

子どもたちの声に応えようとするなら、私たち大人は、まずは現在のシステムの本質を見極め、次なるシステムを準備しなければならない。もちろん、グレタの言う無策のシス

図5　地域別・二酸化炭素排出量

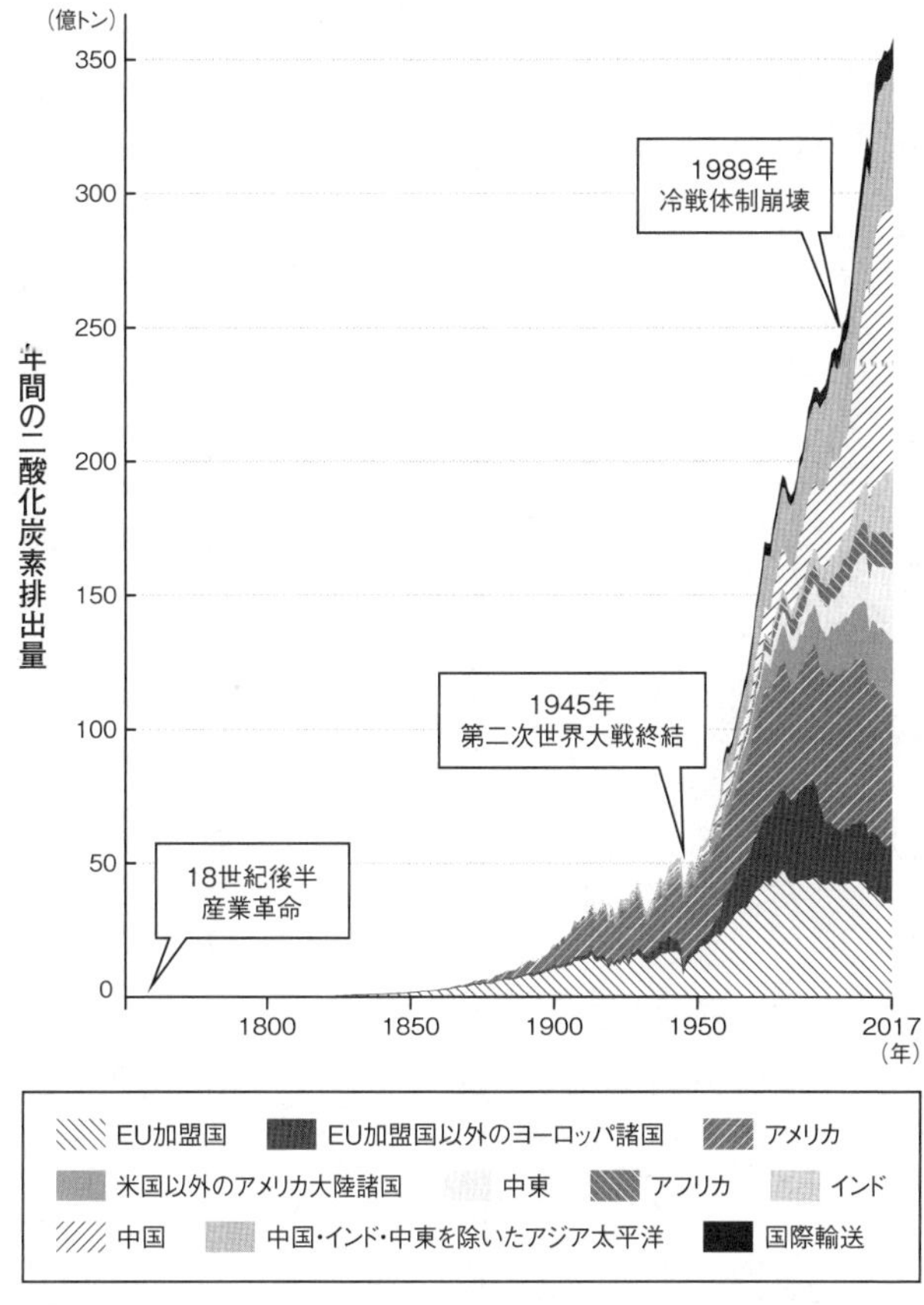

Carbon Dioxide Information Analysis Center (CDIAC) および Global Carbon Project (GCP) のデータをもとに作成

テムとは、資本主義のことである。

▼マルクスによる環境危機の予言

資本主義の歴史を振り返れば、国家や大企業が十分な規模の気候変動対策を打ち出す見込みは薄い。解決策の代わりに資本主義が提供してきたのは、収奪と負荷の外部化・転嫁ばかりなのだ。矛盾をどこか遠いところへと転嫁し、問題解決の先送りを繰り返してきたのである。

実は、この転嫁による外部性の創出とその問題点を、早くも一九世紀半ばに分析していたのが、あのカール・マルクスであった。

マルクスはこう強調していた。資本主義は自らの矛盾を別のところへ転嫁し、不可視化する。だが、その転嫁によって、さらに矛盾が深まっていく泥沼化の惨状が必然的に起きるであろうと。

資本による転嫁の試みは最終的には破綻する。このことが、資本にとっては克服不可能な限界になると、マルクスは考えていたのである。

そうした資本主義の限界の所在を突き止めるべく、マルクスを参照しながら、技術的、空間的、時間的という三種類の転嫁について整理しておこう。

▼技術的転嫁——生態系の攪乱(かくらん)

第一の転嫁方法は、環境危機を技術発展によって乗り越えようとする方法である。マルクスが扱っているのは農業による土壌疲弊の問題である。その際、彼が参照したのは、同時代の化学者ユストゥス・フォン・リービッヒの「掠奪農業」批判であった。

リービッヒによれば、土壌の養分、とりわけリンやカリウムのような無機物は、岩石の風化作用によって、植物が利用できる形になる。ただし、風化の速度は非常にゆっくりであるため、植物が利用可能な状態の土壌養分は限られている。それゆえ、地力を保つためには、穀物が吸収した分の無機物を土壌にしっかりと戻すことが不可欠だという。

リービッヒは、これを「充足律」と呼んだ。要するに、持続可能な農業のためには、土壌養分がしっかりと循環しなくてはならないというわけだ。

ところが、資本主義が発展して、都市と農村のあいだで分業が進むと、農村で収穫された穀物は、都市の労働者向けに販売されるようになっていく。そうすると、都市で消費される穀物に吸収された土壌養分は、もはや元の土壌に戻ってくることがない。都市の労働者たちが摂取し、消化した後は水洗トイレで河川に流されてしまうからだ。

　資本主義下での農業経営にも問題は潜む。短期的な視点しかもてない農場経営者は、地力を回復させるための休耕より、儲けのために連作を好む。土地を潤す灌漑設備への投資なども最低限にとどめる。資本主義では、短期的な利潤が最優先されるのである。こうして土壌の養分循環に「亀裂」が生じ、土壌に養分が還元されることなく、一方的に失われ、土壌は疲弊していく。

　短期的な利潤のために、持続可能性を犠牲にする不合理な農業経営を、リービッヒは「掠奪農業」と呼んで批判し、ヨーロッパ文明崩壊の危機として警鐘を鳴らしたのだった。[16]

　ところが、歴史的に見れば、リービッヒが警告したような土壌疲弊による文明の危機は生じなかった。なぜだろうか？　二〇世紀初頭に開発された「ハーバー・ボッシュ法」というアンモニアの工業的製法によって、廉価な化学肥料の大量生産が可能になったからである。

　ただし、この発明によって、循環の「亀裂」が修復されたわけではない。「転嫁」されたにすぎないというのがポイントだ。

　ハーバー・ボッシュ法によるアンモニア（NH_3）の製造は、大気中の窒素（N）だけでなく、化石燃料（主に天然ガス）由来の水素（H）を利用する。当然、世界中の農地の分をまかなうためには膨大な量の化石燃料が必要となる。

実際、アンモニアの製造に使われる天然ガスは、産出量の三〜五％をも占めるのだ。[17] 要するに、現代農業は、本来の土壌養分の代わりに、別の限りある資源を浪費しているだけなのである。当然、製造過程では、大量の二酸化炭素も発生する。これが、技術的転嫁の本質的な矛盾である。

そのうえ、大量の化学肥料の使用による農業の発展は、窒素化合物の環境流出によって、地下水の硝酸汚染や富栄養化による赤潮などの問題を引き起こす。飲み水や漁業に影響を与えるようになっていくのである。こうして技術による転嫁はいよいよ、ひとつの土地の疲弊には収まらない大規模な環境問題を引き起こすようになっていくのだ。

だが、話はこれで終わりではない。土壌生態系が化学肥料の大量使用によって攪乱され、土壌の保水力が落ちたり、野菜や動物が疫病などにかかりやすくなったりするのだ。そうはいっても、市場は虫食いがなく、大きさも均一で、廉価な野菜を求めている。こうして、現代農業には、ますます多くの化学肥料、農薬、抗生物質が必要不可欠になっていく。もちろん、これらの化学物質も環境へと流出し、生態系を攪乱する。

ところが、その原因を作った企業は、被害が出ても因果関係が証明されないと言い張って補償をしない。もちろん、補償をしたところで、環境問題の場合は、元通りにならないことも多い。

技術的転嫁は問題を解決しないのだ。むしろ、技術の濫用によって、矛盾は深まっていくばかりなのである。

▼空間的転嫁——外部化と生態学的帝国主義

技術的転嫁に続く、第二の方法が、空間的転嫁である。この点についても、マルクスは、土壌疲弊との関係で考察している。

まだハーバー・ボッシュ法が開発されていなかったマルクスの時代に注目された代替肥料は、グアノであった。南米のペルー沖にはたくさん海鳥がいて、その海鳥の糞(ふん)の堆積物が化石化したものがグアノである。それが島のように積み重なっていたのだ。

このグアノは乾燥した鳥の糞なので、植物の生育にとって必要な多くの無機物が含まれており、取り扱いも容易であった。実際、現地の住民は伝統的にグアノを肥料として用いていたという。このグアノの効用に気がついたヨーロッパ人が、一九世紀初頭に南米を調査旅行していたアレクサンダー・フォン・フンボルトであった。

その後、グアノは、土壌疲弊に対する救世主として一躍有名になり、大量に南米から欧米へ輸出されるようになっていく。グアノのおかげで、イギリスやアメリカの地力は維持され、都市の労働者たちの食料が供給されたのだ。

ところが、ここでも「亀裂」は修復されていない。大勢の労働者が動員されて、グアノが一方的に、奪い去られていったのだ。その結果は、原住民の暴力的な抑圧と九万人にも及ぶ中国人クーリーの搾取、ならびに海鳥の激減を伴うグアノ資源の急速な枯渇であった。[18]さらには、枯渇する資源をめぐって、グアノ戦争（一八六四～六六年）や硝石戦争（一八七九～八四年）が勃発することになる。

この事例からもわかるように、矛盾を中核部にとってのみ有利な形で解消する転嫁の試みは、「生態学的帝国主義」（ecological imperialism）という形を取る。生態学的帝国主義は周辺部からの掠奪に依存し、同時に矛盾を周辺部へと移転するが、まさにその行為によって、原住民の暮らしや、生態系に大きな打撃を与えつつ、矛盾を深めていく。[19]

▼時間的転嫁――「大洪水よ、我が亡き後に来たれ！」

最後の第三の転嫁方法は、時間的なものである。マルクスが扱っているのは森林の過剰伐採だが、現代において時間的転嫁が最もはっきりと現れているのが、気候変動である。

化石燃料の大量消費が気候変動を引き起こしているのは間違いない。とはいえ、その影響のすべてが即時に現れるわけではない。ここには、しばしば何十年にも及ぶ、タイムラグが存在するのだ。そして資本はこのタイムラグを利用して、すでに投下した採掘機やパイプラインからできるだけ多くの収益を上げようとするのである。

こうして、資本主義は現在の株主や経営者の意見を反映させるが、今はまだ存在しない将来の世代の声を無視することで、負担を未来へと転嫁し、外部性を作り出す。将来を犠牲にすることで、現在の世代は繁栄できる。

だが、その代償として、将来世代は自らが排出していない二酸化炭素の影響に苦しむことになる。こうした資本家の態度をマルクスは、「大洪水よ、我が亡き後に来たれ！」と皮肉ったのだ。

ここで、時間的な転嫁は必ずしも否定的なものではない、むしろ、危機に対処するための技術開発のための時間を稼いでくれるではないか、と考える人もいるかもしれない。実際、本章の冒頭で触れたノードハウスのように、二酸化炭素排出量削減をやりすぎて経済に悪影響が出るよりは、経済成長を続けて豊かになり、技術開発を推進する方が、賢い判断だと考える学者もいる。

ところが、仮にいつか新技術が開発されたとしても、その技術が社会全体に普及するのには、長い時間がかかる。そのせいで、貴重な時間を失ってしまうのだ。その間に、危機をさらに加速・悪化させる作用（「正のフィードバック効果」）が強まり、環境危機はさらに深刻化するかもしれない。となれば、その新技術では対応しきれないことだってありうる。技術がすべてを解決するという望みは裏切られることになるのだ。

「正のフィードバック効果」が大きければ、当然、経済活動にも甚大な負の影響が出る。環境悪化の速度に新技術がおいつかなければ、もはや人類になす術はなく、未来の世代はお手上げだ。当然、経済活動にも負の影響が出る。つまり、将来世代は、極めて過酷な環境で生きることを余儀なくされるだけでなく、経済的にも苦しい状況に陥る。

これこそ最悪の結果であろう。技術任せの対症療法ではなく、根本原因を探って、そこから気候変動を止めなくてはならない理由がここにある。

▼周辺部の二重の負担

以上、マルクスにならって、三種類の転嫁を見てきた。このように、資本はさまざまな手段を使って、今後も、否定的帰結を絶えず周辺部へと転嫁していくに違いない。

その結果、周辺部は二重の負担に直面することになる。つまり、生態学的帝国主義の掠奪に苦しんだ後に、さらに、転嫁がもたらす破壊的作用を不平等な形で押しつけられるのである。

例えば、南米チリでは、欧米人の「ヘルシーな食生活」のため、つまり帝国的生活様式のために、輸出向けのアボカドを栽培してきた。「森のバター」とも呼ばれるアボカドの栽培には多量の水が必要となる。また、土壌の養分を食いつくすため、一度アボカドを生産すると、ほかの種類の果物などの栽培は困難になってしまう。チリは自分たちの生活用水や食料生産を犠牲にしてきたのである。

そのチリを大干ばつが襲い、深刻な水不足を招いている。これには気候変動が影響しているといわれている。先に見たように、気候変動は転嫁の帰結だ。そこに、新型コロナウイルスによるパンデミックが追い打ちをかけた。ところが、大干ばつでますます希少となった水は、コロナ対策として手洗いに使われるのではなく、輸出用のアボカド栽培に使われている。水道が民営化されているせいである。[20]

このように、欧米人の消費主義的ライフスタイルがもたらす気候変動やパンデミックによる被害に、真っ先に晒(さら)されるのは周辺部なのである。

▼資本主義よりも前に地球がなくなる

つまり、リスクやチャンスは極めて不平等な形で分配されている。中核が勝ち続けるためには、周辺が負け続けなくてはならないのだ。

もちろん、中核も自然条件悪化の影響を完全に免れることはできない。だが、転嫁のおかげで、資本主義が崩壊するほどの致命傷を今すぐに負うことはない。裏を返せば、先進国の人々が大きな問題に直面するころには、この惑星の少なからぬ部分が生態学的には手遅れの状態になっているだろう。資本主義が崩壊するよりも前に、地球が人類の住めない場所になっているというわけだ。

だから、アメリカを代表する環境活動家ビル・マッキベンは次のように述べている。

「利用可能な化石燃料が減少していることだけが、私たちの直面している限界ではない。

実際、それは最重要問題ですらない。石油がなくなる前に、地球がなくなってしまうのだから[21]」

この発言のなかの石油を資本主義と言い換えることもできるだろう。もちろん、地球がダメになれば、人類全体がゲーム・オーバーとなる。地球のプランBは存在しない。

▼可視化される危機

短期的かつ表面的にだけ物事を見る限りでは、資本主義社会はまだまだ好調に見えるかもしれない。だが、中国やブラジルといったこれまで外部化の受け皿となっていた国々も急速な経済発展を遂げるようになった結果、外部化や転嫁の余地が急速に萎(しぼ)んでいる。

あらゆる国が同時に外部化することは論理的に不可能なのだ。ところが、「外部化社会」にとって、外部がないのは致命傷となる。

実際、廉価な労働力のフロンティアが喪失した結果、利潤率は低下し、先進国内部での労働者の搾取は激化している。同時に、環境的負荷のグローバル・サウスへの転嫁や外部化も限界を迎えつつあり、その矛盾が先進国にも現れるようになっている。労働条件の悪化は、先進国に住む私たちも日々、実感している。同様に、気候危機のような環境破壊の報いを私たちが痛感するようになるのも時間の問題である。もはや、他人事ではない。
ウォーラーステインの主張を繰り返せば、ここでの問題は、結局地球はひとつしかなく、すべてはつながっているということだ。外部化や転嫁が困難になると、最終的に、そのツケは、自分たちのところへと戻ってくる。これまで、海に流れて見えなくなっていたプラスチックごみは、マイクロ・プラスチックとして、魚介類や水などのなかに混じって、私たちの生活に舞い戻ってきている。実際、私たちは毎週クレジットカード一枚分のプラスチックを食べているといわれている。また、二酸化炭素も、気候変動を引き起こし、その影響が熱波やスーパー台風という形で日本を毎年襲うようになってきた。
また、ヨーロッパではシリア難民が大きな社会問題となり、それが右派ポピュリズムの台頭を許し、民主主義を脅かしている。実は、シリアの内戦も、原因のひとつは気候変動だといわれている。シリア一帯で続く長期の干ばつによる不作で人々は困窮し、社会的紛争の勃発する可能性が高まっていたというのである。[22]
アメリカでも同様である。ハリケーンの大型化はもちろんのこと、アメリカの国境には、ホンジュラスから難民キャラバンが押し寄せている。彼らもまた単に暴力や政治的不安定さから逃れようとしているだけでなく、気候変動による農業の困難さとそれに伴う困窮状態を訴えているという。[23]ところが、押し寄せる環境難民を前に、トランプ大統領は無慈悲な対応を見せ、彼らを劣悪な状態で拘留し、入国することを断固として拒んだ。それどころか、メキシコとの国境に壁を建設中である。EUも押し寄せる難民をトルコに押しつけている。だが、それもいつまでも続けることはできないだろう。気候変動と環境難民は、これまで先進国で不可視だった帝国的生活様式の矛盾を物質・身体として可視化し、既存の秩序を転覆しようとしている。

▼大分岐の時代

このように、外部の消尽によって、危機から目を背けることは、いまやますます困難になっている。もはや「大洪水よ、我が亡き後に来たれ！」と優雅に構えているわけにはいかない。「大洪水」は私たちの「すぐそば」にまで迫って来ているからだ。

気候危機が人類に突きつけているのは、採取主義と外部化に依拠した帝国的生活様式を抜本的に見直さなくてはならないという厳しい現実にほかならない。

だが、転嫁がいよいよ困難であることが判明し、人々のあいだに危機感や不安が生まれると、排外主義的運動が勢力を強めていく。右派ポピュリズムは、気候危機を自らの宣伝に利用し、排外主義的ナショナリズムを煽動するだろう。そして、社会に分断を持ち込むことで、民主主義の危機を深めていく。その結果、権威主義的なリーダーが支配者の地位に就けば、「気候ファシズム」とでも呼ぶべき、統治体制が到来しかねない。この危うさについては第三章でも議論したい。

しかし、この危機の瞬間には、好機もあるはずだ。気候危機によって、先進国の人々は自分たちの振る舞いが引き起こした現実を直視せざるを得なくなる。外部性が消尽することで、ついに自分たちも被害者となるからである。その結果、今までの生活様式を改め、より公正な社会を求める要求や行動が、広範な支持を得るようになるかもしれない。

ウォーラーステインの言葉を借りれば、これこそ、資本主義システムの危機がもたらす「分岐」である。外部の消尽は、今までのシステムが機能不全を起こす歴史の分かれ目に、私たちを連れていくのだ。

亡くなる前に、ウォーラーステインは次のようにも述べていた。「外部化を『あたり前のこと』とみなすかつての考え方は遠い過去の思い出となってしまった」[24]。

外部化ができなくなれば、これまでのような資本蓄積はできなくなる。環境危機も深刻化していく。その結果、資本主義システムの正当性は大きく揺らぎ、既存のシステムに反対する抗議活動も盛んになっていく。
　だから、外部の消尽が起きた今こそが歴史の分かれ目だと、ウォーラーステインは言い残したのだった。資本主義システムが崩壊し、混沌とした状態になるのか、別の安定した社会システムに置き換えられるのか。その資本主義の終焉に向けた「分岐」が、いまや始まっているのである。[25]

　こうして、「社会主義か、野蛮か」というローザ・ルクセンブルクの警句が二一世紀の大分岐点において、再び現実味を帯びる。だが、「野蛮」を防ぐためには、どうしたらいいのか。確かなのは、もはや段階的な改良では到底、間に合わないということだ。

　それでは、果たして、どのような大胆な対策を打つことができるのか。次章では、欧米で「希望」と目されている「グリーン・ニューディール」について検討していきたい。

第二章　気候ケインズ主義の限界

▼グリーン・ニューディールという希望？

第一章では、資本主義が人間だけでなく、自然環境からも掠奪するシステムであることを見た。そのうえ、資本主義は、負荷を外部に転嫁することで、経済成長を続けていく。そうした負荷の外部化がうまくいっていたあいだは、先進国に住む私たちは環境危機に苦しむこともなく、豊かな生活を送ることができてきた。だから、豊かな生活の「本当のコスト」についても、私たちは真剣に考えてこなかった。

だが、そのような資本主義システムこそ、環境危機をここまで深刻化させた原因である。負荷が不可視化されていることに甘えて、うすうす気づいていながら、現実から目を背けていた先進国の私たちのせいで、対策を打つのが遅れてしまったのだ。

そうこうしているうちに、「本当のコスト」はもはや無視できないものになりつつある。ポイント・オブ・ノーリターンに至るまでの残された時間がわずかになるなかで、前例を見ないような「大胆な」政策の可能性がついに先進国でも議論されるようになっているのである。

なかでも大きな期待を集めている政策プランのひとつが、「グリーン・ニューディール」

だ。例えば、アメリカでは、トーマス・フリードマンやジェレミー・リフキンといった識者たちが提唱し、その必要性を擁護している。バーニー・サンダースやジェレミー・コービン、ヤニス・ヴァルファキスといった世界中の名だたる政治家たちも、中身に決定的な違いはあるもののグリーン・ニューディールの看板を選挙公約に掲げていた。

グリーン・ニューディールは、再生可能エネルギーや電気自動車を普及させるための大型財政出動や公共投資を行う。そうやって安定した高賃金の雇用を作り出し、有効需要を増やし、景気を刺激することを目指す。好景気が、さらなる投資を生み、持続可能な緑の経済への移行を加速させると期待するのだ。

かつて二〇世紀の大恐慌から資本主義を救ったニューディール政策の再来を、という願いがここには読み取れる。危機の時代に、新自由主義はもはや無効だ。緊縮と「小さな政府」では対応できない。これからは、新たな緑のケインズ主義、「気候ケインズ主義」だ、というわけである。

だが、果たして、そのようなうまい話があるのか。グリーン・ニューディールは、本当に「人新世」の時代の救世王になれるのだろうか。第二章では、グリーン・ニューディールの問題点を検討していきたい。

▼「緑の経済成長」というビジネスチャンス

グリーン・ニューディールを掲げる人々のなかでも「経済成長」の部分に期待を大きく寄せるのが、経済ジャーナリストのトーマス・フリードマンだ。彼はそのような希望を「グリーン革命」と呼んで、こう述べる。「グリーン革命はまた、ビジネスチャンスと見なされなければならないし、私たちにとってはアメリカが再生するもっとも重要なチャンスなのだ」[1]。

ソ連崩壊後のグローバル化と情報技術の発展によって、世界は「フラット化」し、すべての人々はつながっていく、とフリードマンは長らく主張してきた。そこに、「グリーン革命」が新たに加わることによって、このフラットな世界が真に持続可能なものになるというわけだ。

フリードマンの発言からもわかるように、気候ケインズ主義が与えてくれるのは、気候変動を好機にして、これまで以上の経済成長を続けることができるかもしれないという「希望」である。別の言い方をすれば、気候ケインズ主義に依拠した「緑の経済成長」こそが、資本主義が「平常運転」を続けるための「最後の砦（とりで）」になっているのである。

▼SDGs——無限の成長は可能なのか?

その「最後の砦」の旗印になっているのが、「SDGs」だ。国連、世界銀行、IMF(国際通貨基金)、OECD(経済協力開発機構)などの国際機関もSDGsを掲げ、「緑の経済成長」を熱心に追求しようとしている。

例えば、イギリスや韓国を含む七ヶ国によって設置された「経済と気候に関するグローバル委員会」は、「ニュー・クライメイト・エコノミー・レポート」を発行している。そのなかで、「急速な技術革新、持続可能なインフラ投資、そして資源生産性の増大といった要素の相互作用によって、持続可能な成長は推し進められる」とまとめ、SDGsを高く評価している。そして、「私たちは、経済成長の新時代に突入している」と謳いあげた。[2]

エリートたちが集う国際組織において、気候変動対策が新たな経済成長の「チャンス」とみなされているのが、はっきりとわかるだろう。

実際、フリードマンやリフキンの提唱する気候ケインズ主義が、さらなる経済成長を生み出すのは間違いない。太陽光パネルだけでなく、電気自動車とその急速充電器の普及、さらには、バイオマス・エネルギーの開発など、経済の大転換が必要になり、そのためには多くの投資と雇用創出が欠かせないからである。そして、気候危機の時代には、既存の社会インフラ全体を丸ごと転換するような大型投資が必要だという主張も、まったくもって正しい。

だが、それでも問題は残る。それが果たして、地球の限界と相容れるのかどうか、という疑問が湧いてくるからだ。「緑」と冠をつけたところで、成長を貪欲に限りなく追求していけば、やがて地球の限界を超えてしまうのではないか。

▼プラネタリー・バウンダリー

だとすれば、経済成長を目指すにしても、持続可能な経済への大転換が引き起こす追加的な環境負荷が、取り返しのつかないものにならないよう限界の線引きをしておく必要がある。そう考えたのが環境学者ヨハン・ロックストロームである。彼の研究チームは「プラネタリー・バウンダリー（地球の限界）」という概念を二〇〇九年に提唱したのだ。

まずはこのプラネタリー・バウンダリーの考えを、簡単に説明しておこう。

地球システムには、自然本来の回復力（レジリエンス）が備わっている。だが、一定以上の負荷がかかると、その回復力は失われ、極地の氷床の融解や野生動物の大量絶滅など急激かつ不可逆的な、破壊的変化を引き起こす可能性がある。これが「臨界点」(ティッピング・ポイント)である。もちろん、臨界点を超えてしまうことは、人類にとっても非常に危険である。

そこで、その閾値(いきち)を九領域において計測し、見極めることで、人類の安定的な生存に向けた限界点をロックストロームは確定しようとした(ちなみに、この九項目は、気候変動、生物多様性の損失、窒素・リン循環、土地利用の変化、海洋酸性化、淡水消費量の増大、オゾン層の破壊、大気エアロゾルの負荷、化学物質による汚染からなる)。

それがプラネタリー・バウンダリーである。限界を超えない「人類の安全な活動範囲」の画定を、ロックストロームは目指していたのだ。

当然のことながら、プラネタリー・バウンダリーという概念はSDGsにも大きな影響を与えることになった。プラネタリー・バウンダリーが、技術革新や効率化を進めるための目標値になったのである。

▼成長しながら二酸化炭素排出量を削減できるのか

ところが、ロックストロームらの測定によれば、気候変動や生物多様性などの四項目は、人類の経済活動によって、すでにプラネタリー・バウンダリーを超えてしまっている。[3]

この事実は「人新世」の状況をよく表している。人類は自然を支配しようとした結果、地球環境を取り返しのつかないような形で大きく変えてしまっているのである。そして、もはや人類にはどうしようもできないような危機的状況に突き進もうとしているのだ。そんななか、「気候ケインズ主義」によって「緑の経済成長」を追求して本当に良いのだろうか。

ここで注目したいのが、ロックストローム自身が二〇一九年に公開した論考である。プラネタリー・バウンダリーを提唱してから一〇年後のこの論考のタイトルは「緑の経済成長という現実逃避」という強烈なものだ。[4]

これまでロックストロームは、ほかの多くの研究者たちと同様、地球の限界に配慮する「緑の経済成長」を実現すれば、気温上昇一・五℃未満という目標が達成可能であるという想定をもとに、議論を続けていた。

しかし、ついに、その立場を捨て、自己批判したのだ。つまり、経済成長か、気温上昇一・五℃未満の目標か、どちらか一方しか選択できないことを公に認めたのである。少し専門的な言葉を使えば、経済成長と環境負荷の「デカップリング」が、現実には極めて困難であるとロックストロームは判断したのだ。

▼デカップリングとはなにか

デカップリングとは、日本語で「切り離し」・「分離」を意味する。日常生活ではあまり聞き慣れないかもしれないが、経済や環境の分野では広く使われる概念である。

ここでの議論に絞って説明しよう。通常、「経済成長」によって「環境負荷」は増大する。そのように今まで連動して増大してきたものを、新しい技術によって切り離そうとするのが、デカップリングだ。つまり、経済が成長しても、環境負荷が大きくならない方法を探るのである。気候変動についていえば、新技術によって、経済成長を維持しながら、二酸化炭素排出量を減らすことを目指すのだ。

例えば、途上国の開発における、発電所や電力網などのインフラ整備や住宅、自動車などの大型消費は経済成長を促進するが、同時にそれは、多くの二酸化炭素を排出させることになる。けれども先進国が支援して、効率性の高い新技術を導入することができれば、旧技術のままインフラ整備や大型消費が行われた場合と比較して、二酸化炭素排出量はなだらかなカーブを描いて上昇していく。

このように経済成長の伸び率に対して、二酸化炭素排出量の伸び率を効率化によって相対的に低下させること、これが「相対的デカップリング」である。

▼絶対量で二酸化炭素を減らす必要性

けれども、「相対的デカップリング」は、気候変動対策としては不十分である。二酸化炭素排出の絶対量を減らさなければ、気温上昇に歯止めをかけることはできないからだ。絶対量を減らしつつ、経済成長を目指すのが「絶対的デカップリング」である。

図6は、ある時点での実質GDPと二酸化炭素排出量を一〇〇として、その推移を描いたものであるが、「絶対的デカップリング」においては、「相対的デカップリング」に比べて、削減すべき二酸化炭素排出量が圧倒的に異なる。

「絶対的デカップリング」の一例を挙げれば、二酸化炭素を排出しない電気自動車を普及させることだ。ガソリン車を減らせば、二酸化炭素排出量は減少する。一方、電気自動車の販売によって、経済成長は継続できる。

別の例を挙げれば、飛行機に乗って出張する代わりに、オンラインのテレビ会議を行うことも「絶対的デカップリング」に貢献する。石炭火力発電から太陽光発電への転換も同

図6　実質GDPと二酸化炭素排出量のデカップリング

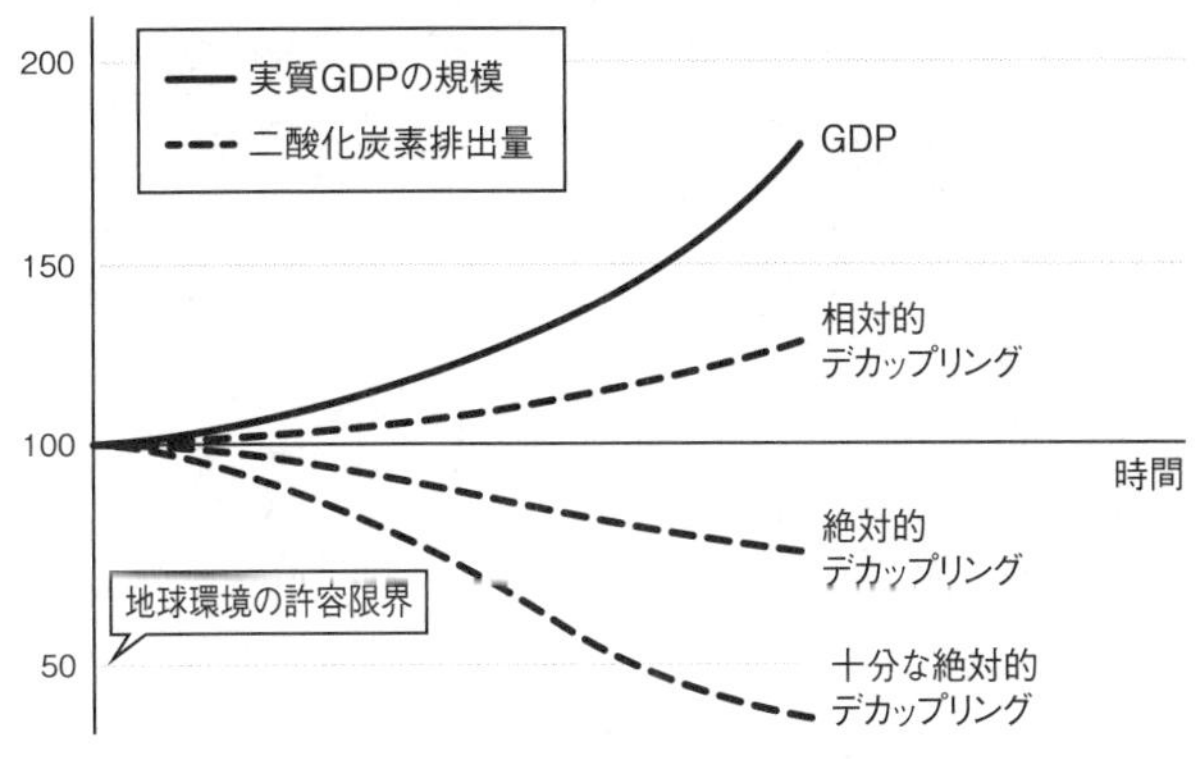

ケイト・ラワース『ドーナツ経済学が世界を救う』（黒輪篤嗣訳、河出書房新社、2018年）をもとに作成

様だ。成長しながら、排出量は減る。つまり、経済成長→排出量増加という両者の相関関係を解消し、切り離す。こうした対策を重ねていけば、経済成長を続けながら、二酸化炭素排出の絶対量を削減することが可能だというわけである。

このような仕方で、フリードマンらの提唱するグリーン・ニューディールは、GDPをこれまでどおりに成長させる一方で、気温上昇一・五℃未満という目標を達成するべく、二酸化炭素の純排出量をゼロにしようとする。もちろん、相当な技術革新が必要なのは間違いない。これは、「絶対的デカップリング」を目指した世紀の一大プロジェクトなのである。

▼経済成長の罠（わな）

今後の技術革新の可能性を考えれば、再生可能エネルギーや情報技術はかなりのスピードで発展するだろう。だから、「絶対的デカップリングは比較的簡単」だと楽観視する環境経済学者も少なくない。

だが、そもそも「絶対的デカップリング」は本当に実現可能なのだろうか。

その答えは、脱炭素社会の実現目標をいつに設定するかで大きく変わってくる。例えば、

今から一〇〇年後に排出量ゼロを達成することは十分可能だろう。

しかし、それでは遅すぎるのだ。科学者たちの警告を思い出してほしい。二〇三〇年には二酸化炭素排出量を半減させ、二〇五〇年までにゼロにしなくてはならない。つまり、今後一〇年から二〇年のうちに、気候変動を止められるだけの「十分な絶対的デカップリング」が可能かどうかが、問題なのだ。

ところが、あのロックストロームさえも、デカップリングによる緑の経済成長は「現実逃避」だと認めるようになっている。一・五℃未満という目標を達成するのに「十分な絶対的デカップリング」は不可能だというのである。

なぜ不可能なのか。デカップリングには、単純かつ強固なジレンマがつきまとうからだ。経済成長が順調であればあるほど、経済活動の規模が大きくなる。それに伴って資源消費量が増大するため、二酸化炭素排出量の削減が困難になっていくというジレンマだ。

つまり、緑の経済成長がうまくいく分だけ、二酸化炭素排出量も増えてしまう。そのせいで、さらに劇的な効率化をはからなければならない。これが「経済成長の罠」である。果たして、この罠から抜け出すことは可能なのだろうか。

結論をいってしまうと、残念ながら、その罠を逃れられる見込みはあまりない。二〜三%のGDP成長率を維持しつつ、一・五℃目標を達成するためには、二酸化炭素排出量を今すぐにでも年一〇%前後のペースで削減する必要がある。だが、市場に任せたままで、年一〇%もの急速な排出量削減が生じる可能性がどこにもないのは明らかだろう。

▼生産性の罠

こうした「経済成長の罠」に真摯に向き合った結果、先の論考でロックストロームが出した結論は、経済成長を諦めることであった。理由は単純である。成長を諦め、経済規模を縮小していくなら、二酸化炭素排出量の削減目標達成が、その分だけ容易になるからだ。

これは、地球環境の破壊を食い止め、人類繁栄の条件を維持するためのひとつの決断といえるだろう。だが、それは、資本主義のもとでは受け入れられない決断である。ここには、資本主義のもうひとつの罠、「生産性の罠」があるからだ。[6]

資本主義は、コストカットのために、労働生産性を上げようとする。労働生産性が上がれば、より少ない人数で今までと同じ量の生産物を作ることができる。その場合、経済規模が同じままなら、失業者が生まれてしまう。だが、資本主義のもとでは、失業者たちは生活していくことができないし、失業率が高いことを、政治家たちは嫌う。そのため、雇用を守るために、絶えず、経済規模を拡張していくよう強い圧力がかかる。こうして、生産性を上げると、経済規模を拡大せざるを得なくなる。これが「生産性の罠」である。

資本主義は「生産性の罠」から抜け出せず、経済成長を諦めることができない。そうすると、今度は、気候変動対策をしようにも、資源消費量が増大する「経済成長の罠」にはまってしまう。

だから、科学者たちも、資本主義の限界に気づき始めたのである。

▼デカップリングは幻想

とはいえ、ロックストロームの「成長をやめてしまえ」という結論はここではまだ読者にとって乱暴な主張に聞こえるに違いない。気候ケインズ主義の方が常識的に響くし、経済成長を諦めてはいけないと強く感じるだろう。それに自然科学者は経済には明るくないかもしれない。

そこで、もう少し詳しく、デカップリングの困難さにまつわる実証研究を紹介しておこう。今度は、イギリスの有名な環境経済学者によるものだ。ティム・ジャクソンのベストセラー『成長なき繁栄』（第二版、二〇一七年）である。

ジャクソンによれば、エネルギー消費の効率化が先進国の産業部門を中心に進んでいるという。アメリカやイギリスでは、一九八〇年と比較して、四〇％の大幅な改善が見られる。英米だけでなく、OECD加盟国を中心に、対実質GDP比でのエネルギー消費率は大幅に下がっており、先進国だけを見れば「相対的デカップリング」が進んでいるのは間違いない。

ところが、先進国の傾向とは逆に、ブラジルや中東では対実質GDP比でのエネルギー消費率が、むしろ急速に悪化している。目先の経済成長が優先されるなかで、旧来型の技術のままに大型投資が行われ、「相対的デカップリング」さえも生じていない状況なのだ。

エネルギー消費の効率性が悪化しているならば、当然、対実質GDP比での二酸化炭素排出割合も改善していない。経済成長の中心が中国やブラジルなどに移ったため、世界規模で見た場合、二〇〇四年から二〇一五年のあいだに、排出割合は年率わずか〇・二%しか改善していないというのである[7]（図7）。

要するに、世界全体で見れば、二酸化炭素排出と成長の「相対的デカップリング」でさえ、近年は、ほとんど生じていないのだ。こうした状況では、二〇五〇年排出ゼロに向けた「絶対的デカップリング」など夢のまた夢である。

なるほど、いくつかの先進国では、リーマン・ショック以降の長期停滞もあり、二酸化炭素の排出量は減少している。例えば、イギリスでは、二〇〇〇年から二〇一三年のあいだに、GDPが二七%上昇したが、二酸化炭素排出量は九%減少した。ドイツやデンマークでも絶対的デカップリングが起きている。

だが、世界規模で見れば、新興国における著しい経済成長のために、二酸化炭素の排出量は増え続けている。そう、現実には、「絶対的デカップリング」によって二酸化炭素の排出量が減るどころか、単純に増え続けている。そのデータは、すでに見たとおりだ（図5・四一頁参照）。結局、世界の二酸化炭素の排出量は、毎年およそ二・六%ずつ増えてい

図7　実質GDP（2010年USドル）あたりの二酸化炭素排出量（1965～2015年）

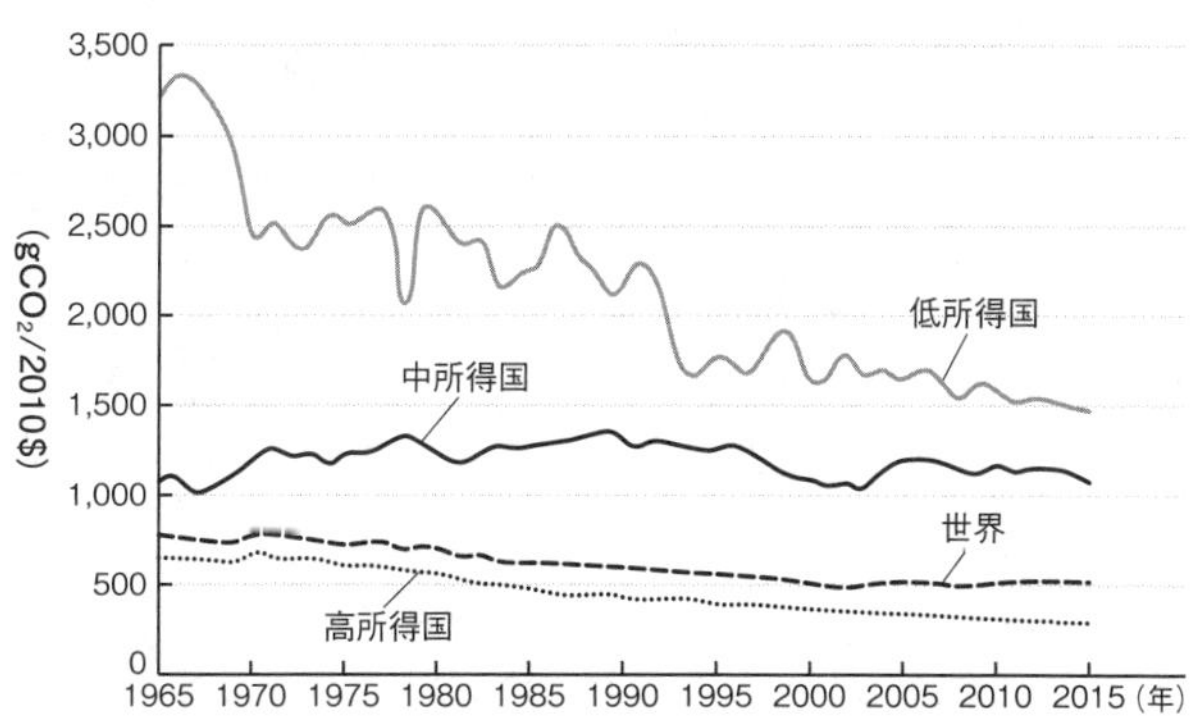

Tim Jackson, *Prosperity without Growth*, 2nd edition, London : Routledge, 2017 をもとに作成

る。先進国でも、アメリカの排出量は年率一・六%ずつ増えている。[8] 二℃目標を達成するような「十分な絶対的デカップリング」の見込みは、現実には見当たらない。

こうして、デカップリング論は「神話」であって「まったく説得力がない」とジャクソンは結論づけ、緑の成長論者たちを批判する。資本主義のもとで進む技術革新が、気候変動を止めるに違いないという「単純な想定」は、「幻想」にすぎないとまで言い切るのだ。[9]

▼起きているのはリカップリング

ジャクソンの示すデータを見て、世界的な二酸化炭素排出量の増大は、新興国の急速な経済発展のせいだと、新興国を責めたい気分になる人もいるかもしれない。

だが、それでは、第一章で触れた「オランダの誤謬」を繰り返すことになる（三五頁参照）。先進国での二酸化炭素排出量の減少だけに注目することは、ミスリーディングだろう。なぜなら、中国、ブラジルやインドで採取された資源や生産された商品の少なからぬ部分は先進国に輸出され、そこで消費されるからである。

要するに、先進国での「見かけ上の」デカップリングは、負の部分（この場合は、経済活動に伴う二酸化炭素排出）をどこか外部に転嫁することに負っている。ＯＥＣＤ加盟国のデカップリングは技術革新だけによるものではなく、この三〇年間で、国内で消費する製品や食料の生産を、グローバル・サウスに転嫁したことの結果なのだ。

それゆえ、輸出入を加味したカーボン・フットプリントで見れば、「相対的デカップリング」さえも生じていないとジャクソンは述べる[10]（カーボン・フットプリントとは、商品・サービスの原材料調達から廃棄に至るまでのプロセス全体を通して排出される温室効果ガスの排出量を二酸化炭素に換算したものである）。

このように、「絶対的デカップリング」は机上では可能に見えるが、リーマン・ショックやコロナ・ショックのような一時的な非常事態や景気後退の時期を除けば、大規模かつ継続的に生じる可能性は極めて低い。

そもそも技術がいくら進歩したところで、効率化には物質的限界があるのだ。効率化が進んでも、半分の原料で自動車を作れるようになるわけがない。

また、産業革命以来の資本主義の歴史を振り返ればわかるように、二〇世紀の経済成長は、化石燃料を大量に使用することによって可能となった。経済成長と化石燃料は、分かちがたく密接に連関しているのだ。それゆえ、従来どおりの経済成長を維持しながら、二酸化炭素排出量を削減していくことに、物理的な困難が伴うのは自明の事実なのである。

それを踏まえれば、この気候危機に際して、「絶対的デカップリング」に依拠した経済成長に希望を託すのは間違っている。「絶対的デカップリング」が容易であるかのような「幻想」を広める「緑の経済成長」戦略は、だからこそ危ういのだ。

▼ジェヴォンズのパラドックス――効率化が環境負荷を増やす

さらなる不都合な真実もある。効率化はデカップリングに必須であるけれども、同時に、効率化が気候危機への対処を困難にしてしまうという逆説である。

例えば、世界中でこの間、再生可能エネルギーへの投資が増えている。それにもかかわらず、化石燃料の消費量は減っていない。再生可能エネルギーが、化石燃料の代替物として消費されているのではなく、経済成長によるエネルギー需要増大を補う形で、追加的に消費されているのだ（図8）。

なぜこのようなことになっているのか。この事態を説明する方法のひとつが、「ジェヴォンズのパラドックス」である。一九世紀の経済学者ウィリアム・スタンレー・ジェヴォンズが『石炭問題』（一八六五年）で提起した逆説である。

当時イギリスでは、技術進歩によって石炭をより効率的に利用できるようになっていた。だが、それで石炭の使用量が減ることはなかった。むしろ、石炭の低廉化によって、それまで以上に、さまざまな部門で石炭が使われるようになり、消費量が増加していったのである。つまり、効率化すれば環境負荷が減るという一般的な想定とは異なり、技術進歩が環境負荷を増やしてしまうことを、ジェヴォンズは、早くから指摘したのだった。

そして、現代においても、同じことが起きている。新技術の開発で効率性が向上したとしても、商品がその分廉価になったせいで、消費量の増加につながることが頻繁に起こる。テレビは省エネ化しているが、人々がより大型のテレビを購入するようになったせいで、電力消費量がむしろ増えている。あるいは、自動車の燃費向上をＳＵＶなどの大型車の普

図8　世界のエネルギー消費
（テラワットアワー〈TWh〉でのエネルギー消費量）

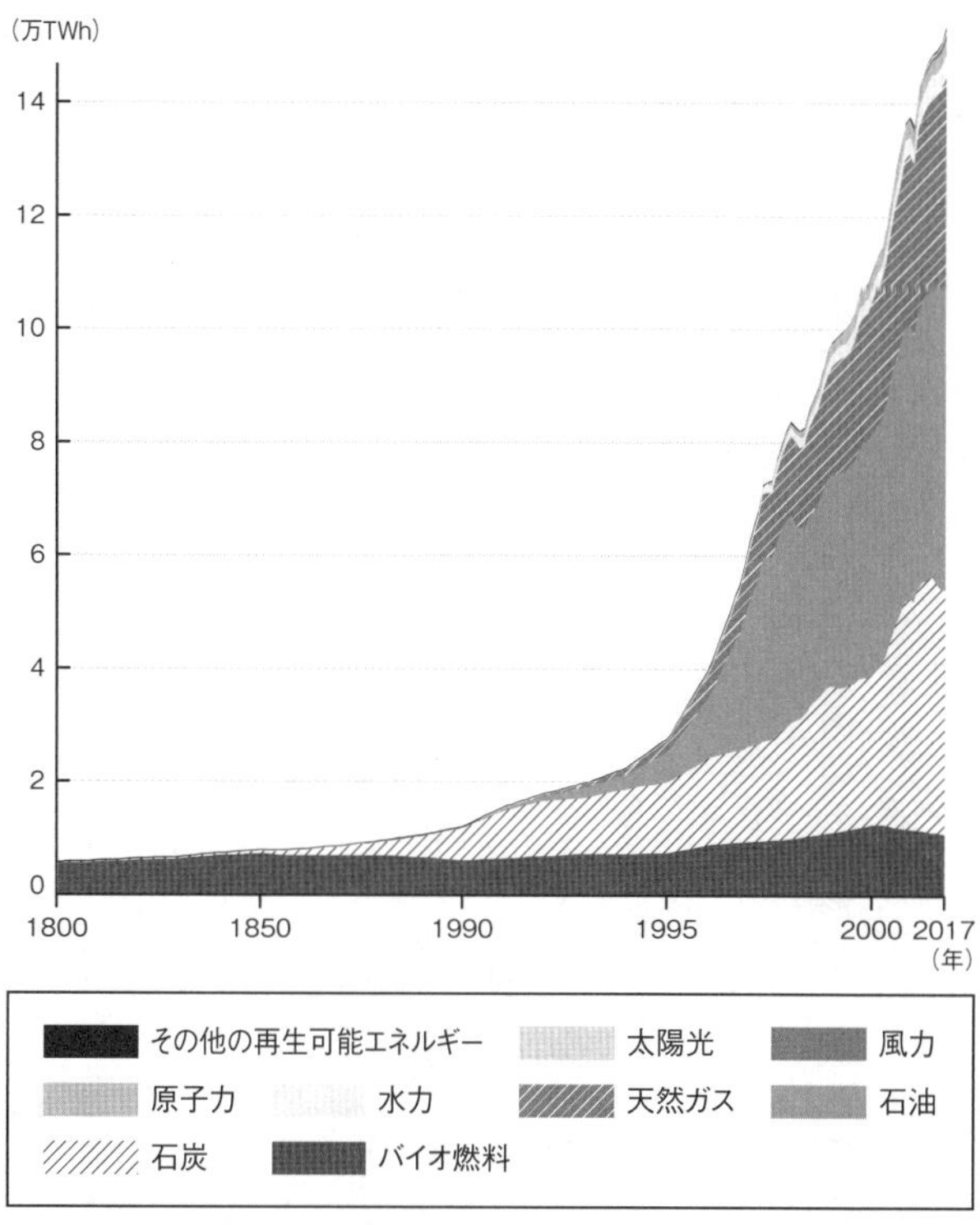

Vaclav Smil (2017) および BP Statistical Review of World Energy のデータをもとに作成

及が無意味にしたというのも、同じパラドックスである。新技術による効率化で「相対的デカップリング」が起きるように見えても、その効果はしばしば消費量の増加によって相殺され、無意味になってしまうのだ。

また、効率化によって、ひとつの部門で「相対的デカップリング」が生じたとしても、効率化で節約された分の資本や収入が、エネルギーや資源をよりたくさん消費する商品の生産や購買に使われ、節約分が帳消しになることもある。家庭用太陽光パネルが廉価になって浮いたお金で、人々は飛行機に乗って旅に出るかもしれない。余剰資金が生じれば、企業は新しい投資先を探すに違いない。それがグリーンである保証はどこにもない。

この場合、皮肉なことに、ひとつの部門での「相対的デカップリング」が、全体としての「絶対的デカップリング」を困難にしてしまうのである。

▼市場の力では気候変動は止められない

リフキンらの気候ケインズ主義のもうひとつ別の問題を指摘しよう。気候ケインズ主義は、市場を刺激するだけで、規制しない。だが、市場の価格メカニズムは、二酸化炭素排出量の削減のために機能しないのだ。

この市場の失敗を「ピークオイル」を例に考えてみよう。石油の産出量のピークを過ぎると、供給量が減って、原油価格が上昇し、経済に悪影響を及ぼすことが懸念されていた。このピークオイルがいつ生じ、どのような影響を経済に及ぼすかをめぐって、論争が繰り広げられたのだ。

ここで、市場原理主義者はこう考えた。石油価格が高騰すれば、再生可能エネルギーのような新技術が相対的に廉価になっていく。廉価になれば、再生可能エネルギーの開発はますます進む。その結果、おのずと石油の消費量は減っていくはずだ、と。

だが、現実は異なる。資本主義は、原油価格が上がるとともに、オイルサンドやオイルシェールといったこれまでは採算が合わなかった砂岩や頁岩(けつがん)から改質原油を製造しようとしたのだ。企業は、価格高騰をむしろ、金儲けの機会に変えようとしたのである。

それでも、将来的にイノベーションが進めば、再生可能エネルギーが廉価になり、石油の使用が採算に合わなくなる、と反論があるかもしれない。実際、ジェレミー・リフキンは、市場メカニズムによる「化石燃料文明の崩壊」を熱心に唱えている[11]。

しかし、仮に、再生可能エネルギーが急速に発達したとして、石油産業は、石油の価格競争力がなくなりそうになったときに、自動的に廃業するだろうか。いや、もちろん、そんなことはしない。将来的な石油の価格崩壊が確実視されればされるほど、売り物にならなくなる前に、化石燃料を掘りつくそうと試み、採掘のペースは上がってしまうのだ。最後の悪あがきである。

これは、気候変動のような不可逆的な問題にとっては、危険で、致命的な過ちとなる。だからこそ、温室効果ガスの削減のためには、市場外の強い強制力が必要なのだ。

▼富裕層が排出する大量の二酸化炭素

いずれにせよ、大規模で、恒常的なデカップリングが極めて困難だとすれば、気候ケインズ主義は自らの約束を果たすことができなくなる。グリーン・ニューディールという華々しい公約を掲げて選挙に勝つことができても、環境危機の解決という約束を実行することはできない。

問題はもっと根深いのだ。要するに、これまでの経済成長を支えてきた大量生産・大量消費そのものを抜本的に見直さなくてはならない。だからこそ、二〇一九年には、一万人を超える科学者たちが、「気候変動は、裕福な生活様式の過剰消費と密接に結びついている」ことを訴え、既存の経済メカニズムから抜本的に転換する必要性を唱えたのだ。[12]

図9　所得階層別・二酸化炭素排出量の割合

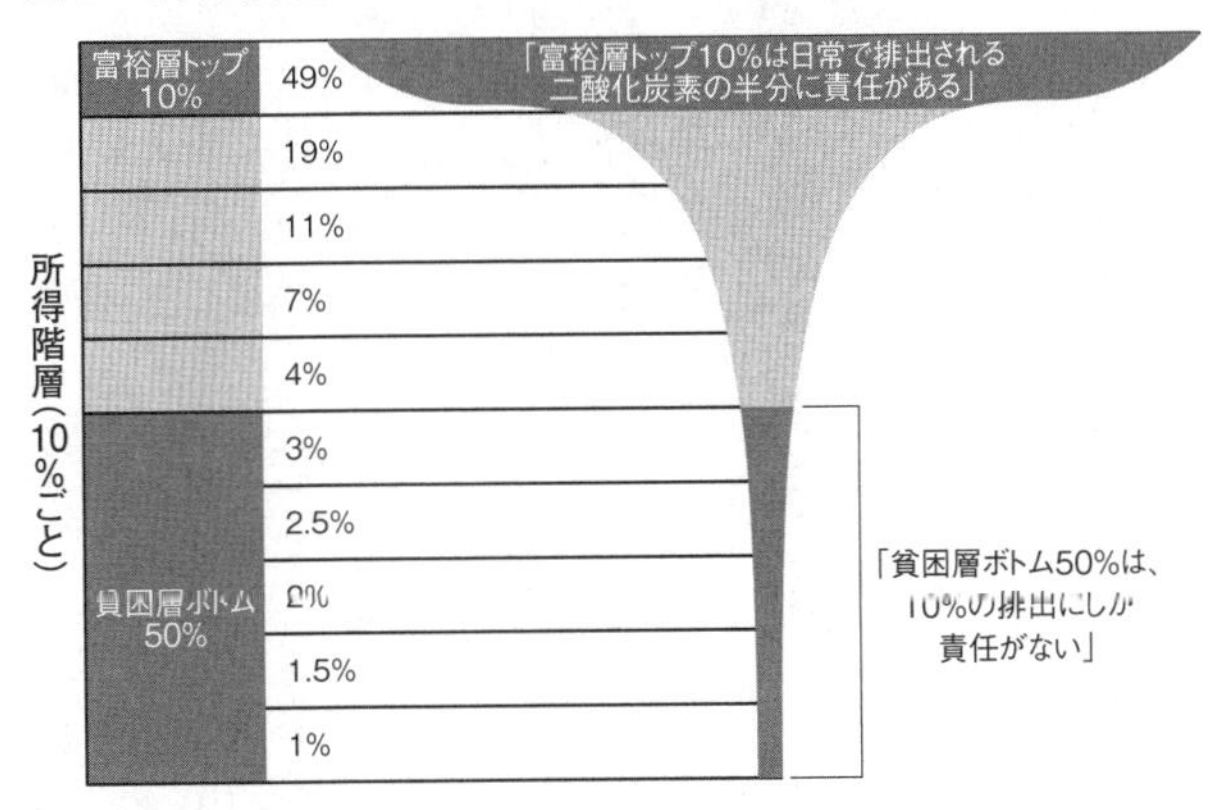

Oxfam, "Extreme Carbon Inequality" 2015 をもとに作成

もちろん、「裕福な生活様式」によって、二酸化炭素を多く排出しているのは、先進国の富裕層である。世界の富裕層トップ一〇%が二酸化炭素の半分を排出しているという、驚くべきデータもある（図9）。とりわけ、プライベート・ジェットやスポーツカーを乗り回し、大豪邸を何軒も所有するトップ〇・一%の人々は、極めて深刻な負荷を環境に与えている。

他方で、下から五〇%の人々は、全体のわずか一〇%しか二酸化炭素を排出していない。にもかかわらず、気候変動の影響に彼らが最初に晒される。ここにも、第一章で見た帝国的生活様式や外部化社会の矛盾がはっきりと表れている。だから、富裕層が率先して排出量を減らすべきという批判は完全に正しい。これは、帝国的生活様式の問題なのだ。

事実、富裕層トップ一〇%の排出量を平均的なヨーロッパ人の排出レベルに減らすだけでも、三分の一程度の二酸化炭素排出量を減らせるという。[13] これが実現すれば、持続可能な社会インフラへと転換をするまでの大きな時間稼ぎになるだろう。

だが、次のような事実も指摘しておかねばならない。先進国で暮らす私たちは、そのほとんどがトップ二〇%に入っている。日本なら大勢がトップ一〇%に入っているだろう。つまり、私たち自身が、当事者として、帝国的生活様式を抜本的に変えていかなければ、気候危機に立ち向かうことなど不可能なのである。

▼電気自動車の「本当のコスト」

さて、それでもデカップリングの可能性にかけて、経済成長を目指してグリーン投資を継続し、市場を拡大していった場合、どうなるだろうか。この点について、テスラのような電気自動車を例にとって、考えてみたい。

現在、ガソリン自動車が世界中で膨大な量の二酸化炭素を排出しているのは間違いない。だからこそ、低炭素車両を導入する緊急性は高いし、国はそのための積極的支援を行うべきである。

そして先述したように、ガソリン自動車をすべて電気自動車に置き換えるなら、巨大な新市場と雇用が生まれる。それによって、気候危機も経済危機も解決されるというわけだ。これぞ、気候ケインズ主義の理想形である。しかし、そう甘い話はない。

ここで鍵となるのが、二〇一九年に吉野彰がノーベル化学賞を受賞したことで日本でも注目を浴びたリチウムイオン電池である。スマートフォンやノートパソコンだけでなく、電気自動車にもリチウムイオン電池が不可欠であるが、このリチウムイオン電池の製造には、さまざまなレアメタルが大量に使用される。

まずは、当然リチウムが必要となる。リチウムの多くはアンデス山脈沿いの地域に埋まっている。そして、アタカマ塩原のあるチリが最大の産出国である。

リチウムは乾燥した地域で長い時間をかけて地下水として濃縮されていく。それゆえ塩湖の地下から、リチウムを含んだ鹹水（かんすい）をくみ上げ、その水を蒸発させることで、リチウムが採取されるのである。いってみれば、リチウム採掘は、地下水の吸い上げと同義である。

問題なのは、その量だ。一社だけでも、一秒あたり一七〇〇ℓもの地下水をくみ上げているという。元来乾燥した地帯における、そのような大量の地下水のくみ上げは、地域の生態系に大きな影響を与えざるを得ない。

例えば、鹹水に生息しているエビを餌にしているアンデス・フラミンゴの個体数が減少しているという。さらに、急激な地下水のくみ上げが、住民たちがアクセスできる淡水の量の減少を引き起こしている。[14]

要するに、先進国における気候変動対策のために、石油の代わりに別の限りある資源が、グローバル・サウスでより一層激しく採掘・収奪されるようになっているにすぎない。しかし、これも空間的転嫁によって、不可視化されてしまう。

次に、コバルトもリチウムイオン電池に不可欠である。ここでの問題は、コバルトの約六割がコンゴ民主共和国という、アフリカでも最も貧しく、政治的・社会的にも不安定な国で採掘されているという事実だ。

コバルトの採掘方法は、地層に埋まっているコバルトを重機や人力で掘り起こすという単純なものである。世界中の需要をまかなうための大規模な採掘とそのさらなる拡大が、コンゴで、水質汚染や農作物汚染といった環境破壊、そして景観破壊を引き起こしているのはいうまでもない。

それにくわえて、劣悪な労働条件の問題もある。コンゴ南部では、クルザー（仏語で

「採掘者」の意味）と呼ばれるインフォーマルな形での奴隷労働や児童労働が蔓延（まんえん）している。ノミや木槌のような原始的な道具を用いて、手作業で、コバルトの採掘に従事しているのだ。そのなかには、六～七歳程度の子どももおり、賃金は一日あたりわずか一ドルほどだという。

そして、危険なトンネルでの採掘作業は安全装備も十分ではない。地下で過ごす時間が二四時間に及ぶことも多々あり、有害物質を吸い込みながらの作業は呼吸器や心臓、精神の疾患といった健康被害も引き起こしている。[15] 最悪の場合には、作業中の事故で生き埋めになる。子どもの死傷者も出ていると国際的に非難されている。

グローバル・サプライチェーンの反対側にいるのが、テスラはもちろん、マイクロソフトやアップルである。リチウムやコバルトがどのように生産されているかをそうした大企業のトップたちが知らないわけがない。実際、アメリカで人権団体によって裁判も起こされているのだから。[16] にもかかわらず、涼しい顔をして、ＳＤＧｓを技術革新で推進すると吹聴しているのである。

▼「人新世」の生態学的帝国主義

結局、「緑の経済成長」を目指す先進国の取り組みは、社会的・自然的費用を周辺部へと転嫁しているにすぎない。第一章でも詳述した、一九世紀のペルー沖でのグアノ採掘と同様の生態学的帝国主義の構造が、レアメタルをめぐるものへと姿を変え、南米やアフリカで繰り返されているのである。

リチウムやコバルトだけではない。鉄や銅やアルミニウムの需要もGDPの増大に合わせて増え続けている。これらの資源の消費量も、急速に増え続けているのだ（図10）。

この点について、環境学者トーマス・ヴィートマンらの研究は、国際貿易による影響の補正を行って、マテリアル・フットプリント（MF）を計算している。[17] MFとは消費された天然資源を示す指標である。

この研究によれば、補正後には先進国においても、経済成長からのMFのデカップリングは生じていない。たしかに国内物質消費量（DMC）は減少しているが、輸入している資源のMFを加味すると、各国のMFは実質GDPとほぼ同じ割合で増大していることが判明するのだ（図11・八九頁）。先進国での相対的／絶対的デカップリングはあくまでも一

図10　鉱物産出量の増加率

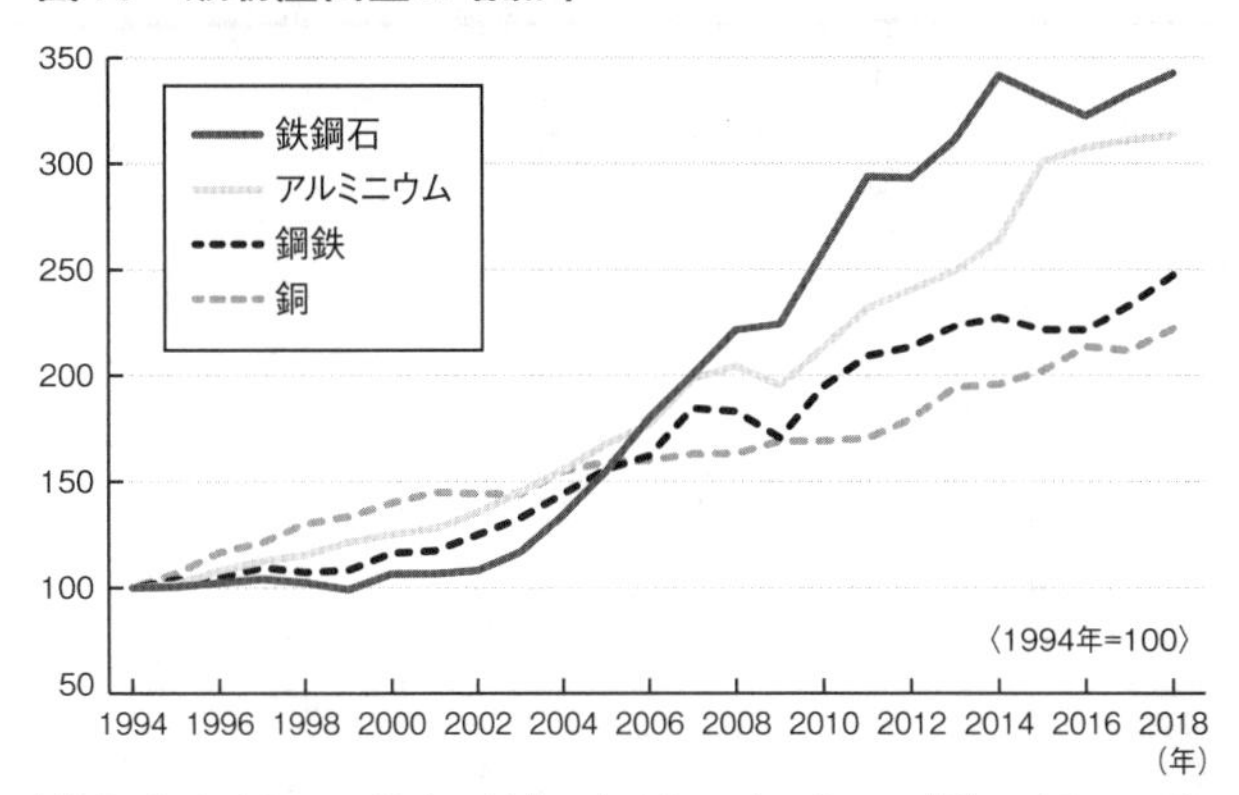

US Geological Survey, National Minerals Information Center, "Mineral Commodity Summaries," 1994-2019 のデータをもとに作成

時的なものであり、むしろ、近年生じているのは、GDPとMFの「リカップリング（再結合）」だというのである。[18]

事実、鉱物、鉱石、化石燃料、バイオマスを含めた資源の総消費量は、一九七〇年には二六七億tだったのが、二〇一七年にはついに一〇〇〇億tを超えた。二〇五〇年には、およそ一八〇〇億tになるという。

一方、リサイクルされているのは、わずか八・六％で、その割合は資源消費量の急速な増大を前にむしろ下がっている。先進国ではICT（情報通信技術）産業やサービス業への移行による「資本主義の脱物質化」が進んだといわれてきたが、この事実を踏まえれば、脱物質化などまったく生じていないことがわかる。[19]

いずれにせよ、こうした経済のあり方に持続可能性がないのは明らかだろう。「十分な絶対的デカップリング」が困難なだけではない。一部で期待されている「循環型経済」が持続可能な社会を実現するかのような言説も、ミスリーディングである。循環させようとするだけでは不十分で、資源消費量そのものを抜本的に減らさなくてはならない。

資本主義的な「緑の経済成長」を追い求める、先進国の気候ケインズ主義の未来は、暗い。たしかに、自国では「緑」を謳う経済政策が実行されるかもしれない。だが、周辺部からの掠奪は深刻化していく。掠奪こそが、中核部における環境保護のための条件になってしまっているのである。

▼技術楽観論では解決しない

さらに、都合の悪いことがある。先進国での緑の政策の効果さえも疑わしいのだ。そもそも各家庭が複数台の自動車を所有している状態は、たとえそれが電気自動車であっても、けっして持続可能ではない。ましてや、テスラやフォードによるＳＵＶ型の電気自動車の販売計画は、既存の消費文化を強化し、より多くの資源を浪費することにしかならない。

図11　マテリアル・フットプリント（1990年をゼロとした割合）

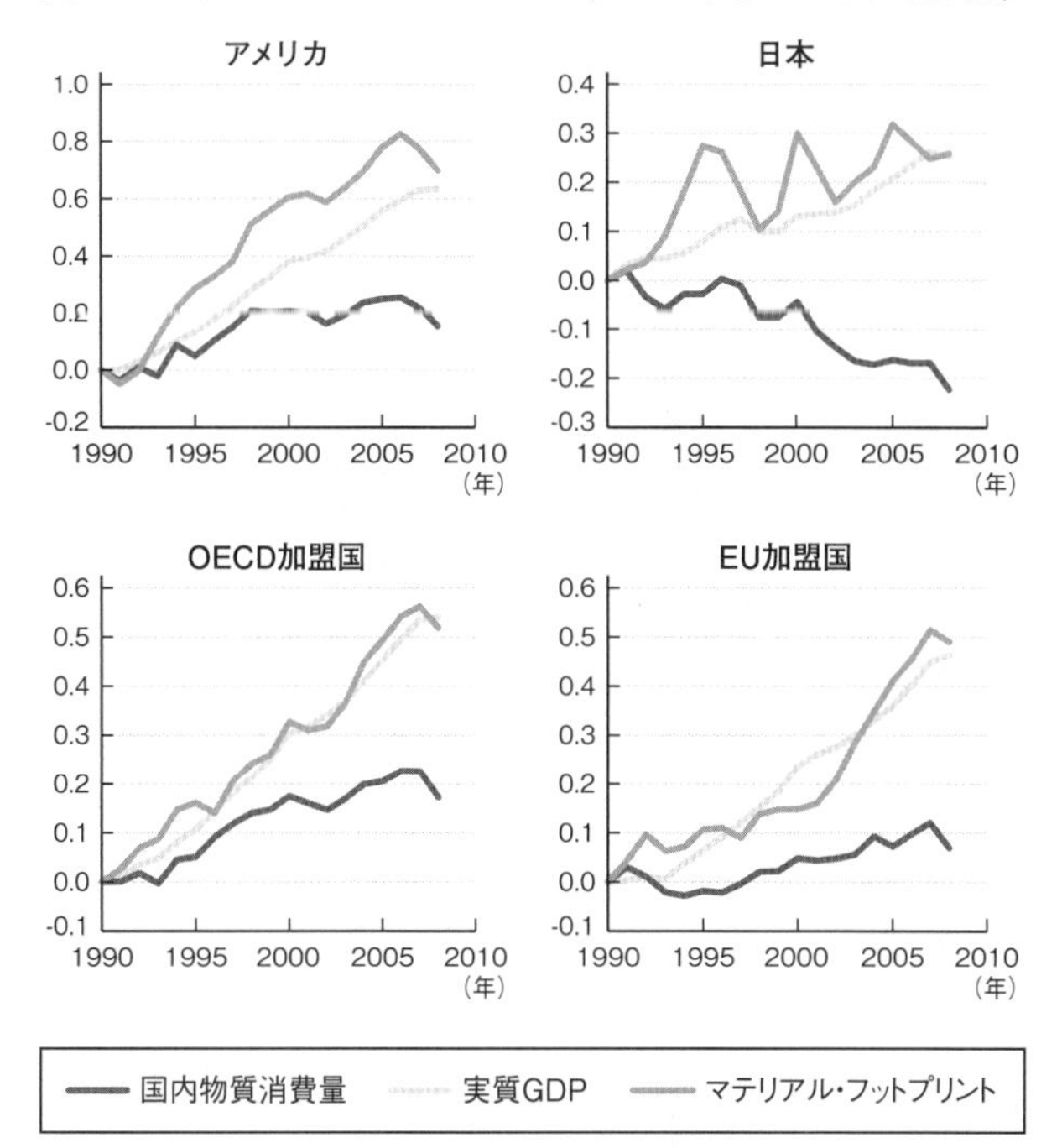

Thomas O. Wiedmann et al., "The Material Footprint of Nations," *Proceedings of the National Academy of Sciences of the United States of America* 112, no. 20 (2015) をもとに作成

まさに、グリーン・ウォッシュの典型である。

実際、電気自動車の生産、その原料の採掘でも石油燃料が使用され、二酸化炭素は排出される。さらには、電気自動車のせいで増大する電力消費量を補うために、ますます多くの太陽光パネルや風力発電の設置が必要となり、そのために資源が採掘され、発電装置の製造でさらなる二酸化炭素が排出される。もちろん、環境も破壊される。「ジェヴォンズのパラドックス」だ。結果的に、環境危機は悪化していく。

ここにダメ押しのデータがある。IEA（国際エネルギー機関）によれば、二〇四〇年までに、電気自動車は現在の二〇〇万台から、二億八〇〇〇万台にまで伸びるという。ところが、それで削減される世界の二酸化炭素排出量は、わずか一％と推計されているのだ。[20]

なぜだろうか？　そもそも、電気自動車に代えたところで、二酸化炭素排出量は大して減らない。バッテリーの大型化によって、製造工程で発生する二酸化炭素はますます増えていくからだ。

以上の考察からもわかるように、グリーン技術は、その生産過程にまで目を向けると、それほどグリーンではない。[21]生産の実態は不可視化されているが、相変わらず、ひとつの問題を別の問題へと転嫁しているだけなのだ。したがって、電気自動車や太陽光発電への移行は必要であるが、技術楽観論に未来を委ねることは致命的な誤ちとなる。

それでも、電気自動車や再生可能エネルギーに一〇〇％移行するという気候ケインズ主義の訴えは、魅惑的に聞こえるかもしれない。だが、それは、自分たちの帝国的生活様式を変えることなく――つまり、自分たちはなにもせずとも――気候ケインズ主義が持続可能な未来を約束してくれるからだ。ロックストロームに言わせれば、それこそまさに、「現実逃避」なのである。

▼大気中から二酸化炭素を除去する新技術？

電気自動車導入による二酸化炭素排出量削減に期待できないとなれば、「緑の経済成長」派は、もっとすごい技術にかけるしかない。排出量の削減が難しいなら、大気中から二酸化炭素を除去する技術を開発しようというわけだ。そうした新技術は排出量をネガティブ（マイナス）にする技術という意味でネガティブ・エミッション・テクノロジー（NET）と呼ばれている。

もしNETが実現されれば、「絶対的デカップリング」はずっと容易になる。国連のIPCCが公開した「1・5℃特別報告書」（二〇一八年）も、気温上昇を一・五～二℃に抑えるためのシナリオにＮＥＴの導入を組み込んでいる。ＮＥＴは気候ケインズ主義にとっての期待の星なのだ。

だが、気候学者たちが指摘するように、ＮＥＴを前提にしたＩＰＣＣのシナリオは、あまりに問題が多い。[22] そもそもＮＥＴの実現可能性は不確かであるし、実現しても大きな副作用が予想されるからである。

ＮＥＴの代表例であるＢＥＣＣＳ（Bio-energy with Carbon Capture and Storage）について考えてみよう。ＢＥＣＣＳとは、バイオマス・エネルギー（ＢＥ）の導入によって排出量ゼロを実現しつつ、大気中の二酸化炭素を回収して地中や海洋に貯留する技術（ＣＣＳ）を用いて、二酸化炭素排出量をマイナスにもっていこうとするものだ。

しかし、ＢＥＣＣＳが実現しても、問題はそう簡単には解決しないだろう。「緑の経済成長」を目指すなら、拡大する経済規模に合わせて、ＢＥＣＣＳの規模を拡充させなくてはならないからだ。

まず、バイオマス・エネルギーの問題からいえば、膨大な農地が必要になる。二℃目標達成のためには、インドの国土面積の二倍ともいわれる農地が必要だという。これだけの土地をどうやって確保するというのだろうか。これもインドやブラジルに押しつけ、現地の人々の食料生産の場を奪うのか。あるいは、バイオマス用の追加の耕作地を求めてアマゾンの熱帯雨林を伐採するなら、二酸化炭素排出量の削減の効果はなくなる。

ＣＣＳも問題含みだ。ＣＣＳ付設の発電設備は、大量の水を必要とする。アメリカの発電分をまかなうためだけでも、年間一三〇〇億ｔ必要といわれているのだ。現状の農業でさえ水の大量消費が問題になっており、気候変動のせいで、ますます今後、水は貴重なものになるというのに、ＣＣＳのために、これほど大量の水を使用することができるわけがない。また、ＣＣＳによって、大量の二酸化炭素を海底に注入する場合、海洋酸性化の大幅な進行は避けられなくなる。

要するに、ＢＥＣＣＳはマルクスが問題視した「転嫁」を大規模に行うだけの技術なのである。

▼ＩＰＣＣの「知的お遊び」

ここで、気がつくことがある。化石燃料を使い続けるためだけに、ほかの自然資源を膨大に浪費し、環境負荷を高めることに、果たして何の意味があるのだろうか。むしろ、化石燃料に依存しない社会を編み出すべきではないのか。どう考えても、ＢＥＣＣＳは劣悪な解決策なのだ。

ところが、ＩＰＣＣの報告書（ＡＲ５）はＢＥＣＣＳのような問題含みの「夢の」技術をほとんどすべての二℃シナリオに取り入れている。報告書の執筆にかかわっている専門家も、ＢＥＣＣＳが非現実的だと当然わかっているはずだ。それにもかかわらず、非現実的な過程を入れて、複雑なモデルを構築し、多くのシナリオを作成し続けている。

それでは、学者たちの「知的お遊び」にすぎないと、ロックストロームに批判されても仕方がない。トップレベルの専門家たちは、そんなことに貴重な時間を使わず、本来であれば、危機を止めるためになにをしなくてはならないかを公衆に啓蒙し、なぜもっと大胆な対策を取らなくてはならないのかを、しっかりと政治家や官僚たちに説明すべきではないか。

このような指摘をすると、なぜ、ＩＰＣＣがこれほど単純な自家撞着に陥っているのか、と不思議に思う人もいるかもしれない。理由は単純だ。ＩＰＣＣのモデルは、経済成長を前提としており、「経済成長の罠」にはまってしまっているのである。経済成長を前提とする限り、ＮＥＴのような技術に頼るしかなくなるのだ。

▼「絶滅への道は、善意で敷き詰められている」

以上の考察からも明らかなように、電気自動車の導入や再生可能エネルギーへの転換は必要であるが、それが今の生活様式を維持することを目指すにすぎないなら、資本の論理に容易に取り込まれ、「経済成長の罠」（六八頁参照）に陥ってしまう。

罠を避けるためには、車の所有を自立と結びつけるような消費文化と手を切り、モノの消費量そのものを減らしていかねばならない。新技術の力を使うためにも、資本主義そのものに大きなメスを入れる必要がある。だから、気候ケインズ主義では不十分なのだ。

誤解のないように、最後にもう一度繰り返せば、グリーン・ニューディールのような政策による国土改造の大型投資は不可欠である。当然、太陽光発電や電気自動車にどんどん切り替えていく必要がある。公共交通機関の拡充と無償化、自転車道の整備、太陽光パネルのついた公営住宅の建設も大胆な財政出動によって進めていかねばならない。

だが、それだけでは足りない。逆説的に聞こえるかもしれないが、グリーン・ニューディールが本当に目指すべきは、破局につながる経済成長ではなく、経済のスケールダウンとスローダウンなのである。

そもそも、気候変動対策は、経済成長にとっての手段ではない。気候変動を止めることが目的そのものなはずだ。その場合、今以上に経済成長を目指さない方が、目的達成の可能性がそれだけ高まる。リチウムやコバルトの採掘がチリやコンゴで引き起こす問題も緩和することができる（もちろん、それでも環境破壊は起きるだろう）。

逆に、無限の経済成長を目指すグリーン・ニューディールに対しては、こう言うしかない。「絶滅への道は、善意で敷き詰められている」、と。[23]

▼脱物質化社会という神話

このような主張は、多くの読者にとって耳障りに感じるに違いない。だが、こうした見解にたどり着いたのは、ロックストロームだけではない。ビル・ゲイツも愛読しているという歴史家バーツラフ・シュミルも、二〇一九年に刊行された『成長』という本のなかで、自らの立場を明確化し、次のように述べている。「継続的な物質的成長は（中略）不可能である。脱物質化――より少ない資源で、より多くのことを行うことを請け合うが――も、この制約を取り除くことはできない」[24]。

シュミルが指摘するように、サービス部門への経済の移行が問題を解決するわけではない。例えば、レジャーは非物質的であるが、余暇活動のカーボン・フットプリントは全体の二五％をも占めるといわれている。[25]

また、ジェレミー・リフキンが称揚するようなＩｏＴ（モノのインターネット）を使った情報経済の発達も問題解決にはならない。現代資本主義は、精神労働の割合を高め、脱物質化した経済システムを作り出すように見えるかもしれない。だが、現実には、コンピュータやサーバーの製造や稼働に膨大なエネルギーと資源が消費される。クラウド化もそうだ。ＩＣＴに依拠した「認知資本主義」も、脱物質化やデカップリングからは程遠い。要するに、これも「神話」なのである。

結局、フリードマンもリフキンも、こうした疑問に対する説得力のある回答を与えていない。都合の悪い事実については、完全に沈黙し、メリットばかりを吹聴しているのだ。

▼気候変動は止められないのか

そうなると、グリーン・ニューディールを提唱する人々に本当に気候変動を止める気があるのかさえも、疑問に思えてくる。気候変動の「阻止」「緩和」ではなく、気温が三℃上昇した世界へ「適応」することで、経済成長を目指すグリーン・ニューディールもありうるからだ。この「適応」作戦は、ＮＥＴや原子力発電などとセットになるだろう。

そして、これこそ、アメリカの有名な環境シンクタンク「ブレイクスルー・インスティテュート」が推進している案である。さらにこれは、スティーブン・ピンカーやビル・ゲイツといった、気候変動への「適応」を重視する人々にも共有された見方でもある。

だが、そのような「適応」とは、要するに気候変動はもう止められないということを前提とした対処方法でしかない。まだ可能性はあるにもかかわらず諦めるのは、早すぎないだろうか。まず、やれることは、全力ですべてやりきるべきではないか。

その際の変化の目安としてしばしばいわれるのは、生活の規模を一九七〇年代後半のレベルにまで落とすことである。[26] その場合、日本人は、ニューヨークで三日間過ごすためだけに飛行機に乗ることはできない。解禁の日に空輸したボジョレーヌーボーを飲むこともできなくなる。だが、それが実際にどれほどの影響をもたらすというのだろうか。そう、地球の平均気温が三℃上がることに比べれば、些細(ささい)な変化にすぎない。三℃上がれば、フランスのワインは生産不可能になり、永遠に飲めなくなるのだから。

もちろん、こうした生活レベルを落とす未来のビジョンが、なかなか魅力的な政治的選択肢にならないことは、百も承知だ。だが、困難であるからといって、その事実から目を背けて、選挙で勝つために、受け入れられやすい「緑の経済成長」という政策パッケージに固執することは、それがどれだけ善意に基づいていても、環境配慮を装うグリーン・ウォッシングと言わざるを得ない。

そのような現実逃避は、これまで以上に、帝国的生活様式を強化し、周辺からの搾取と抑圧を生むことになる。だが、そんなことをしていたら、近い将来に、私たちもその報いを受けることになる。

▼脱成長という選択肢

「緑の経済成長」という現実逃避をやめるなら、多くの厳しい選択が待っている。二酸化炭素排出量削減にどれだけ本気で取り組むのか。そのコストは誰が背負うのか。先進国はこれまで続けてきた帝国的生活様式について、どれくらいの賠償をグローバル・サウスに行うのか。持続可能な経済に移行する過程でも生じるさらなる環境破壊の問題をどうするのか。

答えは簡単には見つからない。そんななか、本書が提起したいひとつの選択肢は、「脱成長」である。もちろん、脱成長の道を選んだとしても、それですべてが解決するわけではないし、タイムリミットには間に合わないかもしれない。それでも、脱成長が、最悪の事態を避けるために、けっして手放してはいけない理念であることを、次の章からは示していきたい。

もちろんその際に重要な問題は、どのような脱成長を目指すべきなのか、ということである。

第三章　資本主義システムでの脱成長を撃つ

▼経済成長から脱成長へ

第二章では、経済成長をしながら、二酸化炭素排出量を十分な速さで削減するのは、ほぼ不可能であることを示した。デカップリングは困難なのだ。となれば、経済成長を諦め、脱成長を気候変動対策の本命として真剣に検討するしかない。では、どのような形の脱成長が必要なのか。それを検討するのが、この章の課題である。

ただし、はじめにひとつ確認しておこう。電力や安全な水を利用できない、教育が受けられない、食べ物さえも十分にない、そういった人々は世界に何十億人もいる。そうした人々にとって、経済成長はもちろん必要だということである。

だから、開発経済の分野では、南北問題解決のためには経済成長こそが鍵であるとずっと唱えられてきたし、さまざまな開発援助が行われてきた。その善意や重要性を否定するつもりは毛頭ない。

ただ、経済成長を中心にした開発モデルは行き詰まりつつある。世界銀行やＩＭＦへの批判が大きくなっているのも事実だ。[1]

そうした批判者のひとりとして今、欧米で注目を浴びているのが政治経済学者ケイト・

ラリースである。国際開発援助NGOオックスファムで長年、南北問題に取り組んできた彼女が主流派経済学を批判して、脱成長を支持するようになったのだ。

「人新世」の時代に、どんな脱成長が必要なのかを論じる本章の最初のステップとして、まずはラワースの議論に耳を傾けてみたい。

▼ドーナツ経済――社会的な土台と環境的な上限

ラワースの議論の出発点は、「地球の生態学的限界のなかで、どのレベルまでの経済発展であれば、人類全員の繁栄が可能になるのか」という問いだ。この問いに答えるために彼女が用いる概念が「ドーナツ経済」である（図12・一〇五頁）。

図からもわかるように、ドーナツ経済の内縁は「社会的な土台」、外縁が「環境的な上限」を表している。

まず、水や所得、教育などの基本的な「社会的な土台」が不十分な状態で生活している限り、人間はけっして繁栄することはできない。社会的な土台の欠如とは、自由に良く生きるための「潜在能力」を実現する物質的条件が欠けていることを意味する。人々が本来もっている能力を十分に開花できないならば、「公正な」社会はけっして実現されない。

これが今、途上国の人々が置かれている状態である。

けれども、自らの潜在能力を発揮するために、各人が好き勝手に振る舞っていいわけではない。将来世代の繁栄のためには、持続可能性が不可欠となる。そして、持続可能性のためには、現在の世代は、一定の限界内で生活しなくてはならない。それが、第二章でも見たプラネタリー・バウンダリー論に依拠した「環境的な上限」であり、ドーナツでいえば外縁を成す。

要するに、この上限と下限のあいだに、できるだけ多くの人々が入るグローバルな経済システムを設計できれば、持続可能で公正な社会を実現することができる、というのがラワースの基本的な考えである。[2]

だが、ここまでで何度も確認したように、今の先進国の人々はプラネタリー・バウンダリーを大きく超える暮らしをしている。他方で、途上国の人々は、社会的な土台に満たない生活を強いられている。現在のシステムは、環境を酷(ひど)く破壊しているだけでなく、不公正なのである。

▼不公正の是正に必要なもの

図12　ドーナツ経済の概念図

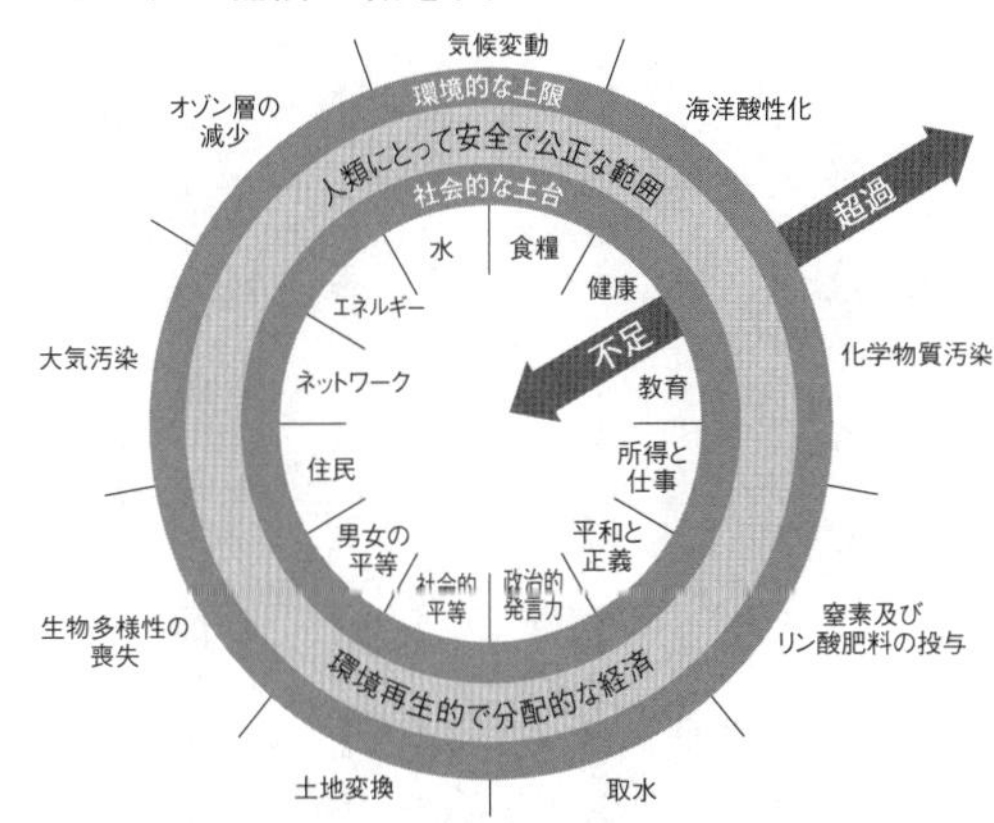

ケイト・ラワース『ドーナツ経済学が世界を救う』（前掲書）をもとに作成

ラワースの問題提起は大きなインパクトを与え、政治経済学を超えて、分野横断的な研究を誘発した。そのひとつが、環境経済学者ダニエル・オニールらの定量的研究である。この研究は、ラワースの「ドーナツ経済」の概念を使いながら、約一五〇ヶ国の具体的な数値を測定し、どれくらいの国々がこのドーナツの輪のなかで暮らしているかを明らかにしてくれる[3]（図13・一〇七頁）。

グラフが表しているのは、横軸がプラネタリー・バウンダリー（ドーナツの外縁）を超えてしまっている項目の数、縦軸が社会的閾値（ドーナツの内縁）を達成している項目の数である。つまり、このグラフで左上にいけばいくほど、その社会は「安全で公正な社会」に近いことになる。
ところが、実際には、社会的閾値を満たす項目数が増えるほど、プラネタリー・バウンダリーを超えることになり、(ベトナムの例外を除いて)グラフの右上の方に近づいてしまう。ほとんどの国は、持続可能性を犠牲にすることで、社会的欲求を満たしているのである。

これは大変都合の悪い事実だ。既存の先進国をモデルとして、途上国の開発援助を行い、社会的閾値を満たそうとすることは、地球全体として見れば、破滅への道を歩むことになってしまうからである。

ただ、ラワースによれば、仮に資源やエネルギー消費がより多く必要になるとしても、公正を実現するための追加的な負荷は、一般に想定されるよりもずっと低いという。

例えば、食料についていえば、今の総供給カロリーを一%増やすだけで、八億五〇〇〇万人の飢餓を救うことができる。現在、電力が利用できないでいる人口は一三億人いるといわれているが、彼らに電力を供給しても、二酸化炭素排出量は一%増加するだけだ。そして、一日一・二五ドル以下で暮らす一四億人の貧困を終わらせるには、世界の所得のわずか〇・二%を再分配すれば、足りるというのである。[4]

図13　生活の質と環境負荷の相関関係

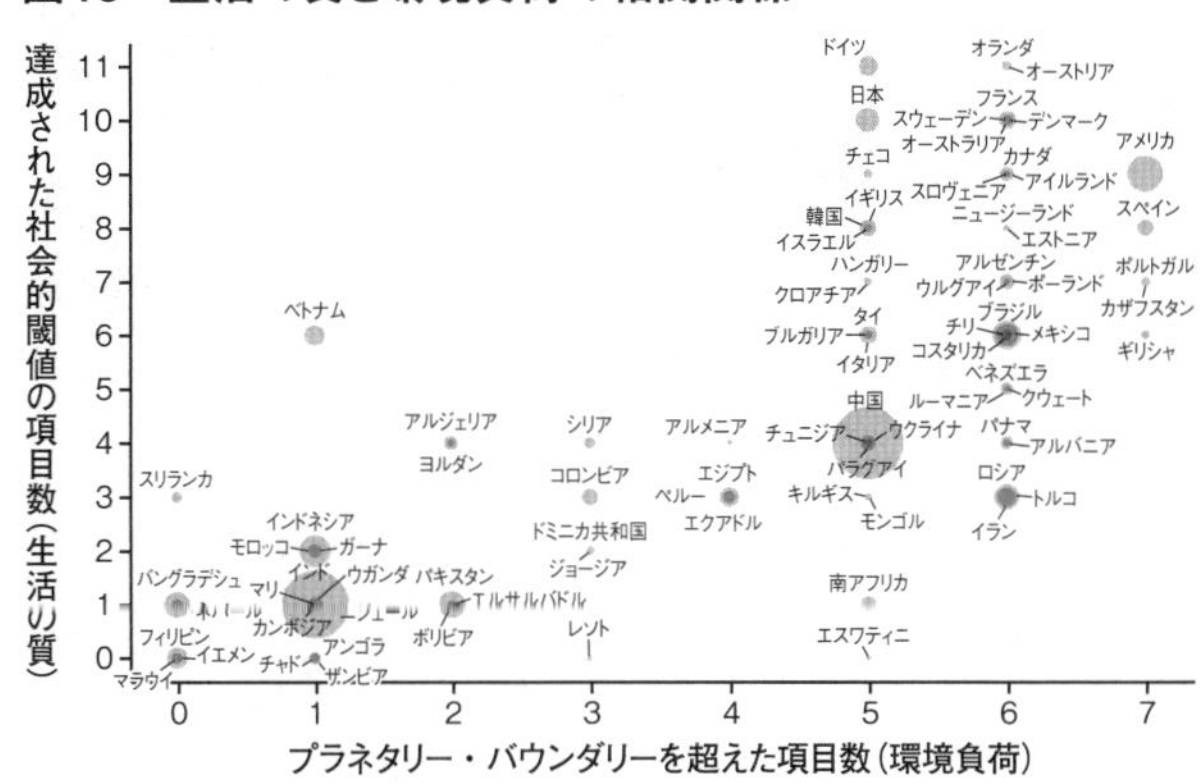

Daniel W.O'Neill et al., "A good life for all within planetary boundaries," *Nature Sustainability* 1 (2018) をもとに作成

また、ラワースは指摘していないが、民主主義は環境負荷を増やすことなく実現できる。経済的平等も、軍事費や石油産業への補助金を削減したうえで再分配をするなら、追加の環境負荷は生じない。いや、環境はむしろ改善するだろう。

こうした議論が示唆するように、南北のあいだの激しい格差という不公正は、経済成長にしがみついて、これ以上の環境破壊をしなくとも、ある程度は是正できるのである。

▼経済成長と幸福度に相関関係は存在するのか

もうひとつ重要なラワースの指摘は、あるレベルを超えると、経済成長と人々の生活の向上に明確な相関関係が見られなくなるという点だ。経済成長だけが社会の繁栄をもたらすという前提は、一定の経済水準を超えると、それほどはっきりとはしないのである。

わかりやすいのが、アメリカとヨーロッパ諸国の比較だろう。独仏や北欧などのヨーロッパ諸国の多くは、ひとりあたりのGDPがアメリカより低い。しかし、社会福祉全般の水準はずっと高く、医療や高等教育が無償で提供される国がいくつもある。一方、アメリカでは、無保険のせいで治療が受けられない人々や、返済できない学生ローンに苦しむ人々が大勢いる。

あるいは身近な例を挙げれば、日本のひとりあたりのGDPはアメリカよりずっと低いが、日本人の平均寿命は、アメリカよりも六歳近く長い。[5]

要するに、生産や分配をどのように組織し、社会的リソースをどのように配置するかで、社会の繁栄は大きく変わる。いくら経済成長しても、その成果を一部の人々が独占し、再分配を行わないなら、大勢の人々は潜在能力を実現できず、不幸になっていく。

このことは、逆にいえば、経済成長しなくても、既存のリソースをうまく分配さえできれば、社会は今以上に繁栄できる可能性があるということでもある。

だから、公正な資源配分が、資本主義システムのもとで恒常的に達成できるのかどうかをもっと真剣に考えなくてはならない。

▼公正な資源配分を

ただし、ここで難しいのが、この公正な資源配分は、一国内だけの問題ではないという点だ。グローバルな公正さと持続可能性をどうやって両方とも実現できるのか、という非常に大きな問題にぶちあたるのだ。

この問題を、偽善的な話として誤解しないでほしい。気候変動問題が示すように、地球はひとつで、世界はつながっている。先進国が浪費を続けたり、自国の製品を売りつけたりするために、途上国にも同じような経済発展の道をたどるよう求めることは、どう考えても持続可能ではない。

世界全体が「持続可能で公正な社会」へ移行しなければ、最終的には、地球が住めないような環境になって、先進国の繁栄さえも、脅かされてしまうのである。

そうはいっても、これまでドーナツ経済の内縁にも届かなかった人々の生活水準を上昇させることは不可欠である。だが、それは世界の総マテリアル・フットプリントの増大につながる。そのような増大は、すでにプラネタリー・バウンダリーの閾値を多くの領域で超えてしまっている現状のもとでは致命的となる。

　だから、図13のグラフ（一〇七頁参照）の右上に位置している先進国が、膨大なエネルギーを使って、さらなる経済成長を求めることは、明らかに不合理である。ましてや、経済成長がそれほど大きな幸福度の増大をもたらさないなら、なおさらである。

　しかも、同じ資源とエネルギーをグローバル・サウスで使えば、そこで生活する人々の幸福度は大幅に増大するはずなのだ。だとしたら、カーボン・バジェット（まだ排出が許される二酸化炭素の量）は彼らのために残しておくべきではないか。

　つまり、「現在飢餓で苦しんでいる一〇億人は苦しみ続ければいい」、「地球環境の悪化で苦しむ将来の世代などどうでもいい」という立場を取るのであれば別だが、そうでない私たちは、先進国の経済成長を諦め、マテリアル・フットプリントを自発的に減らしていく道を検討すべきではないか。

　だからこそ、ラワースもオニールも、「脱成長」あるいは「定常型経済」への移行を真剣に検討すべきだと結論づけている。[6]ここまでのふたりの議論について、本書は全面的に同意したい。

▼グローバルな公正さを実現できない資本主義

ただし、ラワースやオニールの議論には、ひとつ決定的に重大な疑問が残る。彼らは資本主義システムの問題にはけっして立ち入ろうとしないのだ。ここに資本主義の問題を避けようとする既存の脱成長派の特徴が見え隠れする。しかし、問題の本丸は、公正な資源配分が、資本主義のもとで恒常的にできるのかどうか、である。

ところが、グローバルな公正さという観点でいえば、資本主義はまったく機能しない、役立たずな代物である。第一章、第二章の考察で示したように、外部化と転嫁に依拠した資本主義では、グローバルな公正さを実現できない。そして、不公正を放置する結果として、人類全体の生存確率も低めている。

繰り返せば、私たちが、環境危機の時代に目指すべきは、自分たちだけが生き延びようとすることではない。それでは、時間稼ぎはできても、地球はひとつしかないのだから、最終的には逃げ場がなくなってしまう。

今のところは、所得の面で世界のトップ一〇～二〇%に入っている私たち多くの日本人の生活は安泰に見える。だが、この先、このままの生活を続ければ、グローバルな環境危機がさらに悪化する。その暁には、トップ一%の超富裕層にしか今のような生活は保障されないだろう。

だから、グローバルな公正さというのは、抽象的で、偽善的な人道主義ではない。他者を切り捨てる前に、他者の立場に立ち、明日は我が身だということを想像してほしい。最終的に自分自身が生き延びるためにも、より公正で、持続可能な社会を志向する必要があるのだ。それが、最終的には人類全体の生存確率も高めることになる。

それゆえ、生存の鍵となるのは「平等」である。

▼四つの未来の選択肢

「平等」を軸に考えたときに、「人新世」の時代に私たちが選びうる、未来の形はどんなものだろうか。ひとまず、俯瞰(ふかん)しておこう。

図14の横軸は平等さを表しており、左にいくほど、平等主義で、右にいくほど自己責任論を認める立場となる。縦軸は権力の強さで、上にいくほど国家権力が強まり、下にいくほど、人々の自発的な相互扶助が重視される。

まず、この四つの未来の選択肢をそれぞれ見ていこう。[7]

図14　四つの未来の選択肢

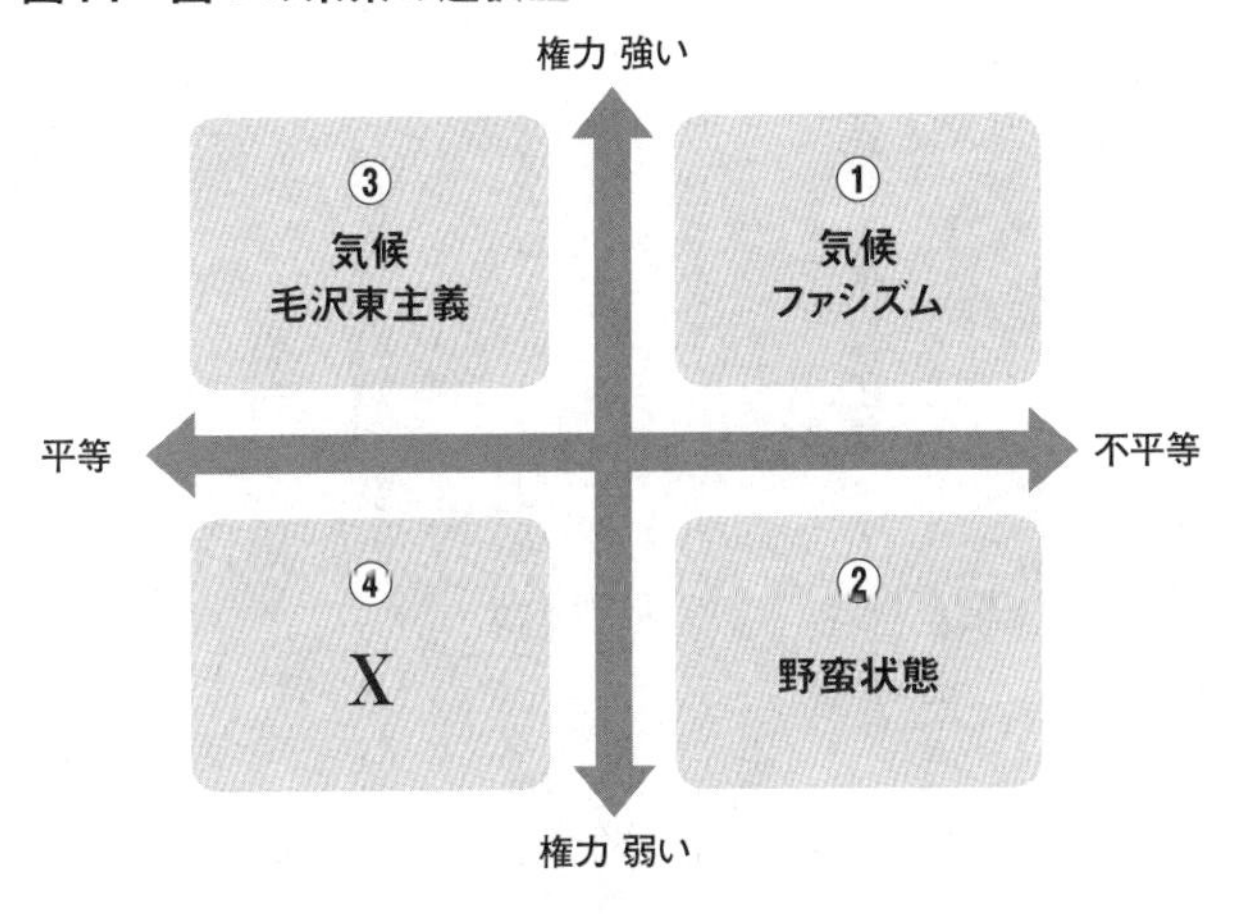

①

気候ファシズム

現状維持を強く望み、このままなにもせず資本主義と経済成長にしがみつけば、気候変動による被害は甚大なものになる。遠くない将来に、多くの人々が、まともな生活を営むことが不可能になる。住む場所を失い、環境難民になる人も大勢出てくるだろう。

ただし、一部の超富裕層は別である。惨事便乗型資本主義は、環境危機を商機に変えて、今以上の富を彼らにもたらす。国家はこうした特権階級の利害関心を守ろうとし、その秩序を脅かす環境弱者・難民を厳しく取り締まろうとする。これが、第一の未来、「気候ファシズム」である。

② 野蛮状態

だが、気候変動が進行すれば、環境難民が増え、食料生産もままならなくなる。その結果、飢餓や貧困に苦しむ人々は反乱を起こす。超富裕層一%と残りの九九%との力の争いで、勝つのは後者だろう。大衆の叛逆（はんぎゃく）によって、強権的な統治体制は崩壊し、世界は混沌に陥る。統治機構への信頼が失われ、人々は自分の生存だけを考えて行動する「万人の万人に対する闘争」というホッブズの「自然状態」に逆戻りしてしまう。これが第二の未来、「野蛮状態」である。

③ 気候毛沢東主義

こうして、社会が「野蛮状態」に陥るという最悪の事態を避けるための統治形態が要請される。「野蛮状態」を避けるために「一%vs.九九%」という貧富の格差による対立を緩和しながら、トップダウン型の気候変動対策をすることになるだろう。そこでは、自由市場や自由民主主義の理念を捨てて、中央集権的な独裁国家が成立し、より「効率の良い」、「平等主義的な」気候変動対策を進める可能性がある。これを「気候毛沢東主義」と呼ぼう。

④X（エックス）

だが、専制的な国家主義にも、「野蛮状態」にも抗する試みもあるはずだ。強い国家に依存しないで、民主主義的な相互扶助の実践を、人々が自発的に展開し、気候危機に取り組む可能性がないわけではない。それが公正で、持続可能な未来社会のはずだ。ここでは、まだその名をXとしておこう。

本書が最終的に目指したい未来は、ここまでの議論からわかるように、最後の選択肢である。人類が自由・平等・民主主義を守りながら、生き延びるラスト・チャンスはこの選択肢のうちにしかない。本書は、ここから先、このXが何なのかを明らかにしていきたい。

▼なぜ、資本主義のもとでは脱成長できないのか

Xの手がかりがないわけではない。実は、私たちはすでにヒントを得ている。「脱成長」

だ。

環境危機を乗り越えるために、なぜ「脱成長」が必須の選択肢であるのか。その理由については、ここまでの議論でおわかりだろう。第二章で私たちは、「緑の経済成長」路線では、人類全員が生き延びることのできる地球環境を維持できないということを学んだ。デカップリングは「幻想」であり、「緑」の冠がついていようが、いまいが、経済成長は環境負荷を必然的に増大させる。経済成長を求める政策では、気候変動に代表されるグローバルな環境危機から抜け出せないのだ。

だから、気候ケインズ主義とは異なる、新しい合理性が必要となる。つまり、経済成長に依存しない経済システム、脱成長が有力な選択肢となるのだ。これは、ラワースたちの結論でもある。脱成長とは、行きすぎた資本主義にブレーキをかけ、人間と自然を最優先にする経済を作り出そうとするプロジェクトである。

しかし、資本主義システムを維持したまま「脱成長」は可能なのか。この問題を真剣に考えなくてはならない。

以下で示すように、これは、ラワースらが考えるような、新自由主義を修正して、資本主義を飼い馴らし、資本主義のもとで脱成長を実現しようという生ぬるい話ではない。なぜなら、地球環境の破壊を行っている犯人が、無限の経済成長を追い求める資本主義システムだからだ。そう、資本主義こそが、気候変動をはじめとする環境危機の原因にほかならない。

資本主義とは、価値増殖と資本蓄積のために、さらなる市場を絶えず開拓していくシステムである。そして、その過程では、環境への負荷を外部へ転嫁しながら、自然と人間からの収奪を行ってきた。この過程は、マルクスが言うように、「際限のない」運動である。利潤を増やすための経済成長をけっして止めることがないのが、資本主義の本質なのだ。

その際、資本は手段を選ばない。気候変動などの環境危機が深刻化することさえも、資本主義にとっては利潤獲得のチャンスになる。山火事が増えれば、火災保険が売れる。バッタが増えれば、農薬が売れる。ネガティブ・エミッション・テクノロジーは、その副作用が地球を蝕むとしても、資本にとっての商機となる。いわゆる惨事便乗型資本主義だ。

このように危機が悪化して苦しむ人々が増えても、資本主義は、最後の最後まで、あらゆる状況に適応する強靱性を発揮しながら、利潤獲得の機会を見出していくだろう。環境危機を前にしても、資本主義は自ら止まりはしないのだ。

だから、このままいけば、資本主義が地球の表面を徹底的に変えてしまい、人類が生きられない環境になってしまう。それが、「人新世」という時代の終着点である。
それゆえ、無限の経済成長を目指す資本主義に、今、ここで本気で対峙しなくてはならない。私たちの手で資本主義を止めなければ、人類の歴史が終わる。

その際、第二章でも述べたように、気候危機対策は、ひとつの目安として、生活レベルを一九七〇年代後半の水準にまで落とすことを求めている。というと、当時も、資本主義であったのだから、「七〇年代の資本主義」で、環境危機から脱することができるのではないか、という反論があるかもしれない。

けれども、資本主義はまさに七〇年代、深刻なシステム危機に陥っていた。この危機を乗り越えるために、新自由主義という政策パッケージが世界的に導入されたのである。そして、新自由主義は、民営化、規制緩和、緊縮政策を推し進め、金融市場や自由貿易を拡大し、グローバル化の端緒を切り拓いた。それが、資本主義延命の唯一の方法だったのだ。[8]

それゆえ、「七〇年代の資本主義」に戻れるわけもなく、戻ったとしても、資本の自己増殖を目指す資本主義はそこに留まることはできない。その段階で留まって、利潤の追求をやめれば、資本主義はシステム危機に逆戻りしてしまう。だから、やがて同じ道をたどらざるを得ず、結局、環境危機が深まっていく。

だから、環境危機に立ち向かい、経済成長を抑制する唯一の方法は、私たちの手で資本主義を止めて、脱成長型のポスト資本主義に向けて大転換することなのである。

▼なぜ貧しさは続くのか

しかし、「脱成長」が危機を乗り越えるために必要な選択肢だと説明しても、拒否反応を示す読者も多いに違いない。

特に、「脱成長」と聞くと、「清貧」という言葉がすぐに浮かぶのではないだろうか。そして、清貧のような考えを呑気(のんき)に提唱できるのは、世間の労働者の苦しみを知らない金持ちにすぎないという反応が続く。

マクロで成長しないと再分配のパイが増えないし、貧困層にも富がいかない、つまり、トリクルダウンしないというわけだ。

一面では、こうした批判は正しい。現在のシステムは、経済成長を前提にした制度設計がされている。そのような社会で、成長が止まれば、もちろん悲惨な事態になる。

だが、疑問もある。資本主義がすでにこれほど発展しているのに、先進国で暮らす大多数の人々が依然として「貧しい」のは、おかしくないだろうか。

家賃、携帯電話代、交通費と飲み会代を払ったら、給料はあっという間になくなる。必死に、食費、服代や交際費を切り詰める。それでも生活を維持するギリギリの低賃金で、学生ローンや住宅ローンを抱えて、毎日真面目に働いている。これこそ、清貧でなくて何なのか。

いったいあとどれくらい経済成長すれば、人々は豊かになるのだろうか。経済成長を目指して、「痛みを伴う」構造改革や量的緩和を行いながら、労働分配率は低下し、格差は拡大し続けているではないか（図15）。そして、経済成長はいつまで自然を犠牲にし続けるのだろうか。

▼日本の特殊事情

経済成長の追求にこれだけの不合理が伴うのに、それでも脱成長論が不人気なのには、日本特有の事情もある。高度経済成長の恩恵を受けてあとは逃げ切るだけの団塊世代の人々が、脱成長という「綺麗事（きれいごと）」を吹聴しているというイメージが強いのだ。若いころに経済成長の果実を享受しておきながら、一線を退いたそのときから「このままゆっくり日本経済は衰退していけばいい」と言い始めたというわけである。そのことが、就職氷河期

図15　各国の労働分配率の低下

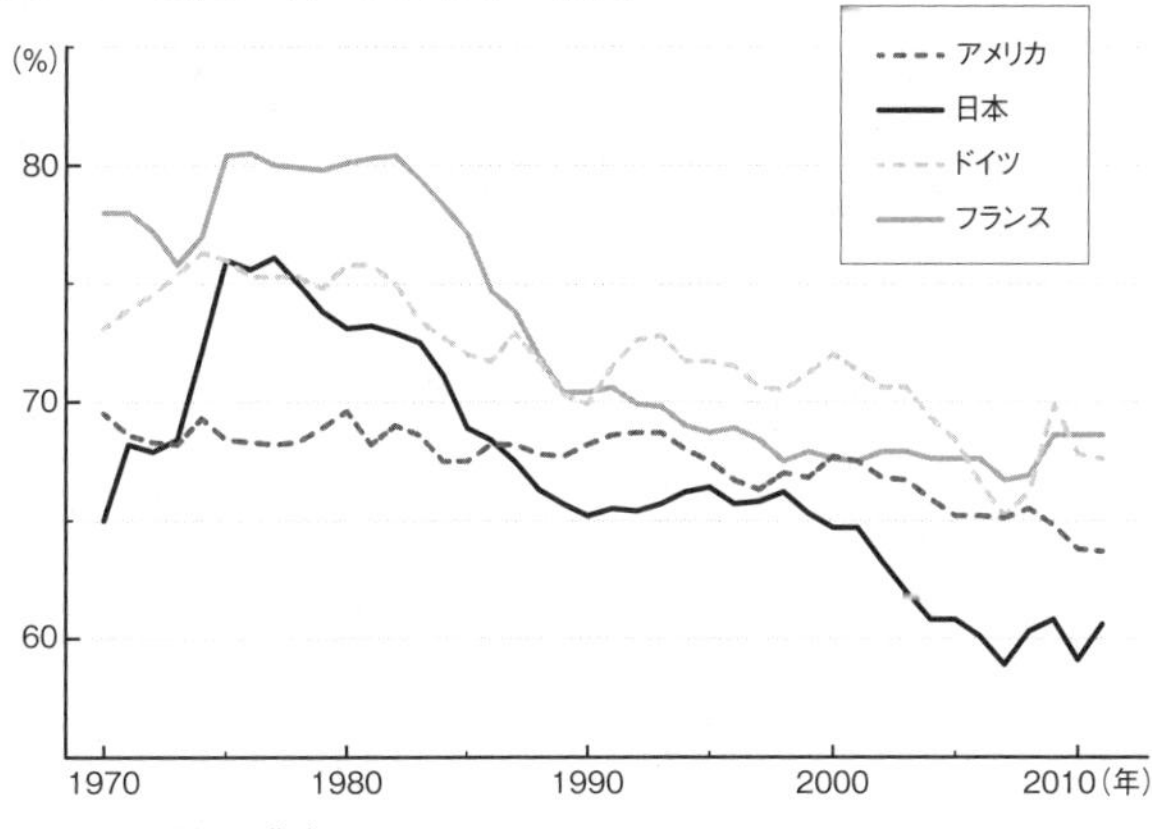

OECD.Stat をもとに作成

世代からの強い反発を生んでいる。その代理戦争のような上野千鶴子と北田暁大の世代間・師弟論争などもあった。[9]

こうして日本では、「脱成長vs.経済成長」という人類の生存をめぐる対立は、経済的に恵まれた団塊世代と困窮する氷河期世代との対立へと矮小化されてしまった。そして、脱成長は「緊縮」政策と結びつけられていったのだった。

一方、そのような団塊世代の脱成長論へのアンチテーゼとして、リフレ派やMMT（現代貨幣理論）が世界で最先端の「反緊縮」思想として紹介され、就職氷河期世代の支持を集めるようになっている。

もちろん、人々の生活を第一に考えた反緊

縮は、素晴らしい発想だ。しかし、日本の反緊縮の議論に決定的に欠けている視点がある。それが本書の主題でもある、気候変動問題である。

前章でも触れたが、反緊縮を真っ先に掲げたアメリカのバーニー・サンダースにせよ、イギリスのジェレミー・コービンにせよ、反緊縮政策の目玉のひとつは、グリーン・ニューディールだった。つまり、気候変動対策としてのインフラ改革であり、生産方法の変革であった。ところが、彼らの反緊縮政策が日本に紹介される際に、気候変動という視点は、すっぽり抜け落ちてしまった。その結果、日本の経済論壇における「反緊縮」とは、金融緩和や財政出動で資本主義のもとでの経済成長をひたすらに追求する従来の理論と代わり映えしないものになっている。

▼資本主義を批判するZ世代

一方、海外で、サンダースらの「左派ポピュリズム」を支えたのは、日本の反緊縮を唱えている人々よりもさらに若いミレニアル世代やZ世代である。そして、彼らのはっきりとした特徴は、環境意識が極めて高く、資本主義に批判的だということだ。「ジェネレーション・レフト」と呼ばれるほどである。実際、アメリカのZ世代の半分以上が資本主義

図16　資本主義と社会主義についてのアメリカ人の見解（年齢別／2018年）

	資本主義に肯定的	社会主義に肯定的
18〜29歳	45%	51%
30〜49歳	58%	41%
50〜64歳	60%	30%
65歳以上	60%	28%

Gallup 2018 をもとに作成

よりも社会主義に肯定的な見方を抱いている（図16）。

しばしばいわれるように、一九九〇年代後半から二〇〇〇年代に生まれたZ世代はデジタル・ネイティブであり、最新のテクノロジーを自由に操りながら、世界中の仲間とつながっている。これがグローバル市民としての感覚を育てている。

そしてなにより、若い世代は、新自由主義が規制緩和や民営化を推し進めてきた結果、格差や環境破壊が一層深刻化していく様を体感しながら育った。このまま資本主義を続けても、なんら明るい展望はなく、大人たちの振る舞いの尻ぬぐいをするはめになる。そのことに絶望し、また怒っている。

だから、Z世代は、グローバル市民としての自覚をもって、今、社会を変えようとしているのだ。まさに、グレタはZ世代の象徴的な人物のひとりといえる。実際、彼女のような個性的なパーソナリティを、Z世代は多様性として素直に受け入れ、支持しているのだ。

そうした感覚を、おそらく日本で反緊縮を唱えている人々は、直感的に理解できないだろう。ところが、このZ世代とミレニアル世代こそが「左派ポピュリズム」を最も熱心に支えているのである。

だから、どんどん経済成長をして、人々に雇用を生み出し、再分配しようという論法をサンダースやコービンの「反緊縮」は採用しなかった。むしろ、反資本主義を打ち出したのだ。単なる経済成長路線を掲げてしまったら、ビジネス重視の「緑の経済成長」を謳うトーマス・フリードマンらに媚(こび)を売っているとして、ミレニアルならびにZ世代からの支持を瞬く間に失っていただろう。[10]

この気候変動と資本主義に対する姿勢の違いは、脱成長をめぐる日本と欧米の言説状況にも影響している。欧米においては、気候変動問題への取り組みを通じて、資本主義システムを乗り越えようとする要求が出てきている。そのなかで、脱成長が新世代の理論として台頭するようになっているのである。

▼取り残される日本の政治

それに対して、欧米の動きに比して気候変動問題への関心が低い日本では、脱成長が

「団塊の世代」、「失われた三〇年」と結びつけられている。脱成長など旧世代の理論だという固定観念が定着してしまっているのだ。そのため、この間、世界では新しい脱成長論が出てきているにもかかわらず、その内容はまったく日本に紹介されていない。[11]

これでは、世界の潮流から取り残されてしまう。その一番の弊害は、現代日本社会で顕著な政治的可能性の狭隘（きょうあい）化である。

この問題は、世界経済全体を俯瞰して考えてみれば、わかってもらえるだろう。経済成長が続いて、その恩恵が多くの人にまで分配されるような状況が続いていたあいだは、人々は満足し、社会は安定していた。ところが、経済成長が困難になり、経済格差が拡大し、環境問題も深刻化している。それが「人新世」の時代である。

だからこそ、各国で直接行動を重視する「革命的な」環境運動が台頭してきている。イギリスの「絶滅への叛逆」やアメリカの「サンライズ・ムーブメント」などは逮捕されることも恐れずに、占拠活動などの直接行動を起こし、抗議運動を展開している。そこに加わったのは、一般の市民や学生からハリウッド俳優やオリンピックの金メダリストまでさまざまな人々だった。彼らの声が現在の支配者階級の正当性を揺るがし、新しい政治的可能性が出現しているのである。それは、資本主義も乗り越えるポテンシャルをもっている。

それに対して、気候危機が深刻化している事実から日本のリベラル左派が目を背け、再び経済成長を求めるだけで終わるなら、結局、反緊縮派は、気候ケインズ主義止まりで資本主義の安定化装置として機能してしまう。

気候危機の時代の今こそ、本来、より革新的で、大胆な政治を可能にする扉が開かれているはずである。ところが、別の社会を思い描く想像力を解放する代わりに、環境破壊を引き起こした原因である経済成長を、以前と同様にひたすら追求してしまう。

そんなことをしていたら、数十年後には、日本だけが大量の二酸化炭素を排出し続けることになる。そして、「ジェネレーション・レフト」が指導者となった未来には、諸外国から三流国扱いされるのが関の山だろう。

▼旧世代の脱成長論の限界

ところで、古い脱成長論では、なぜダメなのか。古い脱成長論は一見すると資本主義に批判的に見えるが、最終的には、資本主義を受け入れてしまっているからである。資本主義の枠内で「脱成長」を論じようとすると、どうしても「停滞」や「衰退」といった否定的なイメージに呑み込まれてしまうのだ。

この限界には、古い脱成長論が普及するようになった際の歴史的背景が関係している。それが、ソ連の崩壊である。脱成長派の第一世代として世界的にも有名なフランスのセルジュ・ラトゥーシュが述べているように、ソ連崩壊後に、マルクス主義はもはや「過去への不可能な回帰」を目指す空想主義にまで落ちぶれた[12]。そのような状況において、脱成長は、リベラル左派の立て直しを目指す試みだったといえる。

いや、もっといえば、ラトゥーシュに代表される古い脱成長論は、右でも左でもない対案を目指していた。なぜなら「自然」というのは、右も左も、金持ちも貧乏人も関係ない普遍的関心事とみなされたからである。それゆえ、旧世代の脱成長派は資本主義の超克を目指してはいない。むしろ、そうした議論の枠組みをそもそも嫌っているのだ。

▼日本の楽観的脱成長論

旧世代の脱成長派が資本主義の超克を目指していないのは、日本でも同じである。例えば、「定常型社会」の概念を日本に広めるのに大きく貢献した広井良典は、「定常型社会」を「持続的な福祉国家／福祉社会」として定義し、次のように述べている。

まず基本的な確認として、筆者が考える定常型社会という社会の姿において「市場経済」あるいは「私利の追求」ということがすべて否定されるものではない。言い換えれば、定常型社会＝社会主義（共産主義）経済システムということではないし、（中略）それは従来型の「資本主義vs.社会主義」、「自由vs.平等」といった二項対立をすでに超えている社会の理念である。[13]

また、社会経済学者の佐伯啓思も「社会主義という逃げ道もない」と、そのような選択肢を排除したうえで、次のように述べる。

この経済競争、成長競争のなかで、無理に成長を加速させようとして各国の通貨当局が過剰に流動性を供給すれば、ますます金融市場は不安定化し、バブルとその崩壊をもたらすであろう。（中略）脱成長こそが、ほとんど唯一、この資本主義を長期的に安定的に持続させる方法なのである。[14]

広井や佐伯によれば、資本主義的市場経済を維持したまま、資本の成長を止めることができるというわけだ。行きすぎた資本主義は問題だが、ソ連崩壊後に「社会主義」に拘泥すべきではない。社会民主主義的な福祉国家政策によって、新自由主義の市場原理主義を再び飼い馴らそう。そして、そこに持続可能な理念を加えよう。そうすれば、脱成長・定常型社会への移行が可能になるというのである。

それが正しいのなら、賃労働・資本関係や私的所有、市場の利潤獲得競争といったものに根本的な変更を迫る必要はない。物的消費が飽和状態になりつつある成熟した先進国社会においては、制度設計とインセンティブの付与さえ適切に行えばいい。そうすれば、市場での利潤の追求以外の、社交や公共性にかかわる多様な活動に、人々がおのずから積極的に従事するようになるというのである。

▼新しい脱成長論の出発点

しかし、そのような楽観的予測は間違っているのではないか。この疑問こそ、新しい脱成長論の出発点である。たしかに、ソ連は論外だ。けれども、資本主義と脱成長の折衷というのもダメで、やはり資本主義に挑まなくてはならない、というのが新しい脱成長論の立場なのである。

どういうことかを説明するために、スロヴェニアのマルクス主義哲学者スラヴォイ・ジジェクの議論を紹介したい。彼のスティグリッツ批判が、古い脱成長論に対しても当てはまるからだ。

ノーベル経済学賞受賞者のジョセフ・E・スティグリッツは、行きすぎたグローバル化や、現在の富の偏在、大企業による市場支配を厳しく批判していることで有名である。だが、ジジェクが問題視するのは、スティグリッツの解決策、「プログレッシブ・キャピタリズム」の構想である。

スティグリッツは自由市場信仰を非難し、公正な資本主義社会を実現するためには、労働者の賃上げや富裕層や大企業への課税、さらには独占の禁止を強化する必要があると述べている[15]。民主的な投票によって、法律と政策を変更すれば、経済成長が回復し、万人が豊かなミドルクラスになれる「進歩的な」資本主義が可能だというのである。

だが、法律や政策の変更だけで、本当に資本主義を飼い馴らせるのだろうか、とジジェクは疑問視する。そもそも、法人税の増税や社会保障費の拡充が可能であれば、とうの昔に行われているのではないか。一九七〇年代に利潤率が低下した際に、資本主義は極めて深刻な危機に直面したがゆえに、さまざまな規制を必死に撤廃させ、税率を下げさせたのではないか。そうであればこれから、かつての水準か、それ以上のレベルまで規制を強化したら、資本主義は崩壊してしまうのではないか。それを資本主義が受け入れるはずがない。また必死に抵抗を繰り返すだろう。

要するにスティグリッツは、より公正な未来のビジョンを「正しい資本主義」として、既存の「にせの資本主義」に対置しているが、その際、彼が見落としているのは、次のような可能性である。つまり、彼が憧憬を抱く、戦後から一九七〇年代までの「黄金期」の方が、むしろ例外的な「にせの資本主義」だったのではないか。そして、スティグリッツが指弾する現在の「にせの資本主義」こそが、実は、資本主義の真の姿なのである。

その意味で、スティグリッツが求めている「改革」は、資本主義そのものを維持することと相容れないからこそ、絶対に実現できないのではないか。にもかかわらず、そのような「改革」を資本主義を維持するために大真面目に掲げるスティグリッツは、真の「空想主義者」というわけだ。[16]

▼「脱成長資本主義」は存在しえない

「空想主義」だという批判は、資本主義の内部で脱成長社会に移行しようとする人々にもそのまま当てはまる。というのも、資本の定義からして、「資本主義」と「脱成長」のペアは両立不可能だからである。

資本とは、価値を絶えず増やしていく終わりなき運動である。繰り返し、繰り返し投資して、財やサービスの生産によって新たな価値を生み出し、利益を上げ、さらに拡大していく。目標実現のためには、世界中の労働力や資源を利用して、新しい市場を開拓し、わずかなビジネスチャンスも見逃してはならない。

ところが、資本主義が世界中を覆った結果、人々の生活や自然環境が破壊されてしまった。だから、脱成長は、この行きすぎた資本の運動にブレーキをかけ、減速しようとするのである。

ここで、旧来の脱成長派は、こう言うだろう。資本主義の矛盾の外部化や転嫁はやめよう。資源の収奪もなくそう。企業利益の優先はやめて、労働者や消費者の幸福に重きを置こう。市場規模も、持続可能な水準まで縮小しよう。

これはたしかにお手軽な「脱成長資本主義」に違いない。だが、ここでの問題は、利潤追求も市場拡大も、外部化も転嫁も、労働者と自然からの収奪も、資本主義の本質だということだ。それを全部やめて、減速しろ、と言うことは、事実上、資本主義をやめろ、と言っているのに等しい。

要するに、利潤獲得に駆り立てられた経済成長という資本主義の本質的な特徴をなくそうとしながら、資本主義を維持したいと願うのは、丸い三角を描くようなものである。まさに、真の「空想主義」である。これが旧世代の脱成長論の限界なのだ。

▼「失われた三〇年」は脱成長なのか?

日本社会を例にして、なぜ資本主義の内部で脱成長が不可能かについて、もう少し詳しく考えてみよう。
そもそも、本来成長を目指す資本主義を維持したままの脱成長とは、「失われた三〇年」の日本のような状態を指す。実際、広井は日本が「成熟社会の新たな豊かさの形こそを先導していくポジションにある」と述べている。[17]
だが、資本主義にとって、成長できない状態ほど最悪なものはない。資本主義のもとで成長が止まった場合、企業はより一層必死になって利益を上げようとする。ゼロサム・ゲームのなかでは、労働者の賃金を下げたり、リストラ・非正規雇用化を進めて経費削減を断行したりする。国内では階級的分断が拡張するだろうし、グローバル・サウスからの掠奪も激しさを増していく。

実際、日本社会では、労働分配率は低下し、貧富の格差はますます広がっている。ブラック企業のような労働問題も深刻化している。

そして、パイが小さくなり、安定した仕事も減っていくなかで、人々はなんとか自分だけは生き残ろうと競争を激化させていく。「上級国民・下級国民」という言葉が流行語になったことからもわかるように、社会的な分断が人々の心を傷つけている。

▼「脱成長」の意味を問い直す

この日本社会の惨状から、重要なことがわかる。日本の「長期停滞」やコロナ禍の「景気後退（リセッション）」を、「定常状態」や「脱成長」と混同してはならないのだ。

よく誤解されるが、脱成長の主要目的は、GDPを減らすことではない。それでは結局、GDPの数値しか見ない議論になってしまう。

資本主義は経済成長が人々の繁栄をもたらすとして、私たちの社会はGDPの増大を目指してきた。だが、万人にとっての繁栄はいまだ訪れていない。

だから、アンチテーゼとしての脱成長は、GDPに必ずしも反映されない、人々の繁栄や生活の質に重きを置く。量（成長）から質（発展）への転換だ。プラネタリー・バウンダリーに注意を払いつつ、経済格差の収縮、社会保障の拡充、余暇の増大を重視する経済モデルに転換しようという一大計画なのである。

したがって、今の日本のように、石炭火力発電所を建設しているなら、「脱成長」ではない。経済成長していなくても、経済格差が拡大しているなら、「脱成長」ではない。生産を縮小するにしても、失業が増えるだけでは「余暇の増加」からは程遠い。削減すべきは、ＳＵＶや牛肉、ファスト・ファッションであり、教育や社会保障、芸術ではない。

つまり、広井の見立てとは異なり、日本社会は脱成長を「先導する」立場からは、完全にかけ離れている。ただの長期停滞である。

▼自由、平等で公正な脱成長論を！

「脱成長」は平等と持続可能性を目指す。それに対して、資本主義の「長期停滞」は、不平等と貧困をもたらす。そして、個人間の競争を激化させる。

絶えず競争に晒される現代日本社会では、誰も弱者に手を差し伸べる余裕はない。ホームレスになれば、台風のときに避難所に入ることすら断られる。貨幣を持っていなければ人権さえも剝奪され、命が脅かされる競争社会で、相互扶助は困難である。

したがって、相互扶助や平等を本気で目指すなら、階級や貨幣、市場といった問題に、もっと深く切り込まなくてはならない。資本主義の本質的特徴を維持したまま、再分配や持続可能性を重視した法律や政策によって、「脱成長」・「定常型経済」へ移行することはできないのである。

だが、あのラワースでさえ、その手前で止まってしまうのだ。「ドーナツ経済」の実現のための鍵を握るのは、「人口、分配、物欲、テクノロジー、ガバナンス」だと、彼女は言う。[18] その一方で、生産、市場や階級――つまり資本主義的生産様式――を本質的問題として見ていない。

私的所有や階級といった問題に触れることなく、資本主義にブレーキをかけ、持続可能なものに修正できるとでもいうのだろうか。だが、そのような態度では、資本の力の前に屈し、資本主義の不平等や不自由がいつまでも保存されてしまう。

結局、脱成長資本主義はとても魅力的に聞こえるが、実現不可能な空想主義なのだ。だから、「四つの未来の選択肢」(図14・一一三頁参照)のどこにもあてはまらないのである。本書が目指すXは、脱成長資本主義ではない。

脱成長を擁護したいなら、資本主義との折衷案では足りず、もっと困難な理論的・実践的課題に取り組まねばならない。歴史の分岐点においては、資本主義そのものに毅然とした態度で挑むべきなのである。

労働を抜本的に変革し、搾取と支配の階級的対立を乗り越え、自由、平等で、公正かつ持続可能な社会を打ち立てる。これこそが、新世代の脱成長論である。

▼「人新世」に甦るマルクス

そもそも、歴史を振り返ってみれば、成熟した資本主義が低成長やゼロ成長をすんなりと受け入れ、定常型経済に「自然と」移行していくと、本気で信じることなどできないだろう。むしろ、低成長の時代に待っているのは、帝国的生活様式にしがみつくための生態学的帝国主義や気候ファシズムの激化のはずだ。

それは、気候危機から生じる混乱に乗じた惨事便乗型資本主義とともにやってくる。だが、そのまま突き進めば、地球環境はますます悪化し、ついには人間には制御できなくなり、社会は野蛮状態へ退行する。低成長時代の「ハード・ランディング」である。[19] もちろん、これこそ、最も避けたい事態にほかならない。

「人新世」の時代のハード・ランディングを避けるためには、資本主義を明確に批判し、脱成長社会への自発的移行を明示的に要求する、理論と実践が求められている。中途半端な解決策で、対策を先延ばしにする猶予はもうないのだ。それゆえ、新世代の脱成長論は、もっとラディカルな資本主義批判を摂取する必要がある。そう、「コミュニズム」だ。

こうして、ついにカール・マルクスと脱成長を統合する必然性が浮かび上がってきた。

ここで、マルクスを持ち出すだけでなく、それを脱成長と統合しようとすることに、強い違和感をもつ読者も多いに違いない。マルクス主義は、階級闘争ばかり扱って、環境問題を扱えないのではないか。実際、ソ連も経済成長にこだわって環境破壊を引き起こしたし、マルクス主義と脱成長は、水と油の関係にあるのではないかと。

だが、次章で明らかにするように、それは違うのだ。

さあ、眠っているマルクスを久々に呼び起こそう。彼なら、きっと「人新世」からの呼びかけにも応答してくれるはずだ。

第四章　「人新世」のマルクス

▼マルクスの復権

「人新世」の環境危機においては、資本主義を批判し、ポスト資本主義の未来を構想しなくてはならない。だが、そうはいっても、なぜいまさらマルクスなのか。

世間一般でマルクス主義といえば、ソ連や中国の共産党による一党独裁とあらゆる生産手段の国有化というイメージが強い。そのため、時代遅れで、かつ危険なものだと感じる読者も多いだろう。

実際、日本では、ソ連崩壊の結果、マルクス主義は大きく停滞している。今では左派であっても、マルクスを表立って擁護し、その知恵を使おうとする人は極めて少ない。

ところが、世界に目を向けると、近年、マルクスの思想が再び大きな注目を浴びるようになっている。資本主義の矛盾が深まるにつれて、「資本主義以外の選択肢は存在しない」という「常識」にヒビが入り始めているのである。先述したように、アメリカの若者たちが、「社会主義」を資本主義よりも好ましい体制とみなすようになっているという世論調査のデータもある。

ここから先は、マルクスならば、「人新世」の環境危機をどのように分析するのかを明らかにし、そして、気候ケインズ主義とは異なる解決策へのヒントも提示していこう。

もちろん、古びたマルクス解釈を繰り返すことはしない。新資料も用いることで、「人新世」の新しいマルクス像を提示するつもりである。

▼〈コモン〉という第三の道

近年進むマルクス再解釈の鍵となる概念のひとつが、〈コモン〉、あるいは〈共〉と呼ばれる考えだ。〈コモン〉とは、社会的に人々に共有され、管理されるべき富のことを指す。

二〇世紀の最後の年にアントニオ・ネグリとマイケル・ハートというふたりのマルクス主義者が、共著『〈帝国〉』のなかで提起して、一躍有名になった概念である[1]。

〈コモン〉は、アメリカ型新自由主義とソ連型国有化の両方に対峙する「第三の道」を切り拓く鍵だといっていい。つまり、市場原理主義のように、あらゆるものを商品化するのでもなく、かといって、ソ連型社会主義のようにあらゆるものの国有化を目指すのでもない。第三の道としての〈コモン〉は、水や電力、住居、医療、教育といったものを公共財として、自分たちで民主主義的に管理することを目指す。

より一般的に馴染(なじ)みがある概念としては、ひとまず、宇沢弘文の「社会的共通資本」を思い浮かべてもらってもいい。つまり、人々が「豊かな社会」で暮らし、繁栄するためには、一定の条件が満たされなくてはならない。そうした条件が、水や土壌のような自然環境、電力や交通機関といった社会的インフラ、教育や医療といった社会制度である。これらを、社会全体にとって共通の財産として、国家のルールや市場的基準に任せずに、社会的に管理・運営していこうと宇沢は考えたのである。[2]〈コモン〉の発想も同じだ。

ただし、「社会的共通資本」と比較すると、〈コモン〉は専門家任せではなく、市民が民主的・水平的に共同管理に参加することを重視する。そして、最終的には、この〈コモン〉の領域をどんどん拡張していくことで、資本主義の超克を目指すという決定的な違いがある。

▼地球を〈コモン〉として管理する

実は、マルクスにとっても、「コミュニズム」とは、ソ連のような一党独裁と国営化の体制を指すものではなかった。彼にとっての「コミュニズム」とは、生産者たちが生産手段を〈コモン〉として、共同で管理・運営する社会のことだったのだ。

さらに、マルクスは、人々が生産手段だけでなく地球をも〈コモン〉(common) として管理する社会を、コミュニズム（communism）として、構想していたのである。
事実、『資本論』第一巻の末尾の有名な一節で、マルクスは次のように述べている。「収奪者が収奪される」ことによってコミュニズムの到来を描く、「否定の否定」と呼ばれる箇所だ。

この否定の否定は、生産者の私的所有を再建することはせず、資本主義時代の成果を基礎とする個人的所有をつくりだす。すなわち、協業と、地球と労働によって生産された生産手段をコモンとして占有することを基礎とする個人的所有をつくりだすのである。[3]

「否定の否定」とはどういう意味か、簡単に説明しておこう。一段階目の「否定」は、生産者たちが〈コモン〉としての生産手段から切り離され、資本家の下で働かなくてはならなくなったことを示している。だが、二段階目の「否定」（「否定の否定」）においては、労働者たちが資本家による独占を解体する。そして、地球と生産手段を〈コモン〉として取り戻すというのである！

もちろん、これだけではまだ抽象的な図式にすぎない。だが、マルクスの主張は明快である。コミュニズムは、無限の価値増殖を求めて地球を荒廃させる資本を打倒する。そして、地球全体を〈コモン〉として、みんなで管理しようというのである。

▼コミュニズムは〈コモン〉を再建する

こうした〈コモン〉をめぐるマルクスの基本的な発想を重視する姿勢は、ネグリとハートのふたりに限らず広く共有されたものである。例えば、ジジェクも、〈コモン〉に言及しながら、コミュニズムの必要性を訴えている。

ジジェクによれば、「文化というコモンズ」、「外的自然というコモンズ」、「内的自然というコモンズ」、「人間そのものというコモンズ」という四つのコモンズの「囲い込み」が、グローバル資本主義のもとで人々に敵対する形で進行しているという。それゆえ、今の時代に「コミュニズムという概念の復活を正当化するのは、(中略)『コモンズ』を参照することによってである」とジジェクも述べている。[4]

ジジェクが言うように、コミュニズムとは、知識、自然環境、人権、社会といった資本主義で解体されてしまった〈コモン〉を意識的に再建する試みにほかならない。

あまり一般には知られていないことだが、マルクスは〈コモン〉が再建された社会を「アソシエーション」と呼んでいた。マルクスは将来社会を描く際に、「共産主義」や「社会主義」という表現をほとんど使っていない。代わりに使っていたのが、この「アソシエーション」という用語なのである。労働者たちの自発的な相互扶助（アソシエーション）が〈コモン〉を実現するというわけだ。

▼社会保障を生み出したアソシエーション

このような意味での〈コモン〉は、二一世紀に入ってからの新しい要求ではない。今、国家が担っているような社会保障サービスなども、もともとは人々がアソシエーションを通じて、形成してきた〈コモン〉なのである。

つまり、社会保障サービスの起源は、あらゆる人々にとって生活に欠かせないものを、市場に任せず、自分たちで管理しようとした数々の試みのうちにある。それが、二〇世紀に福祉国家のもとで制度化されたにすぎないのだ。

この点について、ロンドン・スクール・オブ・エコノミクスの文化人類学者デヴィッド・グレーバーは次のように述べている。

ヨーロッパにおいて、のちに福祉国家となる主要な制度――社会保険や年金から公共図書館や公共医療までのすべて――のほとんどが、その起源をたどれば、政府ではまったくなく、労働組合、近隣アソシエーション、協同組合、労働者階級政党、あれこれの組織にいたりつく。これらの多くが、「古い外皮のうちにあたらしい社会を建設する」、すなわち、下から社会主義的諸制度を徐々に形成していくという自覚的な革命的プロジェクトに関与するものであった。[5]

グレーバーによれば、アソシエーションから生まれた〈コモン〉を、資本主義のもとで制度化する方法のひとつが、福祉国家だったのである。しかし、一九八〇年代以降、新自由主義の緊縮政策によって、労働組合や公共医療などのアソシエーションが次々と解体もしくは弱体化され、〈コモン〉は市場へと呑み込まれていった。

ここで、新自由主義に抗して、福祉国家に逆戻りしようとするだけでは不十分な対抗策にしかならない。高度経済成長や南北格差を前提とした福祉国家路線は、気候危機の時代にはもはや有効ではなく、自国中心主義的な気候ケインズ主義に陥るのが関の山だ。それは気候ファシズム（一一三頁参照）になだれ込んでいく危険性と隣り合わせである。

しかも国民国家の枠組みだけでは、現代のグローバルな環境危機には対応できない。福祉国家に特徴的な国家による垂直的な管理も、〈コモン〉の水平性とは相容れない。

つまり、単に人々の生活をより豊かにするだけでなく、地球を持続可能な〈コモン〉として、資本の商品化から取り戻そうとする、新しい道を模索せねばならない。

そのためには、大きなビジョンが必要だ。だからこそ、まだ誰からも提示されていないマルクス解釈が、「人新世」という、環境危機の時代に求められるのである。

▼新たな全集プロジェクトMEGA

しかし、なぜ、二一世紀にもなって、マルクスの新しい解釈が可能なのか、と疑問に思う人もいるかもしれない。古いものを新しい装いで繰り返しているだけではないか、と。実際、そんな本も多い。

だが、実は、近年MEGA（メガ）と呼ばれる新しい『マルクス・エンゲルス全集』（*Marx-Engels-Gesamtausgabe*）の刊行が進んでいるのだ。日本人の私も含め、世界各国の研究者たちが参加する、国際的全集プロジェクトである。規模も桁違いで、最終的には一〇〇巻を超えることになる。

一方、現在日本語で手に入る『マルクス＝エンゲルス全集』（大月書店）は、本当の意味での「全集」ではない。大月書店版に収録されなかった『資本論』の草稿やマルクスの書いた新聞記事、手紙などは膨大にある。大月書店版は、正しくは、「著作集」である。

それに対して、はじめて公開されることになる新資料も含めて、マルクスとエンゲルスが書き残したものはどんなものでも網羅して、すべてを出版することを目指しているのがＭＥＧＡなのだ。

なかでもとりわけ注目すべき新資料が、マルクスの「研究ノート」である。マルクスは研究に取り組む際、ノートに徹底した抜き書きをする習慣をもっていた。亡命生活でお金もなかったため、ロンドンの大英博物館で、毎日、本を借りては、閲覧室で抜き書きを作成したのである。

その生涯で作成されたノートは膨大であり、なかには『資本論』には取り込まれなかったアイデアや葛藤も刻まれている。その意味で、貴重な一次資料なのである。

ところが、こうしたノートは、これまで、単なる「抜き書き」として片づけられ、研究者たちによってさえ無視され、出版もされてこなかった。このノートが今、私を含めた世界中の研究者たちの努力によってMEGAの第四部門として全三二巻で、はじめて公にされるようになっているのである。

そして、MEGAによって可能になるのが、一般のイメージとはまったく異なる、新しい『資本論』解釈である。悪筆のマルクスが遺した手書きのノートを丹念に読み解くことで、『資本論』に新しい光を当てることができるようになる。それが現代の気候危機に立ち向かうための新しい武器になるのだ。

▼生産力至上主義者としての若きマルクス

とはいえ先を焦らず、まずは、これまで一般に広められてきた、マルクス像を確認しておこう。おそらく、次のような理解が多いのではないだろうか。

すなわち、資本主義の発展とともに多くの労働者たちが資本家たちによって酷く搾取されるようになり、格差が拡大する。資本家たちは競争に駆り立てられて、生産力を上昇させ、ますます多くの商品を生産するようになる。だが、低賃金で搾取されている労働者たちは、それらの商品を買うことができない。そのせいで、最終的には、過剰生産による恐慌が発生してしまう。恐慌による失業のせいでより一層困窮した労働者の大群は団結して立ち上がり、ついに社会主義革命を起こす。労働者たちは解放される。

これは、マルクスがエンゲルスと一緒に書いた『共産党宣言』（一八四八年）の内容をものすごく大雑把にまとめたものといえるかもしれない。

まだ若かった当時のマルクスは、資本主義が早晩、経済恐慌をきっかけとした社会主義革命によって乗り越えられるという楽観論を抱いていた。資本主義の発展は生産力の上昇と過剰生産恐慌によって革命を準備してくれる。だから社会主義を打ち立てるために、資本主義のもとで生産力をどんどん発展させる必要があると考えていた節がある。いわゆる「生産力至上主義」である。

ところが、一八四八年の革命は失敗に終わってしまう。そして、資本主義は息を吹き返した。一八五七年の恐慌のときも同じだった。恐慌を繰り返し乗り越える資本主義の強靱さに直面するなかで、マルクスは自らの認識を修正するようになる。

そして、この新しい認識が展開されるのは、『共産党宣言』から二〇年ほどたって刊行された主著『資本論』以降においてなのだ。それゆえ、『共産党宣言』がいくらわかりやすいからといって、それだけでは、やはりマルクスの理論を理解したことにはならない。

▼未完の『資本論』と晩期マルクスの大転換

もちろん、研究者たちは『資本論』もしっかりと研究してきた。ところが、事態をややこしくするのは、マルクスが自らの最終的な認識を『資本論』においてさえ十分に展開できなかったという事情である。

というのは、『資本論』第一巻は本人の筆によって完成し、一八六七年に刊行されたものの、第二巻、第三巻の原稿執筆は未完で終わってしまったからだ。現在読まれている『資本論』の第二巻、第三巻は、盟友エンゲルスがマルクスの没後に遺稿を編集し、出版したものにすぎない。そのため、マルクスとエンゲルスの見解の相違から、編集過程で、晩年のマルクスの考えていたことが歪（ゆが）められ、見えにくくなっている箇所も少なくない。

なぜなら、マルクスの資本主義批判は、第一巻刊行後の一八六八年以降に、続巻を完成させようとする苦闘のなかで、さらに深まっていったからである。いや、それどころか、理論的な大転換を遂げていったのである。

そして、私たちが「人新世」の環境危機を生き延びるためには、まさに、この晩期マルクスの思索からこそ学ぶべきものがあるのだ。

しかし、この大転換は、現行の『資本論』からは読み取ることができない。エンゲルスは『資本論』の体系性を強調しようとするあまり、『資本論』の未完の部分がどこにあるのかを隠蔽してしまったのだ。つまり、マルクスが理論的に格闘していた箇所ほど、その事実が見えなくなっている。

結果的に、晩期マルクスの本当の姿は依然として、ノートの研究を行うごく一握りの専門家にしか知られていない。そのため研究者やマルクス主義者たちのあいだでさえ、依然としてマルクスは大きく誤解されたままである。

そしてこの誤解こそ、マルクスの思想を大きく歪め、スターリン主義という怪物を生み出し、人類をここまで酷い環境危機に直面させることになった原因といっても過言ではない。今こそ、この誤解を解かなければならないのだ。

▼進歩史観の特徴——生産力至上主義とヨーロッパ中心主義

この誤解とはなにか。端的にいえば、「資本主義がもたらす近代化が、最終的には人類の解放をもたらす」とマルクスが楽観的に考えていた、というものである。それは先に見た『共産党宣言』に典型的に見られるような思想である。

『共産党宣言』のころのマルクスはこう考えた。たしかに資本主義は、一時的に労働者の困窮や自然環境の破壊を引き起こすかもしれない。けれども、他方で資本主義は、競争によってイノベーションを引き起こし、生産力を上げてくれる。この生産力の上昇が、将来の社会で、みなが豊かで、自由な生活を送るための条件を準備してくれるというわけだ。

こうした考え方を「進歩史観」と呼ぼう。世間に普及している理解によれば、マルクスは典型的な「進歩史観」の思想家である。

そして、マルクスの「進歩史観」には、ふたつの特徴がある。それが「生産力至上主義」と「ヨーロッパ中心主義」である。

「生産力至上主義」とは、資本主義のもとで生産力をどんどん高めていくことで、貧困問題も環境問題も解決でき、最終的には、人類の解放がもたらされるという近代化賛美の考え方である。

ここにあるのは、単線的な歴史観である。「生産力の高い西欧が、歴史のより高い段階にいる。それゆえ、ほかのあらゆる地域も西欧と同じように資本主義のもとでの近代化を進めなくてはならない」というわけだ。これが、「ヨーロッパ中心主義」である。

このように単線的「進歩史観」においては、「生産力至上主義」と「ヨーロッパ中心主義」が、密接に結びついているのだ。

ところが、この「進歩史観」――いわゆる「史的唯物論」――は多くの人から批判を浴びてきた。なぜ、こうした歴史観は問題含みなのだろうか。「生産力至上主義」の方から先に詳しく見ていこう。

▼生産力至上主義の問題点

まず、「生産力至上主義」の立場に立てば、生産が環境にもたらす破壊的作用を完全に無視することになる。自然に対する支配を完成させることで、人類の解放を目指すのが生産力至上主義なのだ。その結果、資本主義のもとでの生産力の上昇こそが、環境危機を引き起こしているという厳然たる事実を、生産力至上主義は過小評価してしまう。

この生産力至上主義のせいで、二〇世紀後半になると、マルクス主義は環境運動によって、繰り返し批判されることになった。

たしかに、そのような批判にはマルクス自身にも一因がある。例えば、『共産党宣言』の有名な箇所で次のように述べているからだ。

ブルジョアジーはその一〇〇年足らずの階級支配のあいだに、過去のすべての世代を合わせたよりもはるかに大規模で巨大な生産力をつくり出した。自然の諸力の征服、機械の発明、工業と農業への化学の応用、蒸気船、鉄道、電信、いくつもの大陸の開墾、巨大運河の建設、地から湧き出てきたような膨大な住民群――これほどの生産力が社会的労働の胎内で眠っていようとは、これまでのどの世紀が予想しただろうか？[6]

この発言だけを取り出せば、批判されるのも無理はない。資本主義のもとでの生産力の発展を素朴にマルクスが賛美し、さらなる生産力の発展が豊かな社会を作り出して労働者階級解放のための条件を準備すると彼が考えていたと人々は思うことだろう。

生産力の発展が人間による自然の支配を可能にし、それが将来社会の条件を用意するのだとすれば、自然的制約は克服対象でしかない。

ただ、それではマルクスの思想にエコロジカルな要素は存在しないことになってしまう。そのせいで緑と赤は相容れないといわれてきた。近年のマルクス主義の衰退の理由のひとつもここにある。

▼物質代謝論の誕生――『資本論』でのエコロジカルな理論的転換

しかし、そんなはずはない。マルクスが資本と環境の関係を深く鋭く分析していたことを本書の読者はすでに知っている（第一章参照）。『資本論』でも、地球を〈コモン〉として管理することを目指していた（一四二頁参照）。

では、いつ生産力至上主義から脱却して、変貌を遂げたのか。マルクスの理論的転換に大きな役割を果たしたのは、第一章で触れたあのリービッヒだ。リービッヒの『農芸化学』第七版（一八六二年）で展開された「掠奪農業」批判に、マルクスは感銘を受けた。一八六五年から翌年にかけてのことだ。そして、それをすぐに『資本論』第一巻（一八六七年）に取り込んだのだった。『共産党宣言』からは、一二〇年近い月日が流れている。

ここで鍵となるのが、リービッヒからヒントを得て、マルクスが『資本論』で展開するようになった物質代謝論である。

人間は絶えず自然に働きかけ、さまざまなものを生産し、消費し、廃棄しながら、この惑星上での生を営んでいる。この自然との循環的な相互作用を、マルクスは「人間と自然の物質代謝」と呼んだ。

もちろん、人間から独立したところでも、自然にはさまざまな循環過程が存在している。光合成であったり、食物連鎖であったり、土壌養分の循環もそうだ。

例えば、鮭は川を上り、産卵をする。産卵後の鮭の死骸は分解され、海洋由来の栄養分を運ぶことで、上流や陸地の栄養分となる。あるいは、産卵前に熊やキツネ、鷲に食べられてしまうかもしれない。動物に食べられた鮭も、排泄を通じて、森のなかで木々の養分となる。その木々の落ち葉は大地を育み、一部は川に流れ、水生昆虫やエビといった小さな生き物の餌になり、あるいは、隠れ家として小魚たちを育む。鮭を媒介として、物質代謝・循環が営まれているのである。

このような自然の循環過程を、マルクスは「自然的物質代謝」と呼んだのだった。

そして、人間もまた、自然の一部として、外界との物質代謝を営んでいる。呼吸もそうだし、飲食も排泄もそうである。人間は、自然に働きかけ、さまざまなものを摂取し、排出するという絶えざる循環の過程のなかでしか、この地球上で生きていくことができない。これは生物学的に規定された歴史貫通的な生存条件なのである。

▼資本主義が引き起こす物質代謝の攪乱

だが、それだけではない。マルクスによれば、人間はほかの動物とは異なる特殊な形で、自然との関係を取り結ぶ。それが「労働」である。労働は、「人間と自然の物質代謝」を制御・媒介する、人間に特徴的な活動なのである。[7]

ここでのポイントは、労働のあり方は時代ごとにさまざまに異なるということである。それに合わせて、「人間と自然の物質代謝」も大きな影響を被ることになる。

とりわけ、資本主義においては、極めて特殊な形で、この物質代謝が編成されるようになっていく。資本は自らの価値を増やすことを最優先にするからだ。そして、この価値増殖という目的にとって最適な形で、資本は「人間と自然の物質代謝」を変容していく。

その際、資本は、人間も自然も徹底的に利用する。人々を容赦なく長時間働かせ、自然の力や資源を世界中で収奪しつくすのだ。もちろん、新技術のイノベーションも、人間や自然の利用をできるだけ効率よく進めるための手段として開発・導入される。その結果、効率化のおかげで、人々の生活は、これまでとは比較にならないほど豊かになる。

ところが、ある一定の水準を超えると、むしろ否定的影響の方が大きくなっていく。資本は、できるだけ短期間に、より多くの価値を獲得しようとする。そのせいで、資本は人間と自然の物質代謝を大きく攪乱してしまうのだ。

長時間の過酷な労働による身体的・精神的疾患も、この攪乱の現れであり、自然資源の枯渇や生態系の破壊もそうである。

「自然的物質代謝」は、本来、資本から独立した形で存在しているエコロジカルな過程である。それが、資本の都合に合わせて、どんどん変容させられていく。ところが、最終的には、価値増殖のための資本の無限の運動と自然のサイクルが相容れないことが判明する。

その帰結が「人新世」であり、現代の気候危機の根本的な原因もここにある。

▼修復不可能な亀裂

だから、資本主義は物質代謝に「修復不可能な亀裂」を生み出すことになると、マルクスは『資本論』で警告した。リービッヒにも言及しながら、資本主義的農業経営を支える大土地所有について分析した箇所だ。

こうして大土地所有は、社会的物質代謝と自然的な、土地の自然諸法則に規定された物質代謝の連関のなかに修復不可能な亀裂を生じさせる諸条件を生み出すのであり、その結果、地力が浪費され、この浪費は商業を通じて自国の国境を越えて遠くまで広められる（リービッヒ[8]）。

『資本論』は、物質代謝の「攪乱」や「亀裂」という形で、資本主義が持続可能な生産のための条件を掘り崩すことに警鐘を鳴らしている。資本主義は、人間と自然の物質代謝を持続可能な形で管理することを困難にし、社会がさらに発展していくためには足枷（あしかせ）になるというのである。

このように『資本論』の議論には、近代化による生産力の発展を無批判に称賛するような主張はどこにも見当たらない。むしろ、無制限な資本の利潤追求を実現するための生産力や技術の発展が、「掠奪する技術における進歩[9]」にすぎないことをはっきりと批判しているのである。

▼『資本論』以降のエコロジー研究の深化

資本が生み出すこの物質代謝の亀裂をマルクスが憂慮していたことまでは、近年の気のきいた『資本論』入門書なら、触れている話ではある。

けれども、晩年のマルクスのエコロジー思想は、リービッヒの「掠奪農業」批判の受容にとどまらなかった。『資本論』第一巻刊行以降、一八八三年に亡くなるまでの約一五年のあいだ、マルクスはほとんど著作を公にしなかったのだが、熱心に自然科学の研究を続けていたのだ。

そして、先にも述べたように、MEGAという、草稿やノートを大量に含む新たな全集の編纂(へんさん)作業を通じて、今まで埋もれていた晩期マルクスのエコロジカルな資本主義批判にスポットを当てることが、ようやくできるようになったのである。

1860年代に作成されたマルクスの研究ノート（写真はB128）。さまざまな文献からの抜粋が書きためてある

晩年の自然科学研究の射程は驚異的である。地質学、植物学、化学、鉱物学などについての膨大な研究ノートが残っているのだ。その内容については、拙著『大洪水の前に』で詳しく検討したが[10]、これらのノートを読めば、マルクスの知見が、リービッヒの「掠奪農業」批判さえも超えていったことがわかる。そし

て、過剰な森林伐採、化石燃料の乱費、種の絶滅などエコロジカルなテーマを、資本主義の矛盾として扱うようになっていったのである。

▼生産力至上主義からの完全な決別

そうした『資本論』第一巻刊行後のエコロジー研究のなかでマルクスが集中的に読んだのが、ドイツの農学者カール・フラースだった。

フラースの『時間における気候と植物世界、両者の歴史』は、メソポタミア、エジプト、ギリシャなどの古代文明の崩壊過程を描いている。この本によれば、それらの文明崩壊に共通した原因は、過剰な森林伐採のせいで地域の気候が変化し、土着の農業が困難になってしまったことにあるという。たしかに現在あの一帯は、乾燥しきっているが、かつてはそうではなかった。自然の乱開発のせいで肥沃な大地を失ってしまったのである。

過剰な森林伐採に起因する気温上昇と大気の乾燥が農耕に大きな影響を与え、文明崩壊をもたらすことをフラースは警告していた。というのも、資本主義が伐採技術や輸送技術をさらに発展させることで、これまで以上に森林の奥深くに人間の手が入り込むことになることの危険性をフラースは不安視していたのだ。

マルクスはフラースの本を絶賛し、その警告のなかに「社会主義的傾向」を見出した。[11] フラースは、資本主義のもとでの自然からの掠奪を批判し、持続可能な森林との付き合い方を求めていた。そのような主張を、マルクスは、「社会主義的傾向」であると受け止めるようになっていたのである。『資本論』刊行の翌年、一八六八年のことだ。[11]

また、第二章の「ジェヴォンズのパラドックス」でも触れた、あのジェヴォンズについても、マルクスは知っていた。当時イギリスで手に入りやすい場所にある石炭埋蔵量が減少していた問題について、ジェヴォンズは、リービッヒの「掠奪農業」批判に依拠しながら警鐘を鳴らしていた。

さらに、地質学についての研究をめぐっては、人間の活動が多くの生物種を絶滅させている問題について、マルクスは関心を払っている。

このような研究を通じて、物質代謝の亀裂をさまざまな領域で確かめようとしたのだ。そして、この亀裂の存在を資本主義の本質的な矛盾として議論を展開しようと試みたのだった。

晩年のノートから浮かび上がってくる彼の研究姿勢は、生産力の上昇が自然の支配を可能にし、資本主義を乗り越えることを可能にするという単純で楽観的な見解とは大きく異なっている。その際、生産力至上主義からはっきりと決別していたのはいうまでもない。かといって、環境危機による単純な文明崩壊論を展開しようとしていたわけでもない。

むしろ、『資本論』以降のマルクスが着目したのは、資本主義と自然環境の関係性だった。資本主義は技術革新によって、物質代謝の亀裂をいろいろな方法で外部に転嫁しながら時間稼ぎをする。ところが、まさにその転嫁によって、資本は「修復不可能な亀裂」を世界規模で深めていく。最終的には資本主義も存続できなくなる。

第一章で私たちが見た、あのいたちごっこの転嫁の過程を、『資本論』第一巻刊行後のマルクスは具体的に検討しようとしていたのである。

▼持続可能な経済発展を目指す「エコ社会主義」へ

そのうえで、生産力上昇の一面的な賛美をやめた『資本論』刊行前後の時期のマルクスは、さまざまな文献を読み漁り（あさ）ながら、社会主義における持続可能な経済発展の道を模索していた。

ここには、マルクスの確信がある。資本主義のもとでは、持続可能な成長は不可能であり、自然からの掠奪を強めることにしかならないと。つまり、資本主義のもとで闇雲に生産力の向上をはかっても、それは社会主義への道を切り拓くことにはならない。このように、マルクスの思考は転換していたのである。

だから、資本主義での生産力上昇を追求するのではなく、先に別の経済システム、すなわち社会主義に移行して、そのもとで持続可能な経済成長を求めるべきだとマルクスは考えるようになったのだ。これが、『資本論』第一巻刊行前後の時期に、マルクスの抱いていた「エコ社会主義」のビジョンである。

しかし、この「エコ社会主義」をも、最晩年のマルクスが超えていったことを予告しておこう。

▼進歩史観の揺らぎ

持続可能な経済成長を求める「エコ社会主義」の立場への移行は、もちろん重大な見解の変更である。だが、生産力至上主義からの決別は、より大きな世界観である「進歩史観」をも揺るがすことになる。これがこの先の議論にとって大きなポイントだ。

先にも述べたが、復習しよう。マルクス主義の進歩史観によれば、生産力の発展こそが人類の歴史を前に進める原動力である。したがって、どのような国も生産力を上げるために、まずは、西欧諸国のように資本主義のもとで産業化しなくてはならない。

このように進歩史観は、生産力の増大を歴史の原動力とみなすという意味で、生産力至上主義を前提としている。しかも、この生産力至上主義がヨーロッパ中心主義を正当化するのだ。

ところが、生産力至上主義を捨てるなら、生産力の高さは、歴史のより進んだステージにいることの証明にはならない。破壊的技術だけを発展させても、意味がないからである。したがって、マルクスが生産力至上主義を捨てると、それとコインの裏表の関係にあるヨーロッパ中心主義も見直しを迫られるようになっていく。

そして、生産力至上主義とヨーロッパ中心主義のどちらも捨てるなら、晩年のマルクスは、進歩史観そのものから決別せざるを得ない。史的唯物論はすべてがやり直しとなるのだ。

以下では、進歩史観が揺らぎ、崩壊する過程を示していきたい。まずはマルクスが、ヨーロッパ中心主義をどう扱っていたのかを見ていこう。

▼『資本論』におけるヨーロッパ中心主義

ただ、マルクスがヨーロッパ中心主義を本当に捨てたかどうかは、刊行されている文献を一読しただけでは、それほど自明ではない。

たしかに、『資本論』を執筆する以前の一八五〇年代後半にはすでに、マルクスは反植民地主義の立場を示していた[12]。インドの反植民地主義運動、ポーランド蜂起、アメリカの南北戦争など、マルクスは常に被抑圧者の側に立っていたのだ。だが、それとヨーロッパ中心主義からの脱却は別のことである。

『資本論』はどうだろうか。すでにエコロジカルな視点を取り入れている『資本論』第一巻第一版においても、マルクスは次のように書いている。

> 産業のより発展した国は、発展の遅れた国にたいして、ほかならぬその国自身の未来の姿を示している[13]。

このような単線的な進歩史観は、いかにもヨーロッパ中心主義的である。自分たちヨーロッパ人の歴史を世界の残りの部分に勝手に投影してしまっているように見える。

これでは、最悪の場合、植民地主義さえも、それが「野蛮な人々」に文明化と近代化をもたらすという理由で、マルクスの思想体系のなかでも正当化されてしまう。
だから、マルクスの思想は危険なヨーロッパ中心主義であるとして、繰り返し批判されてきたのだ。

▼サイードによる批判——若きマルクスのオリエンタリズム

なかでも有名な批判は、ポスト・コロニアリズム研究の第一人者であるエドワード・サイードによるものだろう。「オリエンタリスト」(非ヨーロッパを野蛮で、劣った存在とみなすヨーロッパ人)としてのマルクスをサイードはこう批判する。

マルクスは叙述を重ねるごとにますます確信を深めながら、「イギリスはアジアを破壊するというまさにそのことによって、アジアにおける真の社会革命を可能にしつつある」という見解に立ち返っていった。(中略)かりに人々の惨状によってマルクスの人間的心情が、つまり彼の同情心がそそられたことは明らかであるとしても(中略)結局、最後に勝利を収めるものはロマン主義的なオリエンタリズムのビジョンである。

それゆえ、「マルクスの経済分析は標準的なオリエンタリスト的企てと完全に合致している」とサイードは結論づけるのだ。[14]

ここでサイードが批判しているのは、まだ三〇代だったマルクスが一八五三年に「ニューヨーク・デイリー・トリビューン」紙に寄稿した、一連の悪名高い「インド評論」である。「イギリスのインド支配」という記事のなかでマルクスは、次のように述べている。

なるほどイギリスがヒンドゥスタン［＝インド］に社会革命をひきおこした動機は、もっともいやしい利益だけであり、その利益を達成する仕方もばかげたものであった。しかし、それが問題なのではない。問題は、人類がその使命を果たすのに、アジアの社会状態の根本的な革命なしにそれができるのかということである。できないとすれば、イギリスがおかした罪がどんなものであるにせよ、イギリスはこの革命をもたらすことによって、無意識に歴史の道具の役割を果たしたのである。[15]

イギリスによるインド植民地支配の残虐さを、もちろんマルクスも認めている。だが、ここでは、人類史的な進歩という観点から、植民地支配を、最終的には正当化してしまっているように見える。

インドを中心とするアジア社会はそれ自体では、静的で、受動的なため、「まったく歴史をもたない」[16]。だから、イギリスのような資本主義の国が外から介入して、歴史を推し進める必要がある、とマルクスは言うのである。ここには、サイードの指摘する、オリエンタリスト的な考えが姿を見せている。

これでは、歴史発展の過程で発生する人々の苦しみを、人類史的な観点から必要悪としてマルクスが正当化しているかのようである。

一八六〇年代はじめに執筆された『資本論』準備草稿のなかでも、スイスの社会主義者であるシモンド・ド・シスモンディらを批判しながら、マルクスは次のように述べている。


「シスモンディら」は、こうした人間種族の能力の発展が、たとえ最初は多数の個人や人間階級全体さえも犠牲にしてなされるにしても、結局はこの敵対関係を切り抜けて個々の個人の発展と一致するということ、したがって個人のより高度な発展は個人が犠牲にされる歴史的過程を通じてのみ達せられるということを理解していないのである。[17]

個人が犠牲になっても、生産力を上げよ！　市場と資本主義を世界中に！　それこそが自由と解放の条件である！　まるでマルクスは、新自由主義のイデオローグだったかのようだ。

▼非西欧・前資本主義社会へのまなざし

しかし、サイードの批判は、晩期マルクスを考慮に入れておらず、その意味で、一面的である。これもＭＥＧＡの新資料研究から明らかになったことだが、後にマルクスは、自らのオリエンタリズムを深く反省するようになったのだ。ここでも、決定的な変化は『資本論』刊行直後の一八六八年以降に訪れている。

実は、一八六八年以降、マルクスは自然科学やエコロジーの研究に取り組むようになっただけでなく、非西欧や資本主義以前の共同体社会の研究にも大きなエネルギーを割くようになっていったのだ。

一八六八年に、マルクスはゲルマン民族の共同体に関心をもち、一八七〇年代以降は、かなり熱心に非西欧・前資本主義社会の土地所有制度や農業について研究している。古代ローマ、アメリカの先住民、インド、アルジェリア、南米などについての文献を読み漁ったのだ。さらに、ロシアの農耕共同体については、マルクスはとりわけ大きな関心をもち、自らロシア語を学んでまで、かの地の共同体や土地所有や農耕についての研究に取り組んだのだった。

この時期の研究ノートのなかでは、イギリスの植民地主義をはっきりと批判するのみならず、インドの共同体による粘り強い抵抗の存在についても、マルクスは肯定的に言及するようになっていった。そこには、一八五三年の「インド評論」とは明らかに異なるマルクスが姿を見せるようになっていく。

▼「ザスーリチ宛の手紙」――ヨーロッパ中心主義からの決別

こうした認識の変化が最もはっきりと表れるようになるのが、最晩年である。それは、ロシアの共同体がどのような道を進むべきかという論争に、マルクスが介入したときのことであった。マルクスが亡くなる二年前、一八八一年に書いたロシアの革命家ヴェラ・ザスーリチ宛の手紙である。

晩期マルクスの進歩史観批判が最も明瞭に表明された、この手紙のおかげで、『資本論』

第一巻刊行後一四年間の研究によって、マルクスの見解がどの程度変化したかを窺い知ることができるのだ。いや、それどころか、この手紙にはマルクスの思想的到達点が秘められているといっても過言ではない。

当時のロシアには、ミールと呼ばれる農耕共同体が残存していた。そして、この農耕共同体を広めることで、皇帝支配を打倒する社会主義革命を展望する活動家たちがいた。「ナロードニキ」である。その際、ロシアの革命家たちのあいだでは、資本主義という段階を経ずに、ロシアは社会主義に至ることができるかどうかをめぐって、激しい論争が生じていた。

問題となったのは、先にも引用した、『資本論』第一巻の一節だった。もう一度引用しよう。

産業のより発展した国は、発展の遅れた国にたいして、ほかならぬその国自身の未来の姿を示している。

果たして、この記述がロシアにも当てはまるのか――つまり、ロシアはこの記述どおりに、まずは資本主義のもとでの近代化を目指さなくてはならないのかどうか——が、論争になったのである。そこで、ザスーリチは、マルクス本人にその真意を問いただそうとしたのだ。

実際にザスーリチに送られた返信は、そっけないものであった。だが、マルクスはその前に長い手紙の草稿を、なんと**三度**も書き直している。このことは、ザスーリチからの質問が、かなり問題の核心を突いていたことを示唆している。当然だろう。『資本論』のこの一節を書いた一四年後に、「ヨーロッパ中心主義的な進歩史観は、やはり正しいのでしょうか」という問いを非西欧人から突きつけられたからである。

この返信については、よく知られている。『資本論』における歴史的分析は、あくまでも「西ヨーロッパに限定されている」とマルクスははっきり述べるのだ。近代化を推し進めることで、わざわざロシアに残っている共同体を破壊してしまう必要はない。むしろ、ロシアにおいては、これらの共同体が、拡張を続けて世界中を呑み込もうとする資本主義に対する抵抗の重要な拠点になる。共同体を「**その現在の基礎**のうえで」、西欧の資本主義がもたらした肯定的な成果を吸収しながら発展させていくことが、コミュニズムを実現するためのチャンスになるとマルクスは書いている。

ここで重要なのは、資本主義という段階を経ることなしに（＝「カウディナのくびき門を通ることなしに」）、ロシアはコミュニズムに移行できる可能性があると、マルクスがはっきりと認めている事実である。[18] 最晩年のマルクスが、単線的な歴史観とヨーロッパ中心主義から決別していたことは、明らかだ。

▼『共産党宣言』ロシア語版という証拠

同様の認識は、翌年に刊行された『共産党宣言』「ロシア語版第二版への序文」でも確認できる。マルクスは次のように述べている。

もし、ロシア革命が西欧のプロレタリア革命にたいする合図となって、両者がたがいに補いあうならば、現在のロシアにおける土地の共同所有はコミュニズム的発展の出発点となることができる。[19]

ミールの共同体的土地所有について高い評価をマルクスはわざわざ書いた。これは単なるロシア人へのリップサービスではない。この序文がなければ、若いころに書いた『共産党宣言』の文章は、進歩史観の賛美として、ひどく誤解されてしまう。最晩年のマルクスは、その危険性を十分にわかっていたからこのように書いたのだ。

さらにこの「序文」では、ロシアの共同体が、資本主義的発展を経由しなくて良いどころか、コミュニズム的発展を西欧よりも先に——その後、西欧の革命によって補完される必要があるとしても——開始することができると、はっきりと述べられている。マルクスの歴史観が大きく変わっているのは、もはや否定できない。

そして、この議論をロシアだけに限定する必要はどこにもない。アジアやラテン・アメリカの共同体にも、拡大して良いはずである。

というのも、マルクス自身、ミールだけでなく、アジアの「村落共同体」も、資本主義による暴力的な破壊を逃れて、現代まで残存することのできた原古的共同体の一種とみなしていたからだ。つまり、世界中に存在するそのような共同体は、ロシアの農耕共同体と同じ力を有している。そのようにマルクスは評価しているのだ。

以上のことから、カリフォルニア大学の社会学者ケヴィン・アンダーソンも、晩年のマルクスが、複線的な歴史観を受容するようになり、進歩史観に依拠した「革命の単一的なモデル」を拒否したと結論づけている。[20]

社会主義へ至る経路は、もはや、西欧の発展モデルに限定されない。むしろ、非西欧社会においては、それぞれの制度や歴史がもつ複雑性や差異を考慮しながら、コミュニズムへの移行方法が検討されなくてはならないとマルクスは考えたのだ。

ヨーロッパ中心主義の進歩史観は、むしろ、非西欧を中心とした共同体の積極的評価へと転換している。だとすれば、サイードも、晩年のマルクスを「オリエンタリスト」として、批判することはけっしてできないだろう。

▼マルクスのコミュニズムが変貌した？

だが、晩期マルクスの思想の転換は、単線的歴史観からの決別だけにとどまるものなのだろうか。実は、そうではない。

晩年の共同体研究を『周縁のマルクス』という著作で肯定的に評価するアンダーソンでさえも、この転換がもつ真の意義を見逃している。「ザスーリチ宛の手紙」の理論的重要性は、アンダーソンが指摘する以上のものだ、というのが本書の主張である。

そもそも、晩年のマルクスが進歩史観を捨てたという指摘そのものは、それほど新しくなく、専門家のあいだでは何十年も前からいわれてきた[21]。それに、先にも触れたように、マルクスはすでに一八五〇年代後半には、反植民地主義の立場を明確化し、反資本主義闘争におけるその重要性を認めるようになっていた。

それから二〇年以上も経過して、しかも、あれほど熱心に共同体研究を行っていた晩期マルクスの理論的転換の内容が、「ヨーロッパ中心主義を捨て」、「複線史観」を採用した、というだけでは、あまりにお粗末ではないか。

本書はもっと先に進まねばならない。単線的な進歩史観を捨てたかどうかは、読者とこの先の見解を共有するための最初のステップにすぎない。ここで、真に重要な問題は、マルクスが進歩史観を捨てた結果、どのような認識にたどり着いたか、である。

だが、この問題を解くためには、一八六八年以降の共同体研究を通じて、マルクスが「ヨーロッパ中心主義」を捨てたというだけでは足りない。アンダーソンの素晴らしい研究の結論が、どこか凡庸に映るとしたら、それは、進歩史観の一面、つまり「ヨーロッパ中心主義」の棄却にしかスポットを当てていないせいである。この問題を解くためには、進歩史観のもうひとつの側面も同時に扱う必要がある。そう、「生産力至上主義」だ。エコロジー研究がもたらした「生産力至上主義」からの決別がもたらした理論的転換の意義を合わせて考えるべきなのだ。

実は、生産力至上主義の問題も合わせて考えると、コミュニズムという目的地への経路が単線から複数になったということより、もっと驚くような解釈の可能性が浮かび上がってくる。

つまり、マルクスの考えるコミュニズムの中身、それ自体が大きく変貌をとげたことが判明するのである。これこそ、先行研究によっても、十分解明されていない可能性だ。ここからが、いよいよ本題である。

▼なぜ『資本論』の執筆は遅れたのか

マルクスのコミュニズムが、晩年において変貌していた可能性は、『資本論』第二部・第三部の執筆が遅れた事実にも暗示されている。エンゲルスがあれほど強く『資本論』の完成を待ち望んでいたにもかかわらず、第一巻の刊行から一六年後にマルクスは帰らぬ人となる。先にも述べたように、その間、マルクスが取り組んでいたのはエコロジー研究と共同体研究だ。なぜ執筆を進めず、マルクスはこのふたつの研究に取り組んだのだろうか。

表面的に見れば、さまざまな病気に苛(さいな)まれたマルクスが『資本論』続編の執筆という辛い作業から、趣味の読書に「逃避」しようとしていたと勘ぐりたくもなる。

だが、それは違う。「物質代謝論」をマルクスの理論的な軸として据えよう。そこから、浮かび上がってくるのは、マルクスが進歩史観を捨て、新しい歴史観を打ち立てようとする血が滲むような努力の過程である。その新しいビジョンを打ち立てるために絶対的に必要だったのが、エコロジー研究と非西欧・前資本主義社会の共同体研究だったのだ。

それゆえ、ふたつの研究テーマは一見すると無関係に見えるが、通底する問題意識としては関連しあっているのである。どういうことだろうか。

▼崩壊した文明と生き残った共同体

まず、なぜ晩年のマルクスが共同体研究に熱中していったのかという話から始めよう。実は、共同体研究のきっかけは、エコロジー研究のためにフラースの著作を一八六八年初頭に読んだことだった。最初から、エコロジー研究と共同体研究はつながっているのだ。

フラースによる古代文明崩壊についての研究をマルクスが読んでいたことはすでに紹介したとおりだが（一六二頁参照）、フラースは、崩壊の道をたどらずに存続した共同体についても言及している。

とりわけ、古代ゲルマン民族の共同体である「マルク協同体」（Markgenossenschaft）について、持続可能な農業を営んでいたことを高く評価していた。ゲルマン民族は「蛮族」といわれたりもするが、持続可能性という意味では、非常に優れていたのである。「マルク協同体」とは、皇帝カエサルからタキトゥスの時代のゲルマン民族社会を広く指す呼称である。狩猟及び軍事共同体としての部族共同体から、定住して農耕を営む共同体へと移行する時期にあたる。

ゲルマン民族は、土地を共同で所有し、生産方法にも強い規制をかけていた。マルク協同体においては、土地を共同体の構成員以外に売ったりするなど、もってのほかであったという。土地の売買だけでなく、木材、豚、ワインなども共同体の外に出すことも禁じられていた。[22]

そのような強い共同体的規制によって、土壌養分の循環は維持され、持続可能な農業が実現していた。そして長期的には、地力の上昇さえもたらしていたというのである。共同体的な規制が弱く崩壊した古代文明とは、そこが大きく異なる。さらにいえば、土壌から養分を取り去って、収穫した穀物を大都市で販売して儲けを出そうとする資本主義的農業経営とは、まったく対照的なのである。

フラースの一連の著作にマルクスは夢中になった。『資本論』執筆中からあったマルクスのエコロジカルな視点が、前資本主義社会の共同体がもつ持続可能性への関心を引き出していったのだ。

▼共同体のなかの平等主義に出会う

マルクスが、フラースによるマルク協同体の分析に強い関心をもったことは、フラースの本と並行して、ドイツの法制史学者ゲオルク・ルートヴィヒ・フォン・マウラーのマルク協同体についての研究書を丁寧に読んでいることからもわかる。フラースのマルク協同体論の下敷きとなっていたのが、マウラーの本だったのだ。

興味深いことに、マルクスは、マウラーの主張のなかにも、フラースと同様の「社会主義的傾向」を見出している[23]。

マウラーがこんな指摘をしているからだ。マルク協同体は、全員が等しく放牧などができるように共有地を用意していただけではない。構成員たちがどの土地を使うかについて、くじ引きを導入して定期的な入れ替えを行っていた。そうすることで、肥沃な土地の恩恵を一部の人間が独占的に占有し、富の偏在が生じることがないように注意していたのである。

それは、古代ローマで「ラティフンディウム」と呼ばれる奴隷労働を利用した貴族による大土地所有・経営が行われたことと、対照的な規制方法である。保守的な思想家であったマウラーが、歴史の中に見出したのは、当時の社会主義者も身震いするようなゲルマン民族の「平等主義」だったのだ。[24]

▼新しいコミュニズムの基礎――「持続可能性」と「社会的平等」

もちろん、一八六八年以前のマルクスも、共同体社会が平等主義だったことを認識していた。「自然発生的な共産主義」という表現を、原始共同体の特徴づけとして、マルクスは『資本論』のなかでも用いている。[25]

だが、『資本論』直後のマルクスが、フラースとマウラーの両者を「社会主義的傾向」という同じ言葉で高く評価した背景には、まったく新しい気づきがある。「持続可能性」と「社会的平等」は、密接に連関しているのではないか、という点を真剣に考えるようになったのだ。これがまさに、その後マルクスがエコロジー研究と並行して、非西欧の共同体研究を進めることになった理由にほかならない。

ゲルマン民族は、土地を共有物として扱っていた。土地は、誰のものでもなかったのだ。

だから、自然からの恩恵によって、一部の人が得をしないよう、平等な土地の割り振りを行っていた。富の独占を防ぐことで、構成員のあいだに支配・従属関係が生じないように注意していたのだ。

同時に、土地は誰のものでもなかったがゆえに、所有者による好き勝手な濫用から守られていた。そのことが、土地の持続可能性を担保することにもなっていたのである。

このように「持続可能性」と「社会的平等」は密接に関係している。この両者の密接な関係こそが、共同体が資本主義に抗い、コミュニズムを打ち立てることを可能にするのではないか。マルクスはこの可能性を強く意識するようになっていく。

▼「ザスーリチ宛の手紙」再考──エコロジカルな視点で

こうした思索の到達点が、「ザスーリチ宛の手紙」なのである。手紙の草稿の細部を見てみよう。

まず、この手紙の草稿には、共同体研究のあのマウラーが登場する。そしてマルクスは、原始共同社会がロシアにもミールとして存在しているが、それは「農耕共同体」と呼ばれる型であり、西欧ではゲルマン共同体に見られるものと同型だと説明する。

そうした農耕共同体がもつ「自然の生命力」は、非常に強いとマルクスは続ける。多くの共同体が絶え間ない戦争や人々の移住を経て消滅してしまった後にも、農耕共同体は中世を生き抜いたのだ。そして、マルクスの時代まで故郷トリーア地方を中心に、森林や牧地が共有地のままだったのは、その痕跡だというのである。

手紙の草稿のなかで、マルクスは、中世まで生き延びたこの社会的共同性を「新しい共同体」と呼び、高く評価する。

新しい共同体が自分の原型［＝農耕共同体］からいくつかの特徴を引き継いでいるおかげで、この共同体は、全中世を通じて民衆的自由と生活の唯一のかまど［根源］となっていた。[26]

このような共同体評価に基づいて、マルクスはザスーリチに対して、資本主義を通じた近代化の道をロシアに押しつけるつもりはないと伝えたのだ。[27] ロシアには依然として、農耕共同体が残っており、その共同体の力を基礎として、コミュニズムへの移行が行えるというのである。この一節からも、マルクスの歴史観の大きな転換がうかがえる。

だが、ここでより重要なのは、エコロジー的な問題意識である。この手紙から読み取れる、最晩年のマルクスの認識は次のようなものだ。資本主義のもとでの生産力の上昇は、人類の解放をもたらすとは限らない。それどころか、生命の根源的な条件である自然との物質代謝を攪乱し、亀裂を生む。資本主義がもたらすものは、コミュニズムに向けた進歩ではない。むしろ、社会の繁栄にとって不可欠な「自然の生命力」を資本主義は破壊する。マルクスはそう考えるに至ったのだ。

だが、このような認識は、かつての自分の進歩史観への批判を伴わざるを得ない。資本主義が進歩ではなく、取り返しのつかない自然環境の破壊と社会の荒廃をもたらすなら、単線的歴史観は大きく揺らぐ。生産力が発展した西欧の方が、非西欧よりも優れているかは、まったくもって自明ではなくなってしまう。

先に見たように、フラースやマウラーによれば、マルク協同体では、より持続可能な形で人間と自然の物質代謝が社会的に組織され、より平等な関係性も実現されていた。そうであれば、生産力はもちろんずっと低いが、マルク協同体の方が、ある意味、「優れている」ともいえる。

もちろん、このような大きな理論的枠組みの修正は、『資本論』第二巻、第三巻の執筆を極めて困難なものにしたに違いない。だが、それでも、根本的な歴史観の立て直しが『資本論』執筆のためにも必要だったのだ。その立て直しのための、非西欧・前資本主義の共同体研究であり、エコロジーをテーマにした自然科学研究だったのである。

▼資本主義とエコロジストの闘争

事実、進歩史観を捨て去った結果、マルクス自身が住んでいたイングランドなどの西欧社会についての現状分析も、大きな変更が迫られるようになっていく。当然だろう。マルクスは共同体を趣味で勉強していたわけではない。西欧資本主義を乗り越えるために研究していたのだ。

「ザスーリチ宛の手紙」の草稿にも、その変化は表れている。このことがわかるのは、西欧資本主義の危機について、次のように述べている箇所である。

> 西ヨーロッパにおいても、合衆国においても、［資本主義は］労働者大衆とも科学とも、またこの制度の生み出す生産力そのものとも闘争状態にあり、一言で言えば、危機のうちにある。[28]

資本主義が「科学との闘争状態」にあるという発言は、これまで、マルクス・レーニン主義の生産力至上主義の立場をとる人々によって、より一層の生産力の発展が必要であるという風に解釈されてきた。つまり、生産力の向上が、資本主義のもたらす危機を克服するための方法だというわけである。

そのため、『ゴータ綱領批判』（一八七五年）におけるマルクスの「各人はその能力におうじて、各人にはその必要におうじて！」という有名なコミュニズムの定義[29]も、無限の生産力と「無限の潤沢さ」によって、不平等な分配の問題を解決するという風に解釈されてしまったのだった。[30]

だが、物質代謝の亀裂論を背景にした生産力至上主義批判の思想として、手紙のこの一節を読むなら、それが意味するところは真逆になる。

西欧社会において資本主義が「闘争状態」にある「科学」とは、リービッヒやフラースのように環境へのまなざしをもった「科学」のことなのである。つまり、エコロジーだ。

エコロジストの彼らは、資本主義の掠奪に対する批判を展開することで、資本主義の正当性を揺さぶっているのだ。技術によって自然を服従させ、人間を自然的制約から解放するという生産力至上主義のプロジェクトが失敗していることを、「科学」は暴き出す。

リービッヒたちが明らかにしたのは、資本主義は、持続可能な形で、生産力をこれ以上、上昇させることはできないということだ。生産力を無理に上げようとすることは、地球環境からの掠奪になってしまう。それだけではない。自然がもつ修復能力をも破壊してしまうのである。そのような資本主義を正当化し、継続することはできないということだ。

マルクスのエコロジー思想に触れた後の私たちならば、「科学と資本主義の闘争」という言葉の意味をこう読み解くことができる。

▼「新しい合理性」――大地の持続可能な管理のために

リービッヒやフラースからマルクスが獲得したのは、資本主義のもたらす危機を乗り越えるための、自然科学の知見に基づいた「合理的農業」という視点であった。もちろん、彼らの言う合理性とは、資本主義的な利潤最大化を目指すという意味ではない。「新しい合理性」である。

マルクスの没後にエンゲルスが編集した『資本論』第三巻の「地代論」のなかで、マルクスが資本主義のもとでの土地利用の非合理性について述べた箇所がある。

土地――共同の永遠の所有としての、交替する人間諸世代の連鎖の譲ることのできない生存および再生産の条件としての土地――の自覚的、合理的な取り扱いの代わりに、［資本主義のもとでは］地力の搾取と浪費が現われる。[31]

資本主義は自然科学を無償の自然力を絞り出すために用いる。その結果、生産力の上昇は掠奪を強め、持続可能性のある人間的発展の基盤を切り崩す。そのような形での自然科学利用は長期的な視点では、「搾取」的・「浪費」的であり、けっして「合理的」ではない。そう批判するマルクスが求めていたのは、無限の経済成長ではなく、大地＝地球を〈コモン〉として持続可能に管理することであった。それこそまさに、リービッヒやフラースも求めていた、より「合理的」な経済システムの姿である。

そして、そのような科学的要求が、資本主義の不合理さを暴露し、その正統性の「危機」をもたらしているというのである。

一八七頁（註28）で引用した文章に続いて、「ザスーリチ宛の手紙」で、マルクスはこう結論づける。

［資本主義の］危機は、資本主義制度の消滅によって終結し、また近代社会が、最も原古的な類型のより高次の形態である集団的な生産および領有へと復帰することによって終結するであろう。[32]

資本主義的発展を最大限推し進めた、その先にコミュニズムが存在するわけではない。むしろ、ゲルマン民族のマルク協同体やロシアのミールのうちに、西欧の近代社会が「復帰」させねばならない要素が存在しているというのだ。

果たして、西欧社会はなにをミールやマルク協同体から学び、取り戻さないといけないのだろうか？

▼真の理論的大転換――コミュニズムの変化

いよいよ核心に迫ってきた。ここまでの議論を整理し、結論を述べていきたい。

晩年のマルクスは進歩史観を捨てたが、それを可能にしたのは、一八六八年以降の自然科学研究と共同体研究であった。両方の研究が密接に連関しているのをしっかりと踏まえることで、晩期マルクスの到達点である「ザスーリチ宛の手紙」のもつ理論的意義も、はじめて理解できるようになるのである。

つまり、自然科学と共同体社会を研究することで、「持続可能性」と「平等」の関連について、マルクスは考察を深めようとした。そして、「ザスーリチ宛の手紙」を何度も書き直しながら、将来社会が目指すべき、新しい合理性の姿を展開しようと試みていたのである。要するに、ロシア人からの質問をきっかけに、持続可能で、平等な西欧社会を実現するための展望を、マルクスは構想し直そうとしていたのだ。

この思索の試みからいよいよ浮かび上がってくるのが、最晩年の真の理論的な大転換である。エコロジー研究から始まった進歩史観からの決別が、西欧資本主義の優位性についての想定にも、根本的な修正を迫った。

その結果、単にコミュニズムへの経路が複線化するだけでなく、西欧資本主義が目指すべき**コミュニズムの構想そのものにも大きな変容が加えられるようになった**のだ。

どういうことか、説明しよう。

伝統に依拠する共同体は、資本主義とはまったく違う生産原理に基づいている。マウラーやフラースが述べているように共同体の内部には、強い社会的規制がかかっていて、資本主義システムのような商品生産の論理は貫徹していない。例えば、マルク協同体では土地どころか、その生産物さえも外部と売買できなかったことを思い出そう。

共同体では、同じような生産を伝統に基づいて繰り返している。つまり、経済成長をしない循環型の定常型経済であった。

共同体は、単に「未開」で、「無知」だったから、生産力が低く、貧困に喘いでいたわけではない。共同体においては、もっと長く働いたり、もっと生産力を上げたりできる場合にも、あえてそうしなかったのである。権力関係が発生し、支配・従属関係へと転化することを防ごうとしていたのだ。

▼脱成長へ向かうマルクス

ここでは、経済成長しない共同体社会の安定性が、持続可能で、平等な人間と自然の物質代謝を組織していた、というマルクスの認識が決定的に重要になる。

一八五〇年代初頭のマルクスが、インドの共同体が定常型経済であることを理由に、受動的で、静的で、「まったく歴史をもたない」と切り捨てていたことについては、すでに触れた。この発言には、生産力至上主義とヨーロッパ中心主義が凝縮されている（一七〇頁参照)。

ところが、共同体社会の定常性こそが、植民地主義支配に対しての抵抗力となり、さらには、資本の力を打ち破って、コミュニズムを打ち立てることさえも可能にすると、最晩年のマルクスは主張しているのである。ここには、明らかに大きな転換がある。共同体は能動的に抵抗し、コミュニズムという歴史を作る力を有しているというのだ。ここには一八五〇年代とはまったく違う、定常型経済についての肯定的な認識が存在している。

このような共同体社会がもつポテンシャルの認識を可能にしたのが、晩年のエコロジー研究なのだ。つまり、持続可能性へのマルクスの関心が、五〇年代とはまったく異なった共同体の見方を可能にしたのである。一見バラバラに見えた晩年のエコロジー研究と共同体研究は、ここでは、はっきりとつながっている。

こうして、ついに晩年の研究が、真に自由で平等な、西欧近代社会の将来社会を構想するためのひとつの理論的基盤として立ち上がってくる。ロシアのような非西欧社会の歴史的発展の経路を分析することが、マルクスの目的だったわけではない。いまや、複線をめぐる話は副産物にさえ思えてくる。主眼はあくまでも、西欧社会における将来社会の構想である。そのために、共同体を研究していたのだ。

そして、一四年にも及ぶ研究の結果、定常型経済に依拠した持続可能性と平等が、資本への抵抗になり、将来社会の基礎になるとマルクスは結論づけたのだ。

この持続可能性と平等こそ、西欧近代社会が資本主義の危機を乗り越えるために、意識的に取り戻さなくてはならないものであり、その物質的条件が、定常型経済なのである。

要するに、マルクスが最晩年に目指したコミュニズムとは、平等で持続可能な脱成長型経済なのだ。

資本主義の危機を乗り越えるために西欧社会は「原古的な類型のより高次の形態である集団的な生産および領有へと復帰」（一九一頁参照）しなくてはならないとマルクスが言うとき、彼は定常型経済という共同体の原理を、西欧において高次のレベルで、復興させようとしていたのではないか。

▼「脱成長コミュニズム」という到達点

ここまでくれば「復帰」の意味は明らかだろう。西欧におけるコミュニズムの試みは、持続可能性と平等を重視する新しい合理性を打ち立てるために、共同体から定常型経済の原理を学び、それを取り入れないといけない、とマルクスは言っているのである。

もちろん、ここで注意しなくてはならないが、この構想は、ノスタルジックに「農村に帰れ」とか、「コミューンを作れ」というような話ではけっしてないという点である（マルクスは繰り返し、ロシアの共同体は、資本主義がもたらす技術革新のような肯定的成果を取り込むべきだと言っている）。西欧における革命は、あくまでも近代社会の成果を大切にしながら、「原古的な類型」、すなわち定常型社会をモデルにして、コミュニズムへと跳躍せねばならないのである。

それゆえ、経済成長を追い求める生産力至上主義型のソ連のような共産主義は完全に無効になる。資本主義的原理を推し進めたとしても将来社会の展望は切り拓けないと断罪されているのに等しい。

繰り返せば、これは、若き日の生産力至上主義とは真逆の立場にほかならない。さらにいえば、『資本論』執筆の際のリービッヒ受容に見られる「エコ社会主義」の段階のマルクスとも異なる。そのころはまだ、社会主義に移行できれば、持続可能な経済成長が可能だと考えていたのだ。しかし、それさえも放棄されたのだ（図17）。

このように、マルクスの将来社会のビジョンは、最晩年において明らかに大きく変容している。一昔前に流行（はや）ったルイ・アルチュセールの表現を借りれば、「認識論的切断」と

図17　マルクスが目指していたもの

		経済成長	持続可能性
1840年代〜1850年代	**生産力至上主義** 『共産党宣言』、「インド評論」	○	×
1860年代	**エコ社会主義** 『資本論』第一巻	○	○
1870年代〜1880年代	**脱成長コミュニズム** 『ゴータ綱領批判』、「ザスーリチ宛の手紙」	×	○

いってもいいほどの変化である。

要するに、進歩史観を捨てたマルクスは、共同体の持続可能性と定常型経済の原理を、自らの変革論に取り入れることができた。その結果、コミュニズムの理念は、「生産力至上主義」とも「エコ社会主義」とも、まったく違ったものに転化したのだ。それが、最晩年に到達した「脱成長コミュニズム」である。

これこそ、誰も提唱したことがない、晩期マルクスの将来社会像の新解釈にほかならない。それは、盟友エンゲルスでさえも、まったく理解することができなかったものだ。その結果、マルクスの歴史観は、彼の死後、単線的な進歩史観であると誤解され、生産力至上主義が左派の思考のパラダイムを規定するようになってしまったのである。

そのせいで『資本論』第一巻刊行から一五〇年にも

及んで、マルクス主義は環境問題を資本主義の究極的矛盾として批判することができず、「人新世」の環境危機をここまで深刻化させることになったのだ。

▼脱成長コミュニズムという新たな武器

実際、これまでマルクス主義と脱成長は、水と油の関係にあると考えられてきた。従来のマルクス主義では、コミュニズムは労働者たちが生産手段を奪還することで、生産力と技術を自由に操り、自らの生活を豊かにする社会として構想されていた。そのような社会は、脱成長とは相容れないものとみなされていたのだ。

だから、マルクスの共同体研究も、エコロジー研究も、その存在は知られていたが、両者を組み合わせてみようとはしなかったのである。それはマルクス研究者が脱成長を受け入れられなかったせいなのだ。

もちろん、これまでも研究者たちは、マルクスがヨーロッパ中心主義を捨てたというアンダーソンのような指摘については、喜んで認めようとした。それが、現代的に見て、ポリティカル・コレクトネス（PC）なマルクスに近づけてくれるからである。拙著『大洪水の前に』が「環境主義者としてのマルクス」を展開したときも、PCなマルクスを提示しようとする試みとして、世界中のマルクス主義者たちから歓迎された。

けれども、誰も、「脱成長コミュニズム」というところにまでは踏み込めなかった。『大洪水の前に』も、やはり持続可能な経済成長を追求する「エコ社会主義」をマルクスの思想として指摘する段階でとどまっていた。実際、英語版のタイトルは、まさに『カール・マルクスのエコ社会主義』である。

ここには、やはりマルクス主義における「生産力至上主義」という巨大な負の遺産が重くのしかかっている。マルクス主義は、生産力の上昇が破壊的なものだという事実を受け入れることができず、「脱成長」を敵とみなしていたのである。

だが、生産力至上主義を捨てて、非西欧・前資本主義の共同体から社会変革の可能性を学ぼうとした晩年のマルクスの思想は、一般に流布しているマルクス像とまったく異なっているだけではない。生産力至上主義とヨーロッパ中心主義を捨てた晩年の思考のラディカルさは、マルクス主義者たちがマルクスをＰＣ化して満足しようとする試みにも、収まるような代物ではないのである。

むしろ、西欧資本主義を真に乗り越えるプロジェクトとして、「脱成長コミュニズム」を構想する地点にまで、マルクスは達していたのだ。

以上の分析は、単に晩年のマルクスが描いたコミュニズム像を明らかにするだけにとどまらない意義をもつ。そう、この晩年の境地を見定めることで、「脱成長コミュニズム」というこれまで誰にも提唱されたことのない新しい概念を生み出し、将来社会を構想するための武器になるのだ。

▼『ゴータ綱領批判』の新しい読み方

これは牽強付会の解釈だろうか。いや、そうではない。

この点について考えるために、晩年のマルクスが一八七五年に執筆した『ゴータ綱領批判』を検討したい。このテクストは西欧社会の変革について論じたものだ。その一節に出てくる「協同的富」という言葉に注目してみよう。人々が資本の支配から解放され、労働における自由を取り戻す際、富のあり方が大きく変化すると述べられる有名な一節だ。

共産主義社会のより高度な段階で、すなわち個人が分業に奴隷的に従属することがなくなり、それとともに精神労働と肉体労働の対立がなくなったのち、労働が単に生活のための手段であるだけでなく、労働そのものが第一の生命欲求となったのち、個人の全面的な発展にともなって、またその生産力も増大し、協同的富のあらゆる泉が一層豊かに湧きでるようになったのち――そのとき初めてブルジョア的権利の狭い限界を完全に踏みこえることができ、社会はその旗の上にこう書くことができる――各人はその能力におうじて、各人にはその必要におうじて！[33]

　マルクスによれば、コミュニズムにおいては、貨幣や私有財産を増やすことを目指す個人主義的な生産から、将来社会においては「協同的富」(der *genossenschaftliche* Reichthum) を共同で管理する生産に代わるというのである。これは、本書の表現を使えば、まさに〈コモン〉の思想にほかならない。

　マルクスはこれ以前にも「協同的」(genossenschaftlich) という言葉をしばしば用いている。ゲノッセンシャフトリッヒというこの言葉は、「協同組合的な」、「アソシエーション的な」といった意味合いをもち、通常は、「協同組合的な生産」、「協同組合的な生産手段の共有」といった具合に用いられる。

　だが、「協同的富」という使い方は、『ゴータ綱領批判』において一度だけ出てくる表現である。これを以前の用例にならって「協同組合的富」と訳しても、不自然だ。さらに、そのような読み方をしてしまうと、「生産力も増大し、協同組合的富のあらゆる泉が一層豊かに湧きでる」という文章は、生産力至上主義の支持表明になってしまう。だが、マルクスが一八七〇年代にそのような立場を取っているはずがない。

とすると、『ゴータ綱領批判』での「ゲノッセンシャフトリッヒ」という言葉の由来は、以前の著作とは違うものである可能性が高い。では、どこから来ているのか。

『ゴータ綱領批判』の執筆時期も踏まえて推測できる由来は、ゲルマン民族のあの「マルク協同体」(*Markgenossenschaft*)だ。マルク協同体、マルク・ゲノッセンシャフトの共同所有の研究からマルクスが新たに取り入れた知見が、この一節に影響している可能性があるのである。そうであれば、「協同的富」ではなく「協同体的富」と訳すべきだろう。「協同体的富」を共同で管理するという読み方は、非常に自然である。

つまり、この一節全体の意味するところは、コミュニズムによる社会的共同性は、マルク協同体的な富の管理方法をモデルにして、西欧においても再構築されるべきだということではないか。それは要するに定常型経済の原理のことであり、この原理こそが、湧き出るような富の潤沢さを実現するというのである。もちろん、この潤沢さは、何でもかんでも無限に生産するという意味の潤沢さではない。むしろ、ここには、第六章で詳しく見るように、〈コモン〉がもたらす「ラディカルな潤沢さ」がある。
これこそが、マルクスが最晩年に成し遂げた理論的大転換なのである。

▼マルクスの遺言を引き受ける

たしかに、マルクスは脱成長コミュニズムの姿を、どこにもまとまった形では書き残していない。しかしそれは、MEGAが収録する多数の文献に散らばるマルクスの自然科学研究と共同体研究をつなぎあわせていくことで、おのずと浮かび上がってくる晩期マルクスの到達点である。

繰り返せば、これは誰も思いおよばなかったマルクス像であり、この思想が見落とされてきたことが、現在のマルクス主義の停滞と環境危機の深刻化を招いている。旧来のマルクス主義は、現在に至るまでずっと生産力至上主義にとらわれてきたのだ。ソ連を批判するマルクス主義者であっても、生産力至上主義からは、完全には自由ではなかった。

だが、現代社会が直面している生産力の無尽蔵な増大によって引き起こされている環境危機の深刻さを考えるならば、生産力至上主義を擁護する余地は、もはやどこにも残されていない。さらに、第二章で見たデカップリングの困難さを考慮すれば、「エコ社会主義」

さえも、十分な選択肢とはいえない。

資本主義のグローバル化が一九世紀とは比較にならないほどの規模となり、その矛盾も人類の生存そのものを脅かすようになっている今こそ、晩期マルクスの脱成長コミュニズムが追求されなくてはならない。最晩年に書かれたこのザスーリチ宛の手紙は、「人新世」を私たちが生き延びるために欠かせないマルクスの遺言なのである。

マルクスは自分の理論的転換があまりにも大きすぎたために、死期までに『資本論』を完成させることができなくなってしまった。だが、この議論を展開しきれなかった先の地点にこそ、現代の私たちが求めている将来社会に向けたヒントが埋められている。

だから、「人新世」の危機に立ち向かうため、最晩年のマルクスの資本主義批判の洞察をより発展させ、未完の『資本論』を「脱成長コミュニズム」の理論化として引き継ぐような、大胆な新解釈に今こそ挑まなくてはならないのだ。

第五章　加速主義という現実逃避

だ。

▼「人新世」の資本論に向けて

ここまでの議論で明らかになったように、気候危機の時代に、必要なのはコミュニズムだ。

拡張を続ける経済活動が地球環境を破壊しつくそうとしている今、私たち自身の手で資本主義を止めなければ、人類の歴史が終わりを迎える。資本主義ではない社会システムを求めることが、気候危機の時代には重要だ。コミュニズムこそが「人新世」の時代に選択すべき未来なのである。

しかし、コミュニズムとひとくちにいっても、さまざまなものがある。本書は、晩年のマルクスの到達点と同じ立場を取って、脱成長型のコミュニズムを目指す。だがそれに対して、経済成長をますます加速させることによって、コミュニズムを実現しようという動きもある。それが、近年、欧米で支持を集めている「左派加速主義」(left accelerationism)だ。

率直にいって、「加速主義」は晩期マルクスの到達点を知らずに突き進んだ異物にすぎない。「生産力至上主義こそがマルクス主義の真髄である」という一五〇年あまり続いた誤解の産物が「加速主義」なのだ。しかし、環境危機を憂う人々のあいだで、その可能性が真剣に議論されているのである。

ここからは、この「加速主義」を反面教師として検討・批判していきたい。そうすることで、晩年のマルクス、そして本書の目指す脱成長コミュニズムの姿がよりイメージしやすくなるはずだ。

これが、この第五章の狙いである。

▼加速主義とはなにか

加速主義は、持続可能な成長を追い求める。資本主義の技術革新の先にあるコミュニズムにおいては、完全に持続可能な経済成長が可能になると主張するのだ。

例えば、イギリスの若手ジャーナリスト、アーロン・バスターニはこの可能性を追求して、「完全にオートメーション化された豪奢なコミュニズム」（fully automated luxury communism）を提起し、人気を博している。

そんなバスターニも気候変動が人口増加と並んで、二一世紀における文明レベルでの危機的事態だと指摘する。とりわけ、途上国の人口増加と経済発展は、さまざまな資源消費量や、耕作しなくてはならない土地面積を増やし、地球に負荷をかける。これは、気候危機にとって取り返しのつかない事態を引き起こしかねない。とはいえ、途上国の人々に対して、現在の暮らしで我慢しろと言うわけにもいかない。ここに、既存の環境運動の困難があるとバスターニは考える。

ここまでは本書と共通する問題意識である。けれども、その先の見解は大きく異なる。近年著しい発展を見せている一連の新技術を利用すれば、こうした問題は一挙に解決できると、彼は考えているのだ。

バスターニによれば、現在生じている技術革新は、農耕の開始や化石燃料の使用に匹敵する、人類史上の歴史的転換点だという。

牛を育てるのには、膨大な面積の土地が必要となるが、どうするか？　工場で生産される人工肉で代替すればいい。では、人々を苦しめる病気はどうするか？　遺伝子工学によって解決可能である。オートメーション化は、人間を労働から解放してくれるが、ロボットを動かすための電力はどう確保するのか？　無限で、無償の太陽光エネルギーでまかなえばいい！[1]

たしかに、リチウムやコバルトのようなレアメタルが地球上に存在している量は限られている。だが、バスターニによれば、それも心配無用だ。なぜなら、宇宙資源採掘の技術が発達すれば、地球のまわりにある小惑星から資源が採掘可能になるからである。バスターニにとっては、自然的限界など存在しない。

もちろん、これらの技術は現段階では汎用性はなく、商業化しても、採算は合わない。それでも、彼は楽観的である。「ムーアの法則」による指数関数的な技術開発のスピードによって、近いうちに、これらの技術が実用化されるようになると予測するのだ。

そして、実用化が進んで、当該部門での生産力が上昇すると、最終的には、市場の価格メカニズムにとっても革命的な変化が生じるとバスターニは述べる。というのも、価格メカニズムは希少性が存在するところでしか作用しないからだ。例えば、空気は潤沢に存在しているので、空気には価格がつかない。空気と同様、太陽光や地熱も潤沢であり、化石燃料とは異なって、設備費の減価償却さえすめば、あとは無償のエネルギー源となる。

指数関数的な生産力発展を推し進めていけば、あらゆるものの価格は下がり続け、最終的には、自然制約にも、貨幣にも束縛されることのない、「潤沢な経済」になる。それが、「完全にオートメーション化された豪奢なコミュニズム」だと、バスターニは主張する。そこでは、人々は環境問題を気にすることなく、好きなだけ自由に、無償の財を利用することができるようになるだろう。

バスターニにとっては、それこそが、「各人はその必要に応じて受け取る」というマルクスのコミュニズムの実現だというわけだ。

▼開き直りのエコ近代主義

しかし、バスターニのような楽観的予測こそ、晩期マルクスが決別した、あの生産力至上主義の典型である。これは、最近では「エコ近代主義」（ecomodernism）と呼ばれている。エコ近代主義は、原子力発電やNET（九一頁参照）などを徹底的に使って、地球を「管理運用」しようという思想である。自然の限界を認識して、自然との共存を目指すよりも、自然を人類の生存のために管理することを目標とするのだ。第二章でも触れたブレイクスルー・インスティテュートが広めているのが、このエコ近代主義である。

エコ近代主義の問題点は、その開き直りの態度にある。ここまで環境危機が深刻化してしまったのだから、いまさら後戻りはできない。だから、今以上の介入をして、自然を管理し、人間の生活を守ろうというわけだ。

例えば、フランスの哲学者ブルノ・ラトゥールはこのことを「汝（なんじ）の怪物を愛せよ」と表現し、人類が作り出したテクノロジーという「怪物」を見捨てることは許されないと、エコ近代主義を擁護している。[2]

むろん、バスターニやラトゥールのエコ近代主義は、ロックストロームが「現実逃避の思考」と呼ぶものである。第二章で私たちは「緑の経済成長」派の欺瞞（ぎまん）を見たが、デカップリングが困難である以上、コミュニズムになったとしても、環境の持続可能性と無限の経済成長の両立が可能になることはない。

バスターニの加速主義的なコミュニズムにおいても、経済規模を二倍、三倍と拡大しようとするなら、結局は、より多くの資源採掘が必要となる。その結果として化石燃料から太陽光に切り替えたにもかかわらず、その差分が失われ、二酸化炭素が増大することになる。「ジェヴォンズのパラドックス」（七五頁参照）は、コミュニズムにおいても生じてしまう。

加速主義は世界の貧困を救うためにさらなる成長を求め、そのために、化石燃料などをほかのエネルギー源で代替することを目指す。だが、皮肉にも、その結果、地球からの掠奪を強化し、より深刻な生態学的帝国主義を招くことになってしまうのだ。

▼「素朴政治」なのはどちらだ?

加速主義の問題はそれだけではない。加速主義は、科学的に見て無理筋なだけでなく、それが提唱する変革に向けたプロセスも問題含みである。

加速主義は、冷戦体制崩壊後の左派を繰り返し批判してきた。標的にされたのは、有機栽培、スローフード、地産地消、菜食主義のような形での環境保全運動だ。これらの運動の性質上、ローカルな小規模運動にとどまらざるを得ず、それゆえ、グローバル資本主義に対して無力だと、加速主義は非難するのである。

そのようなローカルな抵抗のあり方を、同じく加速主義の立場をとる、ニック・スルニチェクとアレックス・ウィリアムズは「素朴政治」(folk politics)と呼んでいる。[3] 彼らに言わせれば、「脱成長」も「素朴政治」の典型ということになるだろう。

では、バスターニの「豪奢なコミュニズム」は、「素朴政治」の落とし穴に陥るのをいかにして回避するのか。バスターニの答えは、「選挙」である。彼は、「選挙主義」を掲げ、「左派ポピュリズム」を展開しようとするのである。[4]

彼の考えはこうだ。潤沢な経済を実現させる技術革新が少しでも早く進むように、国家が政策的に誘導すべきである。政府は研究開発資金を提供し、補助金なども積極的に交付しなくてはならない。規制緩和に向けた大胆な法改正も必要だろう。だから、そうした政策を意識的に追求する政党が台頭してこなくてはならない。そして、大衆はそうした動きを投票によって支えるべきだというのだ。これが、バスターニ流の左派ポピュリズム戦略である。

しかしながら、バスターニが大きな社会変革を目指しているにしても、選挙を通じて共産主義革命を起こすというビジョンは、加速主義者たちが批判する「素朴政治」とは、別の意味であまりに素朴にすぎる。そして、その素朴さゆえ、危険でさえある。

まず、資本主義の超克という生産関係の領域での変革を、政治的な改革によって、実現できると考えていることが、素朴である。これは、典型的な「政治主義」の発想にほかならない。[5]

▼政治主義の代償——選挙に行けば社会は変わる?

「政治主義」とは、議会民主制の枠内での投票によって良いリーダーを選出し、その後は政治家や専門家たちに制度や法律の変更を任せればいいという発想である。カリスマ的なリーダーを待ち望み、そうした候補者が現れたら、その人物に投票する。変革の鍵となるのは、投票行動の変化である。

だが、その結果として、闘争の領域は、必然的に選挙戦に矮小化されていく。マニフェストや候補者選び、メディアやSNSを使ったイメージ戦略などだ。

その代償は明らかだろう。バスターニはコミュニズムを掲げている。コミュニズムとは、本来、生産関係の大転換である。しかし、バスターニのコミュニズムは、政治・政策によって実現される「政治的」プロジェクトのため、生産の領域における変革の視点、つまり、階級闘争の視点が消えてしまうのだ。

それどころか、ストライキのような「古くさい」階級闘争やデモや座り込みのような「過激な」直接行動は、選挙戦におけるイメージダウンや共闘にとっての障害になるという理由で、政治主義によって、排除されるようになっていく。「未来に向けた政策案は、プロに任せておけ」。そんな考え方が支配的となるのだ。

こうして、素人の「素朴な」意見は、専門家の見解がもつ権威の前に抑圧されることになる。政治主義的なトップダウンの改革は一見効率的に見えるが、その代償として、民主主義の領域を狭め、参加者の主体的意識を著しく毀損する。

実際、政策重視の社会変革は、スティグリッツのような経済学者のやり方である。ジジェクのスティグリッツ批判を思い出そう（一三〇頁参照）。議会政治だけでは民主主義の領域を拡張して、社会全体を改革することはできないのだ。選挙政治は資本の力に直面したときに必ずや限界に直面する。政治は経済に対して自律的ではなく、むしろ他律的なのである。

国家だけでは、資本の力を超えるような法律を施行できない（そんなことができるならとっくにやっているはずだ）。だから、資本と対峙する社会運動を通じて、政治的領域を拡張していく必要がある。

▼市民議会による民主主義の刷新

その一例が、近年欧米で注目されている「気候市民議会」である。市民議会（citizens' assembly）が一躍有名になったのは、イギリスの環境運動「絶滅への叛逆」とフランスの「黄色いベスト運動」の成果である。これらの運動は、その背景は異なるものの、どちらも道路や橋を閉鎖し、交通機関を止めるなどして、都市機能を麻痺させ、日常生活に大混乱をもたらしたのだった。

逮捕されることを厭わない「過激な」運動は、世間の大きな注目を集めたが、その顚末は日本ではほとんど知られていない。その結果、「黄色いベスト運動」は、気候変動対策として化石燃料税を導入しようとした「意識の高いエリート」マクロンに対して、トラック運転手や農民といった低所得者層が反発したという図式で、しばしば理解されている。そのため、市民議会の話はほとんど報じられていない。

実は、「黄色いベスト運動」には、より大胆な気候変動対策を要求する人々も参加していた。マクロンが批判されたのは、化石燃料税を引き上げながらも、二酸化炭素排出の多い富裕層に対する富裕税を削減しようとしたからであり、さらには、地方の公共交通機関を削減し、自家用車必須の生活を人々に強いてきたからである。

強い批判に晒されて、マクロンは、二〇一九年一月に「国民大論争」を実施することを発表した。その結果、全国の自治体で一万ほどの集会が開かれ、一六〇〇〇もの案が提出されたという。だが、それでも、形だけの「論争」だと感じた国民の不満は根強く、批判に促される形で、同年四月に、マクロンは以前から約束していた「気候市民議会」の開催を発表したのだ。

こうして、フランスでは、一五〇人規模の市民議会が開催される運びとなった。そして、二〇三〇年までの温室効果ガス四〇％削減（一九九〇年比）に向けての対策案の作成が、市民議会に任せられたのである。

市民議会の特徴は、なんといっても、その選出方法である。選挙ではなく、くじ引きでメンバーが選ばれるのだ。ここに選挙で選ばれる国会との決定的な違いがある。もちろん、くじ引きといっても完全にランダムではなく、年齢、性別、学歴、居住地などが、実際の国民の構成に近くなるように調整される。

そして、市民議会においては、専門家がレクチャーを行い、そのうえで参加者は議論を行い、最終的には、投票で全体の意思決定をする。[6]

注目すべきは、二〇二〇年六月二一日、ボルヌ環境相に提出されたフランスの市民議会の結果である。抽選で選ばれた市民一五〇人は気候変動防止対策として、およそ一五〇の案を提出した。そのなかには、二〇二五年からの飛行場の新設禁止、国内線の廃止、自動車の広告禁止、気候変動対策用の富裕税の導入が含まれているのだ。さらに、憲法に気候変動対策を明記することや、「エコサイド（環境破壊）罪」の施行について、国民投票の実施を求めたのである。

市民議会の提案がここまでラディカルな内容になったのは、民主主義のあり方が抜本的に変容したという事実からけっして切り離せない。さらに、この変化をもたらしたのが、社会運動だったという点も強調しておこう。

「黄色いベスト運動」や「絶滅への叛逆」は、しばしば具体的な要求を掲げていないと批判されてきた。だが、彼らの求めていたより民主的な政治への市民参加は、市民議会という形で実現され、ついには具体的な政策案になったのである。

これらの運動が単に具体的要求を掲げていたら、ある程度は、政策には反映されたかもしれないが、議会民主制そのものを刷新するところまではいかなかっただろう。それゆえ、革新的な提案も採用されなかったはずだ。社会運動が「気候毛沢東主義」に陥ることなしに、民主主義を刷新し、国家の力を利用できることを、この市民議会の試みは証明したのである。

▼資本の「包摂」によって無力になる私たち

市民議会など、ほかにも政治を変える可能性があるにもかかわらず、バスターニの議論の方が、多くの人にとって魅力的に映るかもしれない。政治エリートと技術の専門家に、未来を任せっぱなしという道は楽だからだ。バスターニが正しいなら、SNSで仲間たちとつながって、Netflixで映画を見ながら、あとは投票するだけで、高い学費のローンも、雇用の不安定さも、気候変動の影響も心配しなくていい社会になる。

バスターニは、私たちの帝国的生活様式を抜本的に変えることを一切、求めてこない。投票に行きさえすれば、これまでどおり二年ごとにiPhoneを買い換え、ZARAやH&Mのファスト・ファッションを楽しみ、マクドナルドのハンバーガーを食べていていい。極端にいえば、世界中の星付きレストランをプライベート・ジェットに乗って訪ねて回る自由でさえも、バスターニの豪奢なコミュニズムは認めてくれるだろう。資源の制約も地球環境の限界も、新技術さえあれば気にしなくて良いのだから。

こうした例からすぐにわかるように、バスターニのいう「豪奢なコミュニズム」は、消費主義的な潤沢さに容易に転化して、資本主義に取り込まれてしまう。つまり、バスターニの主張は一見するとラディカルだが、実はシリコンバレー型資本主義の焼き直しにすぎないのだ。

要するに、バスターニは資本主義を批判しながらも、資本主義が大好きなのである。だが、そんなバスターニの加速主義に引きつけられる人々がいる。

このことは、先進国の私たちがかつてないほどに「無力」になっていることの裏返しである。無力になった私たちは資本主義なしには生きられないと無意識のうちに感じているのだ。そのため、対案を生み出すはずの左派の想像力も貧困になっていく。

人類はかつてないほどの自然支配のための技術を獲得し、惑星全体に大きな影響力を及ぼしている。だが、同時に私たちはかつてないほどに、自然の力を前にして無力になっているのだ。

このことは、環境意識の高い人であっても、同じである。自然や健康を大事にしようとオーガニックなものを選択していても、おそらく多くの人は鮭も鶏肉も、食品売り場に並ぶ、綺麗に梱包(こんぽう)された「商品」しか食べられないのではないか。

私たちのほとんどは、自分の手で動物を飼育し、魚を釣り、それらを捌(さば)くという能力をもっていない。一昔前の人々は、そのための道具さえも、自前で作っていた。それに比べると、私たちは資本主義に取り込まれ、生き物として無力になっている。商品の力を媒介せずには生きられない。自然とともに生きるための技術を失ってしまっているのである。[7]だから私たちは周辺部からの掠奪によってしか、都市の生活を成り立たせることができない。

一時期流行った「ロハス」もこの無力な状態を克服しようとせず、消費だけで持続可能性を目指し、失敗した。消費者意識のレベルの変化では、成長を目指し続ける商品経済に、いとも簡単に呑み込まれてしまうのである。

このように呑み込まれることを、マルクスの概念を使って言い換えると、「包摂」という。私たちの生活は資本によって「包摂」され、無力になっている。バスターニの理論的限界も根はロハスと同一で、資本による包摂を乗り越えることができないのだ。

▼資本による包摂から専制へ

資本による包摂が完成してしまったために、私たちは技術や自律性を奪われ、商品と貨幣の力に頼ることなしには、生きることすらできなくなっている。そして、その快適さに慣れ切ってしまうことで、別の世界を思い描くこともできない。

アメリカのマルクス主義者ハリー・ブレイヴァマンの言葉を借りれば、社会全体が資本に包摂された結果、「構想」と「実行」の統一が解体されてしまったのである。どういうことか、簡単に説明しておこう。

本来、人間の労働においては、「構想」と「実行」が統一されている。例えば、職人は頭のなかで椅子を作ろうと構想し、それをノミやカンナを使って実現する。ここには、労働過程における一連の統一的な流れが存在する。

ところが資本にとって、これは不都合な事態である。生産が職人の技術や洞察力に依存するなら、彼らの作業ペースや労働時間に合わせざるを得ず、生産力を上げることもできない。無理をさせれば、プライドの高い職人たちは気分を害して、辞めてしまうかもしれない。

そこで、資本は、職人たちの作業を注意深く観察する。そして、各工程をどんどん細分化していき、各作業時間を計測し、より効率的な仕方で作業場の分業を再構成していく。そうなると職人たちはお手上げだ。いまや、誰でもできる単純作業の集合体が、職人よりも速く、同じクオリティか、それ以上のものを作ってしまうからである。

その結果、職人は没落する。一方、「構想」能力は、資本によって独占される。職人の代わりに雇われた労働者たちは、ただ資本の命令を「実行」するだけである。「構想」と「実行」が分離されたのだ。[8]

作業の効率化によって、社会としての生産力は著しく上昇する。だが、個々人の生産能力は低下していく。もはや現代の労働者は、かつての職人のように、ひとりで完成品を作ることはできない。テレビやパソコンを組み立てているのは、テレビやパソコンがどうやって作動しているのかを知らない人々である。

いまや労働者たちは資本のもとで働くことでしか、自らの労働を実現できない。こうして、自律性を奪われた労働者は機械の「付属品」になっていく。「構想」という主体的能力を失うのだ。

かたや資本の支配力はその分だけ増大する。包摂を通じた、労働過程の再編成を通じて「資本の専制」が完成する。

現代の資本による包摂は、労働過程を超えてさまざまな領域へと拡張している。その結果、生産力の発展にもかかわらず、私たちは、未来を「構想」することができない。むしろ、より徹底した資本への従属を迫られるようになっていき、資本の命令を「実行」するだけになる。

▼技術と権力

「資本の専制」がこのようなプロセスを経て完成することを踏まえると、バスターニの加速主義の真の危険性がわかるだろう。新技術の加速を追求するだけなら、「構想」と「実行」の分離をより一層深刻化させてしまい、「資本の専制」がさらに強化されるにすぎないからだ。

そうなれば、どの技術を、どうやって使うかについて構想し、意思決定権をもつのは、知識を独占する一握りの専門家と政治家だけになる。資本は、そうした人々を取り込むだけで良い。さまざまな問題を新技術で解決できるにしても、一部の人間が有利になるような解決策が一方的に「上から」導入されてしまう可能性が極めて高いのである。

近年、気候変動対策として注目されている技術であるジオエンジニアリング（気候工学）を例に、この問題を考えてみよう。

ジオエンジニアリングには、いろいろな種類があるが、共通する特徴は、地球システムそのものに介入することで、気候を操作しようとすることにある。成層圏に硫酸エアロゾルを撒いて太陽光を遮断し、地球を冷却しようとするもの、太陽光を反射する鏡を宇宙に設置するもの、海洋に鉄を散布して水中を肥沃化させ、植物プランクトンを大量発生させることによって光合成を促進するものなど、さまざまな技術が考案されている。「人新世」概念の提案者であるパウル・クルッツェンも、ジオエンジニアリングの検討を提案しており、まさに「人新世」に象徴的なプロジェクトである。

しかし、大量に散布された硫黄や鉄が気候・海洋システムにどのような影響を与え、それが生態系や人々の暮らしにどのような副作用をもたらすかについては、未知の部分が多い。酸性雨や大気汚染の問題が深刻化し、水質汚染や土壌汚染によって、農業や漁業にも大きな影響が出る可能性も高い。降雨パターンが変わってしまえば、特定の地域の状況は、さらに悪化するかもしれない。

だが、被害を受ける地域が、アメリカやヨーロッパではなく、アジアやアフリカになるようにするための計算だけは綿密になされるだろう。負荷が外部に転嫁され、物質代謝の亀裂は深まるという資本主義のお決まりのストーリーが始まるだけである。

それでも、一部の政治家と資本が結託するトップダウン型の社会を、本当に望ましいといえるだろうか。

▼アンドレ・ゴルツの技術論

このように加速主義を非難すると、資本主義の生産力や技術発展を拒否し、粗野で原始的な生活を賛美するのか、という批判の矢が飛んでくるかもしれない。しかし、晩年のマルクス自身は、科学を捨てたわけではなく、農耕共同体に特有の因習に戻れ、と言ったわけでもない。

たしかに、第四章で見たように、晩年のマルクスは進歩史観を否定し、前資本主義的な共同体における、伝統に重きを置いた定常型経済を評価していた。だが、そのことは、科学やテクノロジーの拒否を意味しない。生産者たちが、自然科学を使って、自然との物質代謝を「合理的に規制」することを、マルクスはあくまでも、求めていたのである。[9]

そもそも、科学を捨てるのか、捨てないのか、といった極端な二項対立は不毛だ。今後、再生可能エネルギーや通信技術をもっと発展させる必要があるのは、自明である。

ここで、よりニュアンスに富んだ考察として注目に値するのが、フランスのマルクス主義者アンドレ・ゴルツの最晩年の論考である。

まず、ゴルツは、資本主義における技術発展の危険性をはっきりと指摘している。ゴルツによれば、専門家に任せるだけの生産力至上主義は、最終的には、民主主義の否定につながり、「政治と近代の否定」になる。[10]

そのうえで、生産力至上主義の危険性を避けるためには、「開放的技術」と「閉鎖的技術」の区別が重要であると、ゴルツは述べた。「開放的技術」とは、「コミュニケーション、協業、他者との交流を促進する」技術である。それに対して、「閉鎖的技術」は、人々を分断し、「利用者を奴隷化し」、「生産物ならびにサービスの供給を独占する」技術を指す。[11]

例えば、「閉鎖的技術」の代表格は原子力発電である。長らく、原子力発電はクリーン・エネルギーとされてきた。だが、原子力発電はセキュリティ上の問題から、一般の人々から隔離され、その情報も秘密裏に管理されなくてはならない。そのことが隠蔽体質につながり、重大な事故を招いてしまう。

原子力を民主的に管理するのは無理である。「閉鎖的技術」はその性質からして、民主主義的な管理には馴染まず、中央集権的なトップダウン型の政治を要請する。このように、技術と政治は無関係ではない。特定の技術は、特定の政治的形態と結びついているのである。

もちろん、気候変動の文脈でいえば、ジオエンジニアリングやNETも民主主義を否定する「閉鎖的技術」にほかならない。

▼グローバルな危機に「閉鎖的技術」は不適切

ジオエンジニアリングは不可逆的で、大規模な変化を地球全体にもたらす。だから、経済成長だけを目指して、最終的にジオエンジニアリングに頼らざるを得なくなる前に、本当にそれでいいのか、もっと民主的な解決策はないのか、一度立ち止まって考えるべきである。

ところが、危機が深刻化すればするほど、人々の目的は生き延びることだけになり、立ち止まる余裕を失ってしまう。そうなってからでは遅いのだ。強いリーダーが市民の自由を極度に制限しても、それで命が救われるのならと、その体制を受け入れることになるだろう。その先に待っているのは、自国民優先のナショナリズムと非民主主義的な強権体制、気候毛沢東主義である。

ところが、気候危機は真にグローバルな危機である。周辺部に転嫁できる公害とは違って、究極的には、先進国であれ、この破壊的帰結から逃れることはできない。だとすれば、ここにあるのは、最悪の事態を避けるためにすべての人類が連帯できるかという試練である。

だからこそ、この試練の瞬間に、ジオエンジニアリングやNETのように、先進国を優先して、「外部」の人々を犠牲にするような「閉鎖的技術」は不適切なのである。

▼技術が奪う想像力

さらに、技術の問題は根深い。世間を見渡せば、新技術の発明が、想像もしなかった素晴らしい未来を作り出すかのように、まことしやかに囁（ささや）かれている。技術「革命」といわれるほどだ。そして、「役に立つ」技術を開発するために、ますます多くの税金や労働力が投下されていく（その一方で、人文学は「役に立たない」として予算が削減されていく）。

だが、エコ近代主義のジオエンジニアリングやNETといった一見すると華々しく見える技術が約束するのは、私たちが今までどおり化石燃料を燃やす生活を続ける未来である。こうした夢の技術の華々しさは、まさにその今までどおり（status quo）の継続こそが不合理だという真の問題を隠蔽してしまう。ここでは、技術自体が現存システムの不合理さを隠すイデオロギーになっているのである。

別の言い方をすれば、この危機を前にして、まったく別のライフスタイルを生み出し、脱炭素社会を作り出す可能性を、技術は抑圧し、排除してしまうのだ。

本来、危機はこれまでの振る舞いに自省をうながし、違った未来を思い描くきっかけとなるはずなのだ。ところが、そのために不可欠な想像力・構想力が、専門家が独占する技術によって剝奪されてしまうのである。実際、気候変動についても、きっと技術が問題を解決してくれる、と思っている人は多いのではないだろうか。

つまり、技術というイデオロギーこそが、現代社会に蔓延する想像力の貧困の一因といえる。私たちは、もう一度、別の社会を思い描けるようになるために、資本の包摂に抗い、想像力を取り戻さなくてはならない。マルクスの「脱成長コミュニズム」はそのような想像力の源泉なのである。

▼別の潤沢さを考える

さて、なぜバスターニの加速主義を長々と扱ったかといえば、彼の議論の問題点が、私たちの抱える課題を明確化してくれるからである。つまり、想像力を取り戻すためには、「閉鎖的技術」を乗り越えて、GAFAのような大企業に支配されないような、もっと別の道を探らなくてはならないのだ。

そのためにまず必要なのは、「開放的技術」である。「閉鎖的技術」がもたらすトップダウン型の政治主義の誘惑に打ち克ち、人々が自治管理の能力を発展させることができるようなテクノロジーの可能性を探らなくてはならない。

そして、バスターニは、少なくとも、「潤沢さ」が資本主義にとって危険であること、逆にコミュニズムにとって鍵となる概念だということを示してくれた。市場の価格メカニズムは、希少性に基づいており、「潤沢さ」は、このメカニズムを攪乱するのである。

だが、本当に資本主義に挑もうとするなら、「潤沢さ」を資本主義の消費主義とは相容れない形で再定義しなくてはならない。これまで通りの生活を続けるべく、指数関数的な技術発展の可能性に賭けるのではなく、生活そのものを変え、そのなかに新しい潤沢さを見出すべきなのである。つまり、経済成長と潤沢さを結びつけるのをやめ、脱成長と潤沢さのペアを真剣に考える必要がある。

新たな潤沢さを求めて、現実に目を向けてみよう。すると気がつくはずだ。世の中は、経済成長のための「構造改革」が繰り返されることによって、むしろ、ますます経済格差、貧困や緊縮が溢れるようになっている、と。実際、世界で最も裕福な資本家二六人は、貧困層三八億人（世界人口の約半分）の総資産と同額の富を独占している。[12]

これは偶然だろうか。いや、こう考えるべきではないか。資本主義こそが希少性を生み出すシステムだという風に。私たちは、普通、資本主義が豊かさや潤沢さをもたらしてくれると考えているが、本当は、逆なのではないか。

希少性と潤沢さ。このふたつと資本主義の関係をマルクスとともに探ることで、次章では「人新世」の資本について、より深く考えてみよう。

第六章　欠乏の資本主義、潤沢なコミュニズム

▼欠乏を生んでいるのは資本主義

豊かさをもたらすのは資本主義なのか、コミュニズムなのか。多くの人は、資本主義だと即答するだろう。資本主義は人類史上、前例を見ないような技術発展をもたらし、物質的に豊かな社会をもたらした。そう多くの人が思い込んでいるし、たしかに、そういう一面もあるだろう。

だが、現実はそれほど単純ではない。むしろ、こう問わないといけない。九九％の私たちにとって、欠乏をもたらしているのは、資本主義なのではないか、と。資本主義が発展すればするほど、私たちは貧しくなるのではないか、と。

資本主義が生み出している欠乏の典型例が土地だろう。ニューヨークやロンドンを見ればわかるように、小さなアパートメントの一室の不動産価格が数億円にのぼるケースも多く、家賃にしても毎月数十万円の物件はざらで、広めの物件ともなれば、数百万円はくだらない。そうした不動産が居住目的ではなく投機の対象として売買されている。しかも投機対象の物件は増えるばかりで、誰も住んでいないアパートメントも多い。

そのかたわらで、家賃が支払えない人々は長年住んでいた部屋から追い出され、ホームレスが増えていく。投機目的のため実際には誰も住んでいない部屋が多数存在しているにもかかわらず、ホームレスが大勢いるという事態は、社会的公正の観点から見ればスキャンダルでさえある。

比較的裕福な中流層ですら、マンハッタンに住むことは極めて難しい。家賃を支払うためだけに、過労死寸前まで働かねばならない。また、ニューヨークやロンドンの中心地で個人事業主がオフィスを構えたり、店を開いたりするのはもはや至難の業だ。そういった機会は、大資本にしか開かれていない。

果たして、これを豊かさと呼ぶのだろうか。多くの人々にとって、これは欠乏だ。そう、資本主義は、絶えず欠乏を生み出すシステムなのである。

一方、一般に信じられているのとは反対に、コミュニズムは、ある種の潤沢さを整えてゆく。

例えば、投資目的の土地売買が禁止になり、土地の価格が半分、いや三分の一になったとしたらどうだろうか。土地の価格は、しょせん人工的につけられたものだ。価格が減じたところで、その土地の「使用価値」（有用性）はまったく変化しない。だが、人々はその土地に住むために、これまでのような過酷な長時間労働をしなくてすむ。その分だけ人々にとっての「潤沢さ」が回復するのである。

この資本主義の生み出す希少性とコミュニズムがもたらす潤沢さの関係を説明するのに役立つのが、やはりマルクスだ。『資本論』第一巻の「本源的蓄積」論が、興味深い洞察を与えてくれる。早速見ていこう。

▼「本源的蓄積」が人工的希少性を増大させる

「本源的蓄積」とは、一般に、主に一六世紀と一八世紀にイングランドで行われた「囲い込み（エンクロージャー）」のことを指す。共同管理がなされていた農地などから農民を強制的に締め出したのだ。

なぜ、資本は「囲い込み」を行ったのか。利潤のためだ。利益率の高い羊の放牧地に転用したり、あるいは、ノーフォーク農法のような、より資本集約度の高い大土地所有の農業経営に切り替えたりするために、囲い込みは実施されたのである。

暴力的な囲い込みによって、住まいと生産手段を喪失した農民は都市に仕事を求めて流れ込んだ。そうした人々が、賃労働者になったとされる。[1] 囲い込みが資本主義の離陸を準備したのである。

このような歴史的記述を踏まえて、マルクスの「本源的蓄積」論は、資本主義成立の血塗られた「前史」を描くものとして、しばしば理解されてきた。だが、そのような理解では、マルクスの資本主義批判としての「本源的蓄積」論の意義をつかむことは到底できない。

本当は、この囲い込みの過程を「潤沢さ」と「希少性」という視点からとらえ返したのが、マルクスの「本源的蓄積」論なのである。マルクスによれば、「本源的蓄積」とは、資本が〈コモン〉の潤沢さを解体し、人工的希少性を増大させていく過程のことを指す。つまり、資本主義はその発端から現在に至るまで、人々の生活をより貧しくすることによって成長してきたのである。

まずは歴史をさかのぼって、この仕組みを詳しく説明していきたい。

▼コモンズの解体が資本主義を離陸させた

第四章のゲルマン民族やロシアの農耕共同体の議論でも触れたが、前資本主義社会においては、共同体は共有地をみんなで管理しながら、労働し、生活していた。そして、戦争や市場社会の発展によって、共同体が解体されてしまった後にも、入会地や開放耕地といった共同利用の土地は残り続けた。

土地は根源的な生産手段であり、それは個人が自由に売買できる私的な所有物ではなく、社会全体で管理するものだったのだ。だから、入会地のような共有地は、イギリスでは「コモンズ」と呼ばれてきた。そして、人々は、共有地で、果実、薪（まき）、魚、野鳥、きのこなど生活に必要なものを適宜採取していたのである。森林のどんぐりで、家畜を育てたりもしていたという。

だが、そのような共有地の存在は、資本主義とは相容れない。みんなが生活に必要なものを自前で調達していたら、市場の商品はさっぱり売れないからである。誰もわざわざ商品を買う必要がないのだ。

だから、囲い込みによって、このコモンズは徹底的に解体され、排他的な私的所有に転換されなければならなかった。

結果は悲惨なものだった。人々は生活していた土地から締め出され、生活手段を奪われた。そこに追い打ちをかけるように、それまでの採取活動は、不法侵入・窃盗という犯罪行為になったのである。それまでの共同管理が失われた結果、土地は荒れ果て、農耕も牧畜も衰退し、新鮮な野菜も肉も手に入らなくなっていく。

一方、生活手段を失った人々は、多くは都市に流れ、賃労働者として働くよう強いられた。低い賃金のため、子どもを学校に行かせることもままならず、家族全員が必死に働いた。それでも、高価な肉や野菜は手に入らない。食材の品質は低下し、入手できる品の種類も減っていく。時間も金もないので、伝統的な料理レシピは役立たずのものとなり、ジャガイモをただ茹(ゆ)でたり、焼いたりする料理ばかりになっていったというわけだ。生活の質は明らかに落ちたのである。

ただ、資本の観点からは、様子が異なる。資本主義とは、人々があらゆるものを自由に市場で売買できる社会である。土地を追われた人々は生きるための手段を失い、自分の労働力を売ることで貨幣を獲得し、市場で生活手段を購買しなければならなくなった。そうなれば、商品経済は一気に発展を遂げることになる。こうして資本主義が離陸するための条件が整ったのだ。

▼水力という〈コモン〉から独占的な化石資本へ

土地だけではない。資本主義の離陸には、河川というコモンズから人々を引きはがすことも重要であった。河川は飲み水や魚を提供するだけのものではない。その水は、潤沢で、持続可能で、しかも、無償のエネルギー源だったのだ。

　イギリスの産業革命は、石炭という化石燃料と切り離すことができず、そのことが現在の気候危機にもつながっていることを背景に考えてみると、水力の無償性は、非常に興味深い。

　つまり、なぜ無償の水力が排除されたのか、という問いが浮かんでくる。どうやら、ここでも、希少性の問題がからんでいそうだ。潤沢なものを排除し、特定の場所にしか存在せず、それゆえ独占可能で、希少な資源をエネルギー源にすることが、資本主義の勃興に欠かせなかったのだ。

　この点を理解するのに役立つのが、マルクス主義の歴史家アンドレアス・マルムの『化石資本』（二〇一六年）である。マルムは、なぜ人類が水力を捨てたのかを資本主義との関連で説明してくれる。

　一般的に、技術発展の歴史は、「マルサス主義」的な説明に基づいてなされることが多い。つまり、次のような形だ。経済規模の発展に伴って資源の供給不足が起こる。不足によって、価格は高騰するが、それがインセンティブとなって、新たに廉価な代替物が発見・発明される。これがマルサス流の説明の仕方である。

ところが、先にも述べたように、水力は自然に潤沢に存在しており、完璧に持続可能で廉価な動力源だった。共同で管理可能な〈コモン〉だったのである。では、なぜ、無償で潤沢に存在していた水力から、有償で、希少な石炭への移行が起こったのか。マルサス流の説明はここではうまく機能しない。

マルムによれば、この移行を説明するためには、「資本」を考慮に入れる必要がある。当時の企業が化石燃料を採用するようになったのは、単なるエネルギー源としてではなく、「化石資本」としてなのだ。

石炭や石油は河川の水と異なり輸送可能で、なにより、排他的独占が可能なエネルギー源であった。この「自然的」属性が、資本にとっては有利な「社会的」意義をもつようになったというのである。

水車から蒸気機関へと移行すれば、工場を河川沿いから都市部に移すことができる。河川沿いの地域では労働力が希少であるがゆえに、資本に対して労働者が優位に立っていた。けれども、仕事を渇望する労働者たちが大量にいる都市部に工場を移せば、今度は資本が優位に立つことができ、問題は解決する。

資本は、希少なエネルギー源を都市において完全に独占し、それを基盤に生産を組織化した。これによって、資本と労働者の力関係は、一気に逆転したのだ。[2] 石炭は本源的な「閉鎖的技術」（二二六頁参照）だったのである。

その結果、水力という持続可能なエネルギーは脇に追いやられた。石炭が主力になって生産力は上昇したが、街の大気は汚染され、労働者たちは死ぬまで働かされるようになった。そして、これ以降、化石燃料の排出する二酸化炭素は増加の一途をたどっていったのだ。

▼コモンズは潤沢であった

ここで重要なポイントは、本源的蓄積が始まる前には、土地や水といったコモンズは潤沢であったという点である。共同体の構成員であれば、誰でも無償で、必要に応じて利用できるものであったからだ。

もちろん、好き勝手に使っていいわけではない。一定の社会的規則のもとで利用しなければならなかったし、違反者には罰則規定もあった。だが、決まりを守っていれば、人々に開かれた無償の共有財だったのだ。

さらに、コモンズにおいては、共用財産であるからこそ、人々は適度に手入れを行っており、また、利潤獲得が生産の目的ではないため、過度な自然への介入もなく、自然との共存を実現していた。第四章で見たマルク協同体のもつ持続可能性がここにもあった。

ところが、囲い込み後の私的所有制は、この持続可能で、潤沢な人間と自然の関係性を破壊していった。それまで無償で利用できていた土地が、利用料（レント＝地代）を支払わないと利用できないものとなってしまったのである。本源的蓄積は潤沢なコモンズを解体し、希少性を人工的に生み出したのだ。

かつての入会地は私有地になった。私有制のもとでは、貨幣を使って、いったん土地を手に入れてしまえば、誰からも邪魔されることなく、好き勝手にその土地を使用することができる。すべては所有者の自由というわけだ。その自由のせいで、その他大勢の人の生活が悪化しようと、土地がやせ細ろうと、水質が汚染されようと、誰も所有者の好き勝手を止められない。

そして、その分だけ、残りの人々の生活の質は低下していったのである。

▼私財が公富を減らしていく

実は、この矛盾は、すでに一九世紀に論じられていた。一九世紀初頭に活躍した政治家・経済学者ローダデール伯爵が、その著作『公共の富の性質と起源』（一八〇四年）で、この問題を論じていたのだ。

それゆえ、この矛盾は、現在では「ローダデールのパラドックス」と呼ばれている。その内容を一言で要約すれば、「私財（private riches）の増大は、公富（public wealth）の減少によって生じる」という逆説である。[3]

ここでいう「公富」とは、万人にとっての富のことである。ローダデールはそれを「人間が自分にとって有用あるいは快楽をもたらすものとして欲するあらゆるものからなる」と定義している。

一方、「私財」は私個人だけにとっての富のことである。それは、「人間が自分にとって有用あるいは快楽をもたらすものとして欲するあらゆるものからなるが、一定の希少性を伴って存在するもの」として、定義される。[4]

要するに、「公富」と「私財」の違いは、「希少性」の有無である。

「公富」は万人にとっての共有財なので、希少性とは無縁である。だが、「私財」の増大は希少性の増大なしには不可能である。ということは、多くの人々が必要としている「公富」を解体し、意図的に希少にすることで、「私財」は増えていく。つまり、希少性の増大が、「私財」を増やす。

他人を犠牲にして私腹を肥やすような行為が正当化されるとは、にわかには考え難いが、それこそまさに、ローダデールの目前で行われていた行為だったのだ。いや、これこそが資本主義の本質だ。そして、この問題は現在まで続いている。

例えば、水は潤沢に存在していることが、人々にとっては望ましいし、必要でもある。そして、そのような状態では、水は無償である。それこそが、「公富」の望ましいあり方である。

一方、なんらかの方法で水の希少性を生み出すことができれば、水を商品化して、価格をつけられるようになる。人々が自由に利用できる無償の「公富」は消える。だが、水をペットボトルに詰めて売ることで、金儲けができるようになり、「私財」は増える。それによって、貨幣で計測される「国富」も増える。

そう、ローダデールの議論は直接には、「私富」の合計が「国富」であるというアダム・スミスの考えに対する批判とみなすことができるのだ。

つまり、ローダデールに言わせれば、「私富」の増大は、貨幣で測れる「国富」を増やすが、真の意味での国民にとっての富である「公富」＝コモンズの減少をもたらす。そして、国民は、生活に必要なものを利用する権利を失い、困窮していく。「国富」は増えても、国民の生活はむしろ貧しくなる。つまり、スミスとは異なり、本当の豊かさは「公富」の増大にかかっているというのである。

　ほかにも、ローダデールはいろいろな例を挙げている。例えば資本は、タバコの収穫量が多すぎる場合にあえて収穫物を燃やしたり、ワインの生産量を減らすために法律でワイン用のブドウ畑の耕作を禁じたりすることによって、タバコやワインの希少性を作り出しているというのである。[5] 本来であれば、収穫が多いことは喜ぶべきことだろう。だが、過剰供給は価格を下げてしまうので、価格を維持するために、わざと破棄されるのだ。

　潤沢さが減り、希少性が増える。これこそが、「公富」の減少によって、「私財」が「増大」していくという、「ローダデールのパラドックス」である。

▼「価値」と「使用価値」の対立

　ただし、ローダデール自身は、このパラドックスをそれ以上展開していない。それに対して、マルクスが商品の根本的矛盾として展開しようとしたのは、まさにこの財産(riches)と富(wealth)の矛盾そのものだといっていい。

マルクスの用語を使えば、「富」とは、「使用価値」のことである。「使用価値」とは、空気や水などがもつ、人々の欲求を満たす性質である。これは資本主義の成立よりもずっと前から存在している。

それに対して、「財産」は貨幣で測られる。それは、商品の「価値」の合計である。「価値」は市場経済においてしか存在しない。

マルクスによれば、資本主義においては、商品の「価値」の論理が支配的となっていく。「価値」を増やしていくことが、資本主義的生産にとっての最優先事項になるのである。

その結果、「使用価値」は「価値」を実現するための手段に貶(おと)しめられていく。「使用価値」の生産とそれによる人間の欲求の充足は、資本主義以前の社会においては、経済活動の目的そのものであったにもかかわらず、その地位を奪われたのだ。そして、「価値」増殖のために犠牲にされ、破壊されていく。マルクスはこれを「価値と使用価値の対立」として把握し、資本主義の不合理さを批判したのである。

▼「コモンズの悲劇」ではなく「商品の悲劇」

もう一度、水を例にとって考えてみよう。少なくとも日本では、水は潤沢である。また、生きていくためにあらゆる人が必要とする、「使用価値」が水にはある。だから本来誰のものでもなく、無償であるべきだ。ところが、水はすっかりペットボトルに入った商品として流通するようになった。商品である水は、貨幣で支払いをしないと利用できない希少財に転化しているのだ。

水道事業でも同じことが起きている。水道が民営化されると、企業が利益を上げることが目的となるため、システム維持に最低限必要な分を超えて水道料金が値上げされる。

水に価格をつけることは、水という限りある資源を大切に扱うための方法だという考え方もある。無料だったら、みんなが無駄遣いをしてしまう。それが、生態学者ギャレット・ハーディンが提唱したことで有名な「コモンズの悲劇」の発想である。

だが、水に価格をつければ、水そのものを「資本」として取り扱い、投資の対象としての価値を増やそうとする思考に横滑りしていく。そうなれば、次々と問題が生じてくる。

例えば、水道料金の支払いに窮する貧困世帯への給水が停止される。運営する企業は、水の供給量を意図的に減らすことで、価格をつり上げ、より大きな利益を上げようとする。水質の劣化を気にせず、人件費や管理・維持費を削減するかもしれない。結果的に、水というコモンズが解体されることで、普遍的アクセスや持続可能性、安全性は毀損されることになる。

ここでも、水の商品化によって「価値」は増大する。ところが、人々の生活の質は低下し、水の「使用価値」も毀損される。これは、もともとはコモンズとして無償で、潤沢だった水が、商品化されることで希少な有償財に転化した結果なのだ。だから、「コモンズの悲劇」ではなく、「商品の悲劇」という方が正しい[6]。

▼新自由主義だけの問題ではない

ところで、マルクス主義地理学者のデヴィッド・ハーヴィーは、本源的蓄積を「略奪による蓄積」と定義し、資本家階級が国家を使って、労働者階級から富を巻き上げていく過程こそ、新自由主義の本質だとみなした。そして、マルクスが「略奪による蓄積」を資本主義の「原初の段階」に限定してしまったことを「弱点」として批判している[7]。

だが、ハーヴィーは、「本源的蓄積」のポイントを完全にとらえそこなっている。むしろ、「略奪」を新自由主義に限定してしまっているのは、ハーヴィーの方だ。

マルクスは「本源的蓄積」を単なる資本主義の「前史」としてとらえているわけではけっしてない。マルクスが指摘しているのは、コモンズの解体による人工的希少性の創造こそが、「本源的蓄積」の真髄であるという点である。資本主義の発展を通じて継続し、拡張する、本質的過程として「本源的蓄積」を見ているのだ。

新自由主義の緊縮政策は近いうちに終わるかもしれない。しかし、新自由主義であろうがなかろうが、資本主義が続く限り、「本源的蓄積」は継続する。そして、希少性を維持・増大することで、資本は利潤を上げていく。そのことは九九%の私たちにとっては、欠乏の永続化を意味しているのだ。

▼希少性と惨事便乗型資本主義

これまでの議論をまとめておこう。コモンズとは、万人にとっての「使用価値」である。万人にとって有用で、必要だからこそ、共同体はコモンズの独占的所有を禁止し、協同的な富として管理してきた。商品化もされず、したがって、価格をつけることもできなかった。コモンズは人々にとっては無償で、潤沢だったのだ。もちろん、この状況は、資本にとっては不都合である。

ところが、なんらかの方法で、人工的に希少性を作り出すことができれば、市場はなんにでも価格をつけることができるようになる。そう、「囲い込み」でコモンズを解体して、土地の希少性を作り出したように。そうすれば、その所有者は、レント（利用料）を徴収できるようになるのだ。

土地でも水でも、本源的蓄積の前と後を比べてみればわかるように、「使用価値」（有用性）は変わらない。コモンズから私的所有になって変わるのは、希少性なのだ。希少性の増大が、商品としての「価値」を増やすのである。

その結果、人々は、生活に必要な財を利用する機会を失い、困窮していく。貨幣で計測される「価値」は増えるが、人々はむしろ貧しくなる。いや、「価値」を増やすために、生活の質を意図的に犠牲にするのである。

というのも、破壊や浪費といった行為さえも、それが希少性を生む限り、資本主義にとってはチャンスになるからだ。破壊や浪費が、潤沢なものを、ますます希少にすることで、そこには、資本の価値増殖の機会が生まれるのである。

気候変動が、ビジネスチャンスになるのもそのためだ。気候変動は水、耕作地、住居などの希少性を生み出す。希少性が増えれば、その分だけ、需要が供給を上回り、それが資本にとっては大きな利潤を上げる機会を提供することになる。

これが、惨事のショックに便乗して利を得る「気候変動ショック・ドクトリン」である。

金儲けだけを考えるなら、人々の生活を犠牲にしてでも、希少性を維持するのは「合理的」でさえある。

同じく惨事便乗型資本主義の類型である「コロナショック・ドクトリン」に際して、アメリカの超富裕層が、二〇二〇年春に資産を六二兆円も増大させた出来事を思い起こせばいいだろう。[8]「使用価値」を犠牲にした希少性の増大が私富を増やす。これが、資本主義の不合理さを示す「価値と使用価値の対立」なのである。[9]

▼現代の労働者は奴隷と同じ

さて、コモンズの解体がもたらす希少性について、もう少し見ていこう。

コモンズを失った人々は、商品世界に投げ込まれる。そこで、直面するのは、「貨幣の希少性」である。世の中には商品が溢れている。けれども、貨幣がなければ、私たちはなにも買うことができない。貨幣があればなんでも手に入れられるが、貨幣を手に入れる方法は非常に限られており、常に欠乏状態である。だから、生きるために、私たちは貨幣を必死で追い求める。

かつて、人間は一日のうち数時間働いて、必要なものが手に入れば、あとはのんびりしていた。昼寝をしたり、遊んだり、語り合ったりしていたのだ。[10] ところが、いまや、貨幣を手に入れるために、他人の命令のもとで、長時間働かなくてはならない。時は金なり。時間は一分一秒であっても無駄にできない、希少なものになっていく。

資本主義に生きる労働者のあり方を、マルクスはしばしば「奴隷制」と呼んでいた。[11] 意志にかかわりなく、暇もなく、延々と働くという点では、労働者も奴隷も同じなのである。いや、現代の労働者の方が酷い場合すらある。古代の奴隷には、生存保障があった。替えの奴隷を見つけるのも大変だったため、大事にされた。

それに対して、資本主義のもとでの労働者たちの代わりはいくらでもいる。労働者は、首になって、仕事が見つからなければ、究極的には飢え死にしてしまう。

マルクスはこの不安定さを「絶対的貧困」と呼んだ。[12]「絶対的貧困」という表現には、資本主義が恒久的な欠乏と希少性を生み出すシステムであることが凝縮されている。本書の言葉を使えば、「絶対的希少性」が貧困の原因である。

▼負債という権力

資本がその支配を完成させる、もうひとつの人工的希少性がある。それが「負債」によって引き起こされる貨幣の希少性の増大である。無限に欲望をかきたてる資本主義のもとでの消費の過程で、人々は豊かになるどころか、借金を背負うのである。そして、負債を背負うことで、人々は従順な労働者として、つまり資本主義の駒として仕えることを強制される。

その最たる例が、住宅ローンだろう。住宅ローンは、額が大きい分、規律権力としての力が強い。膨大な額の三〇年にもわたるローンを抱えた人々は、その負債を返すべく、ますます長い時間働かなくてはならない。借金を返すために、人々は資本主義の勤労倫理を内面化していく。残業代を得るために長時間働いて、出世のために家族を犠牲にするのだ。

場合によっては、共働きでも足りずに、昼夜にまたがるダブルワークをしなくてはいけないかもしれない。あるいは、食べたいものを我慢して、もやし炒めや具なしのトマトソース・スパゲッティを食べながら、節約をする。もはや、なんのための生活なのかわからなくなるような人生を送る羽目になる。快適な生活のために家を買ったはずなのに、負債が人間を賃金奴隷にし、その生活を破壊していく。

もちろん、労働者が勤勉なのは、資本にとっては好都合だ。他方で、長時間労働は、本来必要ではないものの過剰生産につながり、その分だけ環境を破壊していく。長時間労働は家事や修理のための余裕を奪い、生活はますます商品に依存するようになっていく。

このように、資本は「人工的希少性」を生み出しながら発展する。「価値と使用価値の対立」が続く限り、いくら経済成長をしても、その恩恵が社会の隅々にまで浸透することはない。むしろ、人々の生活の質や満足度は下がっていく。これこそまさに、私たちが日々経験している事態なのである。

▼ブランド化と広告が生む相対的希少性

さらに、生活の質や満足度を下げる希少性は、消費の次元にもある。人々を無限の労働に駆り立てたら、大量の商品ができる。だから今度は、人々を無限の消費に駆り立てねばならない。

無限の消費に駆り立てるひとつの方法が、ブランド化だ。広告はロゴやブランドイメージに特別な意味を付与し、人々に必要のないものに本来の価値以上の値段をつけて買わせようとするのである。[13]

その結果、実質的な「使用価値」（有用性）にはまったく違いのない商品に、ブランド化によって新規性が付け加えられていく。そして、ありふれた物が唯一無二の「魅力的な」商品に変貌する。これこそ、似たような商品が必要以上に溢れている時代に、希少性を人工的に生み出す方法である。

希少性という観点から見れば、ブランド化は「相対的希少性」を作り出すといってもいい。差異化することで、他人よりも高い社会的ステータスを得ようとするのである。

例えば、みんながフェラーリやロレックスを持っていたら、スズキの軽自動車やカシオの時計と変わらなくなってしまう。フェラーリの社会的ステータスは、他人が持っていないという希少性にすぎないのだ。逆にいえば、時計としての「使用価値」は、ロレックスもカシオもまったく変わらないということである。

ところが、相対的希少性は終わりなき競争を生む。自分より良いものを持っている人はインスタグラムを開けばいくらでもいるし、買ったものもすぐに新モデルの発売によって古びてしまう。消費者の理想はけっして実現されない。私たちの欲望や感性も資本によって包摂され、変容させられてしまうのである。

こうして、人々は、理想の姿、夢、憧れを得ようと、モノを絶えず購入するために労働へと駆り立てられ、また消費する。その過程に終わりはない。消費主義社会は、商品が約束する理想が失敗することを織り込むことによってのみ、人々を絶えざる消費に駆り立てることができる。「満たされない」という希少性の感覚こそが、資本主義の原動力なのである。だが、それでは、人々は一向に幸せになれない。

しかも、この無意味なブランド化や広告にかかるコストはとてつもなく大きい。マーケティング産業は、食料とエネルギーに次いで世界第三の産業になっている。商品価格に占めるパッケージングの費用は一〇~四〇%といわれており、化粧品の場合、商品そのものを作るよりも、三倍もの費用をかけている場合もあるという。そして、魅力的なパッケージ・デザインのために、大量のプラスチックが使い捨てられる。[14] だが、商品そのものの「使用価値」は、結局、なにも変わらないのである。

果たして、この悪循環から逃れる道はないのだろうか。この悪循環は希少性のせいである。だから、資本主義の人工的希少性に抗する、潤沢な社会を創造する必要がある。それがマルクスの脱成長コミュニズムなのだ。

▼〈コモン〉を取り戻すのがコミュニズム

マルクスによれば、コミュニズムとは、「否定の否定」であった（一四三頁参照）。一度目の否定は、資本によるコモンズの解体である。それをさらに否定するコミュニズムは、コモンズを再建し、「ラディカルな潤沢さ」を回復することを目指す。資本主義は、自らのために「人工的希少性」を生み出す。だからこそ、潤沢さこそが資本主義の天敵なのである。

そして、潤沢さを回復するための方法が、〈コモン〉の再建である。そう、資本主義を乗り越えて、「ラディカルな潤沢さ」を二一世紀に実現するのは、〈コモン〉なのだ。

ここでは、〈コモン〉を潤沢さとの関係で具体的に説明した方が、イメージしやすいかもしれない。繰り返せば、〈コモン〉のポイントは、人々が生産手段を自律的・水平的に共同管理するという点である。

例えば、電力は〈コモン〉であるべきである。なぜなら、現代人は電気なしには生きていくことができないからだ。水と同じように、電力は「人権」として保障されなくてはならないのであり、市場に任せてしまうわけにはいかない。市場は、貨幣を持たない人に、電気の利用権を与えないからである。

ただ、だからといって、国有化すればいいわけではない。なぜ国有ではダメかといえば、電力を国有にしたところで、原子力発電のような閉鎖的技術が導入されてしまっては、安全性にも問題が残るからである。また、火力発電も、しばしば貧困層やマイノリティが住む地域へと押しつけられ、大気汚染が近隣住民の健康を脅かしてきた。

それに対して、〈コモン〉は、電力の管理を市民が取り戻すことを目指す。市民が参加しやすく、持続可能なエネルギーの管理方法を生み出す実践が〈コモン〉なのである。その一例が市民電力やエネルギー協同組合による再生可能エネルギーの普及である。これを「民営化」をもじって、市民の手による「〈市民〉営化」と呼ぼう。

▼〈コモン〉の「〈市民〉営化」

ここでのポイントは、原子力や火力発電とは異なり、太陽光や風力は排他的所有と馴染まないということだ。太陽光や風力は、ラディカルな潤沢さをもつ。実際、無限で、無償なのだ。それゆえ、石油やウランとは異なり、どこでも、誰でも、比較的廉価に発電を開始・管理することができる。第五章で紹介したゴルツの分類に従えば、再生可能エネルギーは、「開放的技術」なのである。

しかし、この事実は資本にとっては致命的である。太陽光のようにエネルギー源が分散化していて、独占ができない場合には、希少性を作り出せない。その結果、貨幣化することが著しく困難になる。

こうして、資本主義にとってのジレンマが生じる。希少性を作り出すことの困難さは、儲けが出ないことを意味するからだ。そのことが、市場経済のもとでは、再生可能エネルギーへの企業参加が遅々として進まないことの原因になってしまうのである。ここには、「資本の希少性」と「コモンの潤沢さ」の対立がある。

だからこそ、再生可能エネルギーの普及には、「〈市民〉営化」が不可欠なのである。分散型の特性を逆手にとって、営利目的ではない、小規模の民主的な管理に適した電力ネットワークを構築するチャンスなのである。

実際、そのような「〈市民〉営化」の試みは、これまでもデンマークやドイツで進められてきた。そして、近年では、日本でも非営利型の市民電力が広がりを見せている。福島原発事故後に、市民が市議会に働きかけ、私募債やグリーン債で資金を集め、耕作放棄地に太陽光パネルを設置するなど、地産地消型の発電を行う事例が増えているのである。[15]

エネルギーが地産地消になっていけば、電気代として支払われるお金は地元に落ちる。営利目的ではないため、収益は地域コミュニティの活性化のために使うことができる。そうすれば、市民は、自分たちの生活を改善してくれる〈コモン〉により関心をもち、より積極的に参加するようになる。

このような循環が生まれれば、地域の環境・経済・社会は相乗効果によって活性化していく。これはまさに、〈コモン〉による持続可能な経済への移行にほかならない。

▼ワーカーズ・コープ――生産手段を〈コモン〉に

〈コモン〉は、電力や水だけではない。生産手段そのものも〈コモン〉にしていく必要がある。資本家や株主なしに、労働者たちが共同出資して、生産手段を共同所有し、共同管理する組織が、「ワーカーズ・コープ（労働者協同組合）」である。

ワーカーズ・コープは、労働の自治・自律に向けた一歩として重要な役割を果たす。組合員がみんなで出資し、経営し、労働を営む。どのような仕事を行い、どのような方針で実施するかを、労働者たちが話し合いを通じて主体的に決めていく。

それが可能なのは、社長や株主の「私有」ではなく、かといって「国営企業」でもなく、労働者たち自身による「社会的所有」だからである。

その伝統は長い。マルクス自身もワーカーズ・コープの試みを高く評価し、「協同組合運動が、階級対立に基礎を置く現在の社会を改造する諸力のひとつであることを認め」ていた。ワーカーズ・コープの運動は、欠乏を生み出す現在の資本主義を、「自由で平等な生産者の連合社会」によって置き換えることが可能であることを示した、とマルクスは言うのである。[16] そして、ワーカーズ・コープを「〝可能な〟コミュニズム」とさえ呼んだのだった。[17] コープ、すなわち協同組合はドイツ語でいえば、「Genossenschaft」であるが、マルクスは、「genossenschaftlich」という形容詞を「アソシエーション」と同義で使っていたほどである。[18]

なぜか。それは、本源的蓄積が囲い込みによって、生産者を生産手段から切り離し、希少性を生み出したことと関係している。協同組合は、労働者たちが連帯することで、生産手段を自分たちの手に取り戻し、「ラディカルな潤沢さ」を再構築するからにほかならない。

▼ワーカーズ・コープによる経済の民主化

興味深いことに、近年、英国労働党などによって、ワーカーズ・コープや社会的所有の再評価が進んでいる。[19] もちろん、それは、衰退する福祉国家に対するオルタナティブとして、である。

二〇世紀の福祉国家は、富の再分配を目指したモデルであり、生産関係そのものには手をつけなかった。つまり、企業が上げた利潤を所得税や法人税という形で、社会全体に還元したのである。

その裏では、労働組合は、生産力上昇のために資本による「包摂」を受け入れていった。資本に協力することで、再分配のためのパイを増やそうとしたのだ。その代償として、労働者たちの自律性は弱まっていった。

資本による包摂を受け入れた労働組合とは対照的に、ワーカーズ・コープは生産関係そのものを変更することを目指す。労働者たちが、労働の現場に民主主義を持ち込むことで、競争を抑制し、開発、教育や配置換えについての意思決定を自分たちで行う。事業を継続するための利益獲得を目指しはするものの、市場での短期的な利潤最大化や投機活動に投資が左右されることはない。

力点は、「自分らしく働くこと」だ。ワーカーズ・コープでは、職業訓練と事業運営を通じて、地域社会へ還元していく「社会連帯経済」の促進を目指す。労働を通じて、地域の長期的な繁栄に重きを置いた投資を計画するのである。これは、生産領域そのものを〈コモン〉にすることで、経済を民主化する試みにほかならない。

これは夢物語のように聞こえるだろうか。いや、必ずしも夢ではない。ワーカーズ・コープは、世界中に広がっている。スペインのモンドラゴン協同組合は歴史も古く、有名で、七万人以上の労働者が組合員として参加している。日本でも、介護、保育、林業、農業、清掃などの分野でワーカーズ・コープの活動は四〇年近く続いている。その規模は一五〇〇〇人以上だ。

資本主義の牙城であるアメリカにおいてすらも、ワーカーズ・コープの発展が目覚ましい。オハイオ州クリーブランドのエバーグリーン協同組合、ニューヨーク州のバッファロー協同組合、ミシシッピ州のコーポレートジャクソンなど、住宅、エネルギー、食料、清掃などの問題に取り組む市民の活動がコミュニティを再生しようとしている。

利潤優先の経済システムでは、清掃や調理や給仕などのエッセンシャル・ワークは、低賃金だ。そのせいで、こうした仕事はしばしば有色人種の女性に押しつけられ、コミュニティの分断を生み、最終的には、サービスの質の低下にもつながっている。悪循環である。

だからこそ、協同組合は、エッセンシャル・ワークを自律的で、魅力的な仕事に変えることを目指す。さらに、賃金と雇用を改善し、人種・階級・ジェンダーによる分断を乗り越えてコミュニティ再生につなげていこうとするのである。

もちろん、マルクスが指摘していたように、ワーカーズ・コープも一歩外に出れば、資本主義市場での競争に晒されてしまう。そのせいで、コストカットや効率化が優先されたり、儲け重視になってしまうこともある。それゆえ、最終的にはシステム全体を変えなくてはならない。けれども、貧困、差別、不平等を作り出す資本主義に抗して「誰も取り残されない」という観点から、協同組合が社会全体を変えていくひとつの基盤になることができるのは間違いない。

▼GDPとは異なる「ラディカルな潤沢さ」

「〈市民〉営化」による電力ネットワークや協同組合は、ほんの一例にすぎない。教育や医療、インターネット、シェアリング・エコノミーなど「ラディカルな潤沢さ」を取り戻す可能性はいたるところに存在している。例えば、ウーバーを公有化して、プラットフォームを〈コモン〉にすればいい。新型コロナウイルスのワクチンや治療薬も、世界全体で

〈コモン〉にすべきだろう。

〈コモン〉を通じて人々は、市場にも、国家にも依存しない形で、社会における生産活動の水平的共同管理を広げていくことができる。その結果、これまで貨幣によって利用機会が制限されていた希少な財やサービスを、潤沢なものに転化していく。要するに、〈コモン〉が目指すのは、人工的希少性の領域を減らし、消費主義・物質主義から決別した「ラディカルな潤沢さ」を増やすことなのである。

〈コモン〉の管理においては、必ずしも国家に依存しなくていいというのがポイントだ。水は地方自治体が管理できるし、電力や農地は、市民が管理できる。シェアリング・エコノミーはアプリの利用者たちが共同管理する。ＩＴ技術を駆使した「協同」プラットフォームを作るのだ。

「ラディカルな潤沢さ」が回復されるほど、商品化された領域が減っていく。そのため、ＧＤＰは減少していくだろう。脱成長だ。

だが、そのことは、人々の生活が貧しくなることを意味しない。むしろ、現物給付の領域が増え、貨幣に依存しない領域が拡大することで、人々は労働への恒常的プレッシャーから徐々に解放されていく。その分だけ、人々は、より大きな自由時間を手に入れることができる。

安定した生活を獲得することで、相互扶助への余裕が生まれ、消費主義的ではない活動への余地が生まれるはずだ。スポーツをしたり、ハイキングや園芸などで自然に触れたりする機会を増やすことができる。ギターを弾いたり、絵を描いたり、読書する余裕も生まれる。自ら厨房に立ち、家族や友人と食事をしながら、会話を楽しむこともできるようになるだろう。ボランティア活動や政治活動をする余裕も生まれる。消費する化石燃料エネルギーは減るが、コミュニティの社会的・文化的エネルギーは増大していく。

毎朝満員電車に詰め込まれ、コンビニの弁当やカップ麺をパソコンの前で食べながら、連日長時間働く生活に比べれば、はるかに豊かな人生だ。そのストレスを、オンライン・ショッピングや高濃度のアルコール飲料で解消しなくてもいい。自炊や運動の時間が取れるようになれば、健康状態も大幅に改善するに違いない。

私たちは経済成長からの恩恵を求めて、一生懸命に働きすぎた。一生懸命働くのは、資本にとって非常に都合がいい。だが、希少性を本質にする資本主義の枠内で、豊かになることを目指しても、全員が豊かになることは不可能である。

だから、そんなシステムはやめてしまおう。そして脱成長で置き換えよう。その方法が

「ラディカルな潤沢さ」を実現する脱成長コミュニズムである。そうすれば、人々の生活は経済成長に依存しなくても、より安定して豊かになる。

一％の超富裕層と九九％の私たちとの富の偏在を是正し、人工的希少性をなくしていくことで、社会は、これまでよりもずっと少ない労働時間で成立する。しかも、大多数の人々の生活の質は上昇する。さらに、無駄な労働が減ることで、最終的には、地球環境をも救うのだ。

▼脱成長コミュニズムが作る豊潤な経済

ここには、パラダイム・チェンジがある。第三章でも見たように、これまで脱成長は、清貧の思想にすぎないとして繰り返し批判されてきた。環境を守るために、みなが貧相な生活を耐え忍ばなければいけないのか、と。

だが、このような発言は、「経済成長の呪い」という資本主義のイデオロギーにとらわれすぎている。このイデオロギーは強固なので、もう一度重要な点を繰り返そう。

貧相な生活を耐え忍ぶことを強いる緊縮のシステムは、人工的希少性に依拠した資本主義の方である。私たちは、十分に生産していないから貧しいのではなく、資本主義が希少性を本質とするから、貧しいのだ。これが「価値と使用価値の対立」である。

この間の新自由主義の緊縮政策というのは、人工的希少性を増強するという意味で、資本主義にぴったりの政策であった。それに対して、潤沢さは、経済成長のパラダイムからの決別を求めていく。

「ラディカルな潤沢さ」を掲げる経済人類学者ジェイソン・ヒッケルも次のように述べている。「緊縮は成長を生み出すために希少性を求める一方で、脱成長は成長を不要にするために潤沢さを求める」[20]。

もう新自由主義には、終止符を打つべきだ。必要なのは、「反緊縮」である。だが、単に貨幣をばら撒くだけでは、新自由主義には対抗できても、資本主義に終止符を打つことはできない。

資本主義の人工的希少性に対する対抗策が、〈コモン〉の復権による「ラディカルな潤沢さ」の再建である。これこそ、脱成長コミュニズムが目指す「反緊縮」なのだ。

▼良い自由と悪い自由

資本主義に終止符を打って、「ラディカルな潤沢さ」を復活させよう。そうすれば、その先に待っているのが、「自由」である。コミュニズムは、「平等」を優先して、「自由」を犠牲にするとしばしば誤解されるので、本章の最後に、自由について論じておきたい。

もちろん、ここまで論じてきた「ラディカルな潤沢さ」は、「自由」の概念を再定義することを求める。非常に環境負荷の高いライフスタイルを「自由」の実現とみなす米国型資本主義の価値観とは、決別しなくてはならないのだ。

たしかに、人間は本質的に自由であり、自分たちの住む社会の土台さえも破壊し、自滅の道を選ぶことができるのも、自由の現れである。だが、そのような自滅は「良い」自由ではない。「悪い」自由だ。

この点について考えるために、少し長くなるが、『資本論』の自由についての、有名な一節を引用したい。

> 自由の国は、事実、窮迫と外的な目的への適合性とによって規定される労働が存在しなくなるところで、はじめて始まる。したがってそれは、当然に、本来の物質的生産の領域の彼岸にある。（中略）この領域における自由は、ただ、社会化された人間、アソシエートした生産者たちが、自分たちと自然との物質代謝によって――盲目的な

支配力としてのそれによって――支配されるのではなく、この自然との物質代謝を合理的に規制し、自分たちの共同の管理のもとにおくこと（中略）、この点にだけありうる。しかしそれでも、これはまだ依然として必然の国である。この国の彼岸において、それ自体が目的であるとされる人間の力の発達が、真の自由の国が――といっても、それはただ、自己の基礎としての右の必然の国の上にのみ開花しうるのであるが――始まる。労働日の短縮が根本条件である。[21]

この議論をベースに考えていこう。マルクスは「必然の国」と「自由の国」を分けている。「必然の国」とは、要するに、生きていくのに必要とされるさまざまな生産・消費活動の領域である。それに対して、「自由の国」とは、生存のために絶対的に必要ではなくとも、人間らしい活動を行うために求められる領域である。例えば、芸術、文化、友情や愛情、そしてスポーツなどである。

マルクスは、この「自由の国」を拡大することを求めていた。いわば、この領域に広がっているのが、「良い」自由である。

だが、そのことは、「必然の国」をなくしてしまうことを意味しない。人間にとって衣食住は欠かせないし、そのための生産活動もけっしてなくならない。「自由の国」は「必然の国の上にのみ開花」するのだ。

ここで注意しなくてはならないが、そこで開花する「良い」自由とは、即物的で、個人主義的な消費主義に走ることではない。資本主義のおかげで、生活は豊かになっているように見える。だが、そこで追求されているのは、際限のない物質的欲求を満たすことである。食べ放題、シーズンごとに捨てられる服、意味のないブランド化、すべては、「必然の国」における動物的欲求に縛られている。

それに対して、マルクスの掲げる「自由の国」は、まさに、そのような物質的欲求から自由になるところで始まるのである。集団的で、文化的な活動の領域にこそ、人間的自由の本質があると、マルクスは考えていたのだ。

だから、「自由の国」を拡張するためには、無限の成長だけを追い求め、人々を長時間労働と際限のない消費に駆り立てるシステムを解体しなくてはならない。たとえ、総量としては、これまでよりも少なくしか生産されなくても、全体としては幸福で、公正で、持続可能な社会に向けての「自己抑制」を、自発的に行うべきなのである。闇雲に生産力を上げるのではなく、自制によって「必然の国」を縮小していくことが、「自由の国」の拡大につながるのだ。[22]

▼自然科学が教えてくれないこと

このような自己抑制が「良い」自由だという考え方の重要性は、気候危機の時代にますます重要になっている。そのことは、自然科学との関係で明らかになる。

本書の冒頭では、現在、人類は分岐点に直面していると述べた。そのような状況下では、私たち自身が、将来どのような世界に住みたいのか、そのためには、どのような選択をするのが最適かを話し合う必要がある。ところが、自然科学は、どのような社会が「自由の国」なのかは教えてくれないのだ。

自然科学は、「二℃安定化のためには、二酸化炭素の大気中濃度を四五〇ｐｐｍ以下に抑えないといけない」と言うことはできる。そして、それを超えてしまいそうな場合には、ジオエンジニアリングやＢＥＣＣＳ（九二頁参照）のような技術を使うよう提起することもできる。

だが、自然科学だけで説明できないのは、なぜ「気温が二℃上昇した世界」が、「三℃上昇した世界」よりも望ましいのかということである。つまり、将来の人々は、私たちの生きている現在の世界を知らないのだから、「三℃上昇した世界」であっても、十分に幸せと感じるかもしれない。しかも、人間の満足度の基準というのは、与えられた環境に適応可能なのであって、その基準は柔軟に変動する。第一章の冒頭で見たノードハウスのような経済学者なら、そのように言うはずだ。

だから、何℃の世界にしたいか、そのためにどれくらいの犠牲を払うのかというのは、私たち自身が慎重に決めなくてはいけない。これは、科学者にも、経済学者にも、ＡＩにも、任せられない民主主義の問題なのである。

要するに自然的「限界」は単にそこに存在しているわけではない。限界はあくまでも私たちがどのような社会を望むかによって、設定される「社会慣行的」なものである。限界の設定は、経済的、社会的、そして倫理的な決断を伴う政治的過程の産物なのだ。

だから、限界設定を一部の専門家や政治家に任せれば、安心というわけにはいかない。その場合には、科学の客観性という「装い」のもとで、彼らの利害関心や世界観が一面的に反映される世界ができあがってしまう。ノードハウスが、経済成長を気候変動よりも優先し、それがパリ協定の数値目標に重なっていったように。

▼未来のための自己抑制

人々がどのような世界に住みたいかという価値判断は、本当は、将来世代の声も可能な限り反映しながら、民主的に熟議や論争を通じて、決定されなくてはならない。

特に、気候変動は不可逆的である。そのため、「ひとつの方法に失敗したら、別の方法でやり直そう」というわけにはいかない。クローンやゲノム編集もやりすぎてしまえば、後戻りできないような形で「人間」の定義が変わってしまう。それと同じように、ジオエンジニアリングのような技術も、不可逆的に「自然」や「地球」のあり方を変えてしまう。その結果、将来世代の自律性を大きく毀損することになるのである。

そうした事態を避けるためには、余計な介入をしない、ということが非常に大切になる。ここでも「自己抑制」がますます重要になるのだ。[23] 不要なものを選び出し、その生産を中止し、生産を続けるものについても、どの程度の量で生産をやめるかを、先進国の私たちは自発的に決めなくてはならないのである。

ところが、抑制なき消費に人々を駆り立てる「資本の専制」のもとでは、そうした自己抑制としての自由を選ぶのは困難になっている。人々が自己抑制をしないことが、資本蓄積と経済成長の条件に織り込まれているのである。

しかし、逆に考えてみよう。自己抑制を自発的に選択すれば、それは資本主義に抗う「革命的」な行為になるのだ。

無限の経済成長を断念し、万人の繁栄と持続可能性に重きを置くという自己抑制こそが、「自由の国」を拡張し、脱成長コミュニズムという未来を作り出すのである。

では、そのためには、具体的になにをなすべきか。次章ではこの難題をさらに考えよう。

第七章　脱成長コミュニズムが世界を救う

▼コロナ禍も「人新世」の産物

本書は資本主義から離れ、脱成長コミュニズムに移行する必要性を擁護してきた。そして、ここから先は、脱成長コミュニズムをどう実現させるのか、脱成長コミュニズムがどのように気候危機を解決するのかを説明していきたい。

ただ、その前に、「人新世」の危機の先行事例としてひとつ見ておきたいものがある。新型コロナウイルスのパンデミックだ。「一〇〇年に一度」のパンデミックによって、多くの人命が失われたし、経済的・社会的な打撃も歴史に残る規模だった。しかし、そうであっても、気候変動がもたらす世界規模の被害は、コロナ禍とは比較にならないほど甚大なものになる可能性がある。コロナ禍は一過性で、ささやかなものだったと、気候変動に苦しむ後世の人々は振り返ることになるかもしれない。

そのように被害規模が違うといっても、コロナ禍を危機の先行事例として見ておく価値はある。気候変動もコロナ禍も、「人新世」の矛盾の顕在化という意味で、共通しているからだ。どちらも、資本主義の産物なのである。

資本主義が気候変動を引き起こしているのは、これまで見てきたとおりだ。経済成長を優先した地球規模での開発と破壊が、その原因なのである。

感染症のパンデミックも構図は似ている。先進国において増え続ける需要に応えるために、資本は自然の深くまで入り込み、森林を破壊し、大規模農場経営を行う。自然の奥深くまで入っていけば、未知のウイルスとの接触機会が増えるだけではない。自然の複雑な生態系と異なり、人の手で切り拓かれた空間、とりわけ現代のモノカルチャーが占める空間は、ウイルスを抑え込むことができない。そして、ウイルスは変異していき、グローバル化した人と物の流れに乗って、瞬間的に世界中に広がっていく。

しかも、パンデミックの危険性は専門家たちによって以前から警告されていた。気候変動の危機の到来を科学者たちが悲痛な声で警鐘を鳴らしているように。

対策についても、気候危機とコロナ禍は似たものになるだろう。「人命か、経済か」というジレンマに直面すると、行きすぎた対策は景気を悪くするという理由で、根本的問題への取り組みは先延ばしにされる。だが、対策を遅らせるほど、より大きな経済損失を生んでしまう。もちろん人命も失われる。

▼国家が犠牲にする民主主義

しかし、対策が早ければなんでも良いというわけではない。二〇二〇年の第一波を鎮静化させた中国政府の対応は、国家権力の発動による、上からの抑え込みだった。都市をロックダウンして、人々の行動を規制・監視し、指示を守らない人々に対しては厳重に処罰するというやり方である。

そのような強権的なやり方を笑っていたヨーロッパ諸国も、自分たちの国で感染が蔓延するようになると、同様の措置を採用した。そして国民も、それをやむを得ないこととして受け入れた。また、韓国も、個人のプライバシーを犠牲にしつつ、デジタル技術を駆使して、感染拡大を抑え込んだ。

こうした事実は示唆的だ。危機が深まれば深まるほど、国家による強い介入・規制が専門家から要請され、人々も個人の自由の制約を受け入れるのである。

ここで、この事実を踏まえて、第三章で見た、「四つの未来の選択肢」に戻ってみよう(図18)。

この図でいうと、アメリカのトランプ大統領やブラジルのボルソナロ大統領が取った戦

図18　四つの未来の選択肢

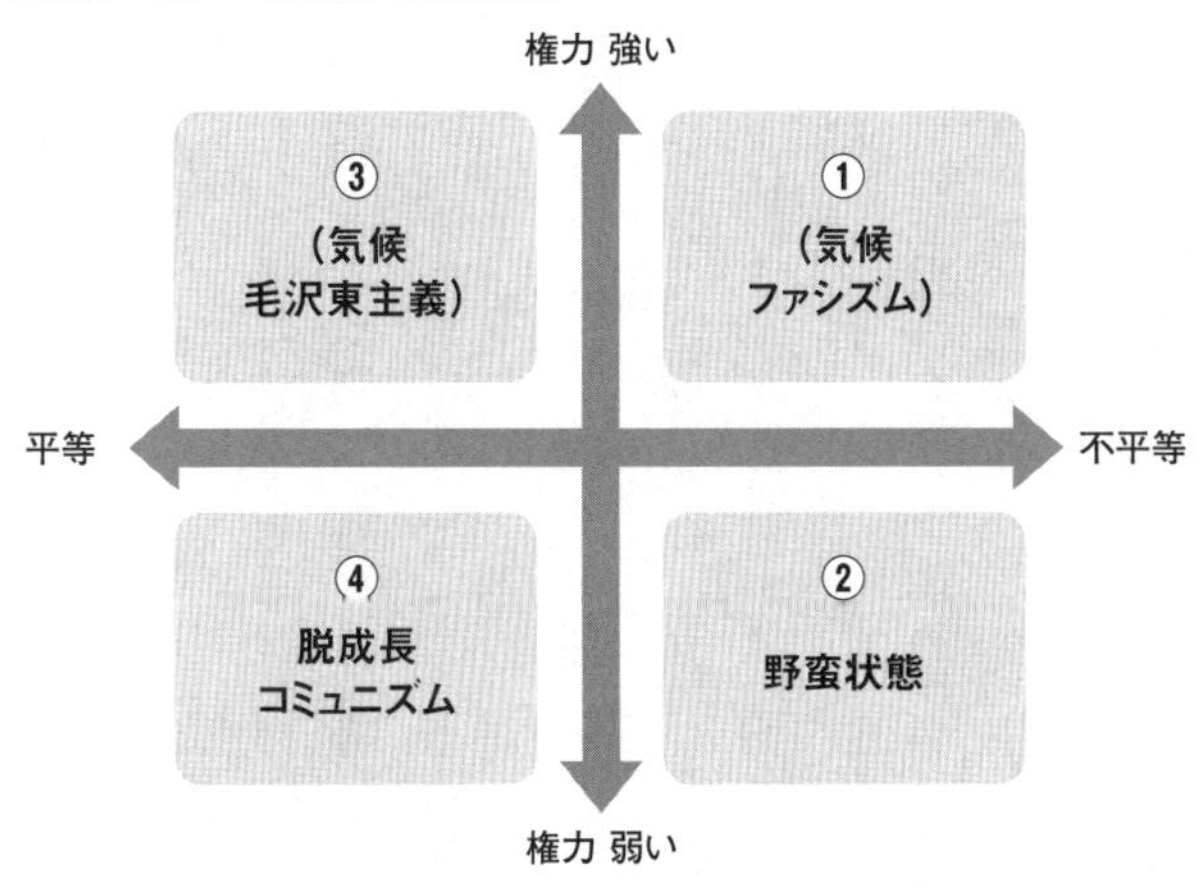

略は、①のファシズム的な統治形態にあたる。資本主義の経済活動を最優先すべく、反対する大臣や専門家を更迭して、突き進んだ。高額な医療費の支払いができる富裕層や、リモートワークで自己防衛ができる人々だけが救われれば良いという態度を露骨に見せる。自分は何回もPCR検査を受けながらも、貧困層など社会的弱者がどうなろうが、自己責任であると突き放すのだ。

ボルソナロ大統領にいたっては、アマゾン開発に反対する先住民のあいだに広がる感染を、森林伐採の好機とみなし、経済回復というお題目を掲げて、伐採の規制を撤廃しようとした。これこそ典型的な惨事便乗型資本主義である。

それに対して中国や欧州諸国は、全国民の健康を重視しながら、国家権力の強い発動のもとコロナ対策を行った。これは、③の統治形態にあたる。感染拡大防止を理由に、移動の自由、集会の自由などが、国家によって大幅に制限されることになったのだ。

これも、香港では民主化運動を抑圧するのに都合よく利用され、またハンガリーでも、新型コロナウイルスやその対策に関して、政権が「フェイク」とみなす情報を流した者を最大禁固五年の刑に処すことができる法案が可決された。

▼商品化によって進む国家への依存

いずれにせよ、最終的に、危機の時代には、こうした形で、剝き出しの国家権力がますます前面に出てくる可能性が高い。

なぜかといえば、一九八〇年代以降、新自由主義は、社会のあらゆる関係を商品化し、相互扶助の関係性を貨幣・商品関係に置き換えてきたからである。そして、そのことに私たちが慣れ切ってしまったため、相互扶助のノウハウも思いやりの気持ちも根こそぎにされているのである。すると、危機においては、不安な人々は隣人ではなく、国家に頼ってしまう。危機が深まるほどに、強権的な国家介入なしには、自らの生活が立ち行かなくなると考えるのだ。

そんななか、気候変動についても、人々が強権的な国家介入を求め始めたらどうなるだろうか。壁を建設し、環境難民を排除して、ジオエンジニアリングによって、一部の人々だけを守る①「気候ファシズム」になるのか。それとも、国家が企業や個人の二酸化炭素排出量を徹底的に監視し、処罰する③「気候毛沢東主義」になるのか。

いずれにせよ、政治家とテクノクラートによる支配で、犠牲になるのは民主主義や人権である。

▼国家が機能不全に陥るとき

ただし、注意が必要だろう。こうした議論は、統治機構が十分に機能することを前提にしている。だが、危機が本当に深まると、強い国家さえも機能しなくなる可能性がある。実際、コロナ禍では、医療崩壊と経済の混乱を前にして、多くの国家はなにもできなくなった。気候危機に際しても、統治機構が最終的には、機能しなくなるかもしれない。

そうすれば、右下の②「野蛮状態」へと一気に落ちてゆく。「万人の万人に対する闘争」への逆戻りである。

これはけっして誇張ではない。コロナ禍に際しても、アメリカでは、「ブーガルー」(Boogaloo)という反政府市民戦争を計画する過激派右翼集団が、SNS上で新メンバーを募っていた。[1]そして、ミシガン州ではロックダウンに抗議する武装市民が、州議会に押し寄せる騒動となった。

しかも、危機の瞬間には、帝国的生活様式の脆弱さが露呈する。実際、コロナ感染の第一波が襲った際、先進国では、マスクも消毒液も手に入らなかった。安くて、快適な生活を実現するために、あらゆるものを海外にアウトソーシングしてきたせいである。

また、SARSやMERSといった感染症の広がりが、遠くない過去にあったにもかかわらず、先進国の巨大製薬会社の多くが精神安定剤やED(勃起不全)の治療薬といった儲かる薬の開発に特化し、抗生物質や抗ウイルス薬の研究開発から撤退していたことも、事態を深刻化させた。[2]その代償として、先進国の大都市は、レジリエンス(障害に直面した際の復元力)を失ってしまったのだ。

気候危機の場合には、食料難が深刻化するだろう。日本のように食料自給率が低く、レジリエンスのない国は、パニックに陥る。そうなれば、一気に、②「野蛮状態」へと逆戻りである。

▼「価値」と「使用価値」の優先順位

こうした問題は、「価値と使用価値の対立」として、マルクスが問題視していた事柄にほかならない（第六章参照）。

コロナ禍の場合、商品の「使用価値」とは、薬が病気を治す力のことで、「価値」とは、商品としての薬につく値段である。ワクチンとEDの薬であれば、役に立つのは、命を救うワクチンである。だが、資本主義においては、人の命を救うかどうかよりも、儲かるかどうかが優先される。高価でもどんどん売れる薬が重要だというわけだ。

資本主義のもとでは、食料も高く売れるかどうかが重視される。だが、高価な桃やブドウを作って輸出していても、食料危機は乗り越えられない。

商品としての「価値」を重視し、「使用価値」（有用性）を蔑ろにする資本主義では、こうしたことが常に起こる。それでは野蛮状態に陥ってしまう。だから、資本主義に決別して「使用価値」を重視する社会に移行しなければならない。

第三章では「未来の選択肢」の四つめを「X」としたが、その答えを、私たちはすでに知っている。そう、Xは「脱成長コミュニズム」だ。これこそ、私たちが目指さなくてはならない未来である。

▼「コミュニズムか、野蛮か」

なぜコミュニズムなのか。極右の自警団やネオナチのような過激派、マフィアが支配する野蛮状態を避けようとするなら、コミュニティの自治と相互扶助が必要となるからである。生活に必要なものを、自分たちで確保し、配分する民主的方法を生み出さなくてはならない。だからこそ、来るべき危機に備えて、平時の段階から自治と相互扶助の能力を育んでおく必要がある。実際、政府に頼ろうとしても助けてくれないということを、日本人はコロナ禍で学んだはずだ。

いずれにせよ、社会の基盤が大きく揺らぐ危機を前に、行きすぎた市場原理主義をやめ大きな政府が市場に介入するという程度の対策では、不十分なのである。つまり、大規模な財政出動を行って、政府が重要産業に資本を注入するといった「気候ケインズ主義」では、二酸化炭素排出量は減らすことができず、気候危機は止まらない（第二章参照）。また、北欧型福祉国家に持続可能性を足した「脱成長資本主義」でも不相応なのだ（第三章参照）。

中途半端な解決策は、長期的にはもはや機能しない。実際、右派ポピュリズムの台頭に、既存の自由民主主義勢力は対抗できていない。だから、普通のリベラル左派の議論には退場してもらおう。

そして、こう言わねばならない。「コミュニズムか、野蛮か」、選択肢は二つで単純だ！もちろん、ここで選ぶべきは、「コミュニズム」である。だからこそ、国家や専門家に依存したくなる気持ちをぐっと抑え、自治管理や相互扶助の道を模索すべきなのである。

▼トマ・ピケティが社会主義に「転向」した

また、極端な主張だと思われたかもしれない。だが、驚くなかれ、これは『21世紀の資本』で経済学のスーパー・スターとなったあのトマ・ピケティさえも、採用する立場なのだ。

ピケティといえば、行きすぎた経済格差を批判し、その解決策として、累進性の強い課税を行うことを提唱するリベラル左派として知られている。このようなピケティの折衷的態度は、スティグリッツと同様の「空想主義」であるとジジェクに批判されてきた[3]（第三章参照）。たしかに、『21世紀の資本』に限っていえば、ジジェクは正しい。

けれども、二〇一九年に刊行された『資本とイデオロギー』でのピケティの論調はまったく異なる。ピケティは「資本主義の超克」を繰り返し求めるようになり、そのうえで対案として、単なる「飼い馴らされた資本主義」ではなく、「参加型社会主義」(socialisme participatif)をはっきりと要求するようになっているのである。

ピケティは言う。「現存の資本主義システムを超克できるし、二一世紀の新しい参加型社会主義の輪郭を描くこともできると私は確信している。つまり、新しい社会的所有、教育、知と権力の共有に依拠した新しい普遍主義的で、平等主義的な未来像を描くことはできるのだ[4]」。これほどはっきりとした社会主義への「転向」は近年、ほかには存在しない。

そして、社会民主主義政党が労働者階級を見捨て、インテリの富裕層重視になっていったことを「バラモン左翼」と痛烈に皮肉っている。リベラル左派の姿勢を、右派ポピュリズムの台頭を許しているとして、厳しく批判するようになっているのだ。

左派は自分たちが誰の苦しみに向き合わねばいけないかをもう一度、思い出さなくてはならない。そのために、ピケティはあえて「社会主義」を掲げるのである。

▼自治管理・共同管理の重要性

ここでさらに注目すべきは、対案の中身である。ピケティは依然として所得税や相続税などを重視しているが、一方で、気候変動問題を前にして、国家が課す炭素税の限界も指摘している。市場原理主義でもダメだが、国家の租税だけでもダメだというわけだ。

気候変動との対峙を通じて、ピケティの関心は生産の現場へと向かう。彼が必須だと考えるのは、生産における「参加型社会主義」の実現である。それを実現するために、労働者による企業の「社会的所有」と経営参加を求めるようになっているのだ。

つまり、少人数の大株主が配当の最大化を求めて経営の意思決定を行う企業内での独裁をピケティは批判する。そして、労働者たちが自分たちで生産を「自治管理」(autogestion)・「共同管理」(cogestion) することの重要性を訴えているのである。[5]

要するに、気候危機に直面したピケティの結論は、資本主義では民主主義を守ることができないというものだ。だから、民主主義を守るためには、単なる再分配にとどまらない、「社会主義」が必要であり、生産の場における労働者の自治が不可欠になってくる。これは、本書の立場とまったく同じである。

そして、「参加型社会主義」という表現も重要だ。まさに、「参加型社会主義」の特徴として、彼が用いている「自治管理」や「共同管理」こそ、本書が重視する〈コモン〉にとってのキーワードなのである。[6]

そして、ピケティも強調しているように、「参加型社会主義」はソ連型社会主義とはまったく異なるものである。官僚や専門家が意思決定権や情報を独占していたがゆえに、ソ連における民主主義的な「参加型社会主義」は不可能であった。

独裁的なソ連に対して、「参加型社会主義」は、市民の自治と相互扶助の力を草の根から養うことで、持続可能な社会へ転換しようと試みるのだ。今、ピケティと晩期マルクスの立場はかつてないほどに近づいているのである。

▼物質代謝の亀裂を修復するために

ただし、ピケティは脱成長の立場を明示的には受け入れていない。また、「参加型社会主義」を謳っていても、その移行のプロセスは、租税という国家権力に依存するところが大きい。この点は問題だ。つまり、資本を課税によって抑え込もうとすればするほど、国家権力が増大していき、③「気候毛沢東主義」に代表される国家社会主義に横滑りしていく。マルクスの脱成長コミュニズムから、離れていってしまうのだ。

ここで、マルクスの物質代謝論を思い出してほしい。資本の無限の価値増殖を求める生産が、自然本来の循環過程と乖離し、最終的には、人間と自然の関係のうちに「修復不可能な亀裂」を生むという見方だ。

マルクスによれば、この亀裂を修復する唯一の方法は、自然の循環に合わせた生産が可能になるように、労働の領域を抜本的に変革していくことである。

第四章でも見たように、労働は、人間と自然の媒介活動である。『資本論』で展開された物質代謝論によれば、人間と自然は労働でつながっているのだ。だからこそ、労働のあり方を変えることが、自然環境を救うために、決定的に重要なのである。

あえて挑発的にいえば、マルクスにとって、分配や消費のあり方を変革したり、政治制度や大衆の価値観を変容させたりすることは、二次的なものでしかない。一般に共産主義といえば、私的所有の廃止と国有化のことだという誤解がはびこっているが、所有のあり方さえも、根本問題ではない。

肝腎なのは、労働と生産の変革なのだ。ここに、マルクス主義や労働者運動に対する忌避感ゆえに、「労働」という次元に踏み込もうとしない、旧来の脱成長派と本書の立場の決定的な違いがある。

実際、旧来の脱成長派は、消費の次元での「自発的抑制」に焦点を当てがちである。節水・節電をして、肉食をやめ、中古品を買い、物をシェアするという風に。ところが、所有や再分配、価値観の変化だけに注目し、労働のあり方を抜本的に変えようとしないなら、資本主義には立ち向かえない。

マルクスの時代にも、プルードンのように、生産には手を付けずに流通の変革によって社会主義を実現しようとした人々はいた。だが、マルクスはプルードンを痛烈に批判した。そして、マルクスは社会的生産・再生産の次元にこそ焦点を当てたのである。生産の場における変革こそが、システム全体の大転換に向けたエンパワーメントになると確信していたのだ。

▼労働・生産の場から変革は始まる

生産の重視は、マルクス主義の古臭い主張だと思われるかもしれない。けれども、後述するように、二〇世紀のマルクス主義とは異なる理由で、本書は生産を重視する。そして、労働問題を忌避し、消費主義、啓蒙主義、政治主義に取り込まれてきた環境運動、脱成長派にこそ、この生産重視の見方を取り入れてほしいと考える。

さらにいえば、気候変動というあまりにもスケールの大きい問題を前に、悲観的思考に陥ってしまいがちだからこそ、マルクスの労働変革論を再評価すべきだと主張したい。

気候危機の将来予測が悲観的になってしまうのは、問題の巨大さのせいだ。自分ひとりではなにも変えられない。かといって、状況を大きく変える力をもっている政治家、官僚、ビジネス・エリートたちは、気候危機への対処を訴える人々の声に耳を傾けようとしない。だから、政治のレベルでいきなりなにかを変えるような希望を見出すことは難しい。こうして、人々は絶望してしまう。

だが、もしここで絶望して諦めてしまえば、待っているのは、「野蛮状態」である。

今、それでも人々が当事者として、能動的になんらかの具体的アクションを起こせる場が残っているとすれば、それは生産の次元だろう。だから、変革に向けたはじめの一歩は、そこから始めるしかない。

▼デトロイトに蒔かれた小さな種

生産の次元に蒔かれた小さな種が実を結びつつある。その果実についてここで話をしてみたい。舞台はデトロイトだ。デトロイトといえば、GMやフォードなどアメリカ自動車生産の中心地であったが、自動車産業の衰退によって失業者が増え、財政も悪化し、二〇一三年には二兆円近い負債を抱えて、市は破綻した。いわばこの街は、資本主義の夢が潰（つい）えた廃墟（はいきょ）だった。

街から人が消え、治安も悪化し、荒廃した状態だったという。だが、残された住民たちは、諦めずに、都市再生の取り組みを一から始めた。

すると、チャンスも見えてきた。人や企業がいなくなって、地価が大幅に下がったために、新しい試みをする余地があることに住民たちは気がついたのである。そして始まった試みのひとつが、都市農業である。地域の有志やワーカーズ・コープが中心となって、荒れ地になっていた街を復活させる試みとして、有機農業が行われるようになったのだ。[7]

この都市農業によって、荒廃した街に、徐々に緑の風景が戻ってきた。だが、それ以上に重要なこととして、治安が悪くなっていたせいで、疎遠になっていたコミュニティ・メンバーの絆（きずな）がもう一度生まれてきたのだ。野菜の栽培、ローカルマーケットでの販売、地元のレストランへの食材提供といった形で、住民のネットワークが再構築されていったという。もちろん、新鮮な野菜へのアクセスは、住民の健康維持にも貢献する。

こうした運動は、世界的に広がっている。例えば、二〇一九年にデンマークのコペンハーゲンは、誰もが無料で食べてよい、「公共の果樹」を市内に植えることを決めた。[8] 今後、市全体が都市果樹園（エディブル・シティ）になるのだ。これは、現代版の入会地であり、「コモンズの復権」といっていい。資本主義の論理とは相容れない、ラディカルな潤沢さがここにはある。

街中での野菜・果実栽培は、飢えた人に食料を供給するだけでなく、住民の農業や自然環境への関心を高める。実際、排気ガスまみれの果実など誰も食べたいと思わないだろう。そうすると、大気汚染を減らすために、自転車道を増やそうとする動きが出てくる。それは、自動車社会に抗して、住民が道路という〈コモン〉の潤沢さを取り戻すための一歩になる。[9]

こうして、段々と、人々の想像力は広がっていき、今までであれば、考えもつかなかったような新たな未来を思い浮かべられるようになる。「もし、デトロイトの食料がすべて地産地消になったら」「もしコペンハーゲン市内で自家用車の走行が禁止されたら」。この具体的な「もし」（what if...）が既存の秩序を受け入れてしまう想像力の貧困を克服し、資本の支配に亀裂を入れる。[10]

マルクス主義批評家フレドリック・ジェイムソンが、「資本主義の終わりを想像するより世界の終わりを想像する方が簡単だ」と述べたことは有名だ。[11] だが、生産の次元に蒔かれた種は、消費の次元では生まなかった希望という果実を実らせつつある。

▼社会運動による「帝国的生産様式」の超克

生産という場はコミュニティを生み出すのだ。しかも、第八章でも見るように、このコミュニティは、より大きな輪へと広がっていくことで、社会全体にも、大きなインパクトを与える力をもっている。労働から生まれる運動は、最終的に政治さえも動かす可能性も秘めているのである。

だから、本書が問題にするのは、ライフスタイルの次元での「帝国的生活様式」ではなく、そのような消費を可能にしている生産の方だ。つまり、重要なのは「帝国的生産様式」の超克である。前者を是正するためには、後者こそ克服しなくてはならない。

ただしここで繰り返しておきたいのは、いきなりトップダウンの解決策に頼ろうとする「政治主義」モデルは、機能しないということである。

もちろん、政治は必要だし、気候変動対策のタイムリミットを前にトップダウン型の対策も求められている。だが、気候変動に対峙する政治は、資本に挑まなくてはならない。

そのような政治を実現するためには、社会運動からの強力な支援が不可欠になる。

社会運動の重要性について、社会学者マニュエル・カステルは、正しく次のように述べている。「社会運動なしには、いかなる挑戦といえども国家の制度(中略)を揺がすほどのものを市民社会から生みだすことはありえない」[12]。

ただ待っているだけでは、「人新世」の危機に対処できる政治はけっしてやってこない。だが、そもそも、待っている必要などない。私たちが、先に動き出そう。

▼人新世の「資本論」

では、どうすればいいのか。いよいよ、その問いに答えていきたい。

繰り返しになるが、『資本論』によれば、自然と人間の物質代謝に走った亀裂を修復する唯一の方法は、自然の循環に合わせた生産が可能になるよう、労働を抜本的に変革していくことであった。人間と自然は労働を媒介としてつながっている。だからこそ、労働の形を変えることが、環境危機を乗り越えるためには、決定的に重要なのである。

ただ、これだけでは、生産と労働の変化が、気候危機をどのように解決するのかについての十分な説明にはなっていない。なぜコミュニズムでの労働が、物質代謝の「修復不可能な亀裂」を修復できると、マルクスは考えたのだろうか。実は、この答えは『資本論』から直接読み取ることができない。それゆえ、「亀裂」についてのマルクスの議論は悲観的すぎると、批判する研究者もいるほどである。[13]

ここでも鍵になるのは、晩期マルクスの視点である。『資本論』刊行後に、この亀裂を修復する方法を求めて、マルクスは自然科学研究を進めていった。晩期マルクスの視点から『資本論』を再読することではじめて、なぜ脱成長コミュニズムが「物質代謝の亀裂」を修復できるかを説明できるのである。

それに対して、晩期マルクスの到達点に目を向けなかった二〇世紀のマルクス主義は、社会主義になれば、労働者たちが技術や科学を自由に操るようになって、自然的制約も乗り越えられると楽観視していた。技術によって「物質代謝の亀裂」も修復できると考えていたのだ。

だが、そのような生産力至上主義は間違っているし、晩年のマルクスの考えとも相容れない。従来のマルクス主義は、バスターニのような、シリコンバレー資本主義とのキメラまで生んでしまったが、それはマルクスの望んだコミュニズムではない。

だから、これまで進歩史観の呪縛から逃れられなかったマルクスの『資本論』を、「脱成長コミュニズム」という立場から読み直すことが必要なのである。そのための準備が第四章だった。つまり、晩年のエコロジー・共同体研究の意義をしっかりと押さえることではじめて、浮かび上がってくる『資本論』に秘められた真の構想があるのだ。そして、その真の構想こそが現代で役立つ武器になるのである。

この構想は、大きく五点にまとめられる。「使用価値経済への転換」、「労働時間の短縮」、「画一的な分業の廃止」、「生産過程の民主化」、そして「エッセンシャル・ワークの重視」である。

一見すると、同じような要求は、旧来のマルクス主義者たちによっても掲げられてきたように思われるかもしれない。しかし、その最終目的地点は全然違ったものになることが、すぐに判明するはずだ。

マルクスの脱成長の思想は一五〇年近く見逃されてきた。そのため、同じように見える要求も、経済成長をスローダウンさせるという文脈では、けっして定式化されてこなかったのである。今はじめて、「人新世」の時代へと『資本論』がアップデートされるのだ。

ポイントは経済成長が減速する分だけ、脱成長コミュニズムは、持続可能な経済への移行を促進するということだ。しかも、減速は、加速しかできない資本主義にとっての天敵である。無限に利潤を追求し続ける資本主義では、自然の循環の速度に合わせた生産は不可能なのだ。だから、「加速主義」(accelerationism)ではなく、「減速主義」(deaccelerationism)こそが革命的なのである。

さあ、脱成長コミュニズムへの跳躍に向けて、私たちがなすべきことを確認していこう。

▼脱成長コミュニズムの柱①──使用価値経済への転換

「使用価値」に重きを置いた経済に転換して、大量生産・大量消費から脱却する

「使用価値」を重視するべきだとは、旧来のマルクス主義でもいわれてきた。『資本論』に文字どおり、そのように書いてある。そこからまずは説明しよう。

マルクスは、「価値」と「使用価値」という商品の属性を区別した。第六章でも見たように、資本蓄積と経済成長を目的とする資本主義においては、商品としての「価値」の方が重要である。資本主義の第一目的は価値増殖なのだ。だから究極的には、売れればなんだってかまわない。つまり、「使用価値」(有用性)や商品の質、環境負荷はどうでもいい。また、一度売れてしまえば、その商品がすぐに捨てられてもいい。

だが、価値増殖だけを目的とした生産力の増大は、より大きな視点で見れば、さまざまな矛盾を生み出す。例えば機械化によるコストダウンは需要を刺激し、大量の商品を売り捌くことを可能にするが、その過程で環境は酷く破壊されてしまう。

また、生産力の増大は、当然ながら多くのものを生み出すことにつながるが、商品としての「価値」だけを重視する資本主義システムのもとでは、社会の再生産にとって有益であろうが、なかろうが、売れ行きのよいものを中心に生産が行われる。その一方で、社会の再生産にとって、本当に必要なものは軽視される。

先にも見たように、パンデミック発生時に社会を守るために不可欠な人工呼吸器やマスク、消毒液は、十分な生産体制が存在しなかった。コストカット目当てに海外に工場を移転したせいで、先進国であるはずの日本が、マスクさえも十分に作ることができなかったのである。これらはすべて、資本の価値増殖を優先して、「使用価値」を犠牲にした結果である。その結果が、危機を前にしたレジリエンスの喪失であった。

こうした「使用価値」を無視した生産は、気候危機の時代には致命的となる。食料、水、電力、住居、交通機関への普遍的アクセスの保障、洪水や高潮への対策、生態系の保護などやるべきことはたくさんある。だからこそ、「価値」ではなく、危機への適応に必要なものこそが、優先されなくてはならないのだ。

そのために、コミュニズムは生産の目的を大転換する。生産の目的を商品としての「価値」の増大ではなく、「使用価値」にして、生産を社会的な計画のもとに置くのだ。別の表現を用いれば、GDPの増大を目指すのではなく、人々の基本的ニーズを満たすことを重視するのである。これこそ、「脱成長」の基本的立場にほかならない（第三章参照）。

その際、生産力を限りなく上げて、人々が欲するならいくらでも生産しようとする消費主義の過ちを、晩年のマルクスならはっきりと批判しただろう。現在のような消費主義とは手を切って、人々の繁栄にとって、より必要なものの生産へと切り替え、同時に、自己抑制していく。これが「人新世」において必要なコミュニズムなのだ。

▼脱成長コミュニズムの柱②──労働時間の短縮
労働時間を削減して、生活の質を向上させる

使用価値経済への転換によって、生産のダイナミクスは大きく変わる。金儲けのためだけの、意味のない仕事を大幅に減らすからである。そして、社会の再生産にとって本当に必要な生産に労働力を意識的に配分するようになっていく。

例えば、マーケティング、広告、パッケージングなどによって人々の欲望を不必要に喚起することは禁止される。コンサルタントや投資銀行も不要である。深夜のコンビニやファミレスをすべて開けておく必要はどこにもない。年中無休もやめればいい。

必要のないものを作るのをやめれば、社会全体の総労働時間は大幅に削減できる。労働時間を短縮しても、意味のない仕事が減るだけなので、社会の実質的な繁栄は維持される。それどころか、労働時間を減らすことは、人々の生活にとっても、また自然環境にとっても好ましい影響をもたらす。マルクスも『資本論』のなかで、「使用価値」の経済に向けた転換のためには、労働時間の短縮が「根本条件である」と述べていた。

現代社会の生産力はすでに十分に高いはずなのだ。とりわけオートメーション化によって、かつてないほどに生産力が高まっている。本来なら人間が賃金奴隷の状態から解放される可能性があるはずである。

ところが、資本主義のもとでは、オートメーション化は、「労働からの解放」ではなく、「ロボットの脅威」や「失業の脅威」になっている。そして、失業を恐れる私たちは、いまだに過労死するほど必死に働いている。ここに資本主義の不合理さが表れている。そんな不合理な資本主義は早く捨て去った方が良い。

それに対して、コミュニズムは、ワークシェアによって、GDPには表れないQOL（生活の質）の上昇を目指す。[14] 労働時間の短縮は、ストレスを減らすし、子育てや介護をする家庭にとっても、役割分担を容易にするはずだ。

ただし、労働時間の短縮のためとはいえ闇雲に生産力を上げればいいわけではない。たしかに「労働からの解放」、「週一五時間労働」というキャッチフレーズが、バスターニのような加速主義のみならず、脱成長派のなかでも喧伝されている。そして、「純粋機械化経済」は魅力的に響く。だが、晩年のマルクスならこう付け加えるだろう。完全オートメーション化によって労働時間をどんどん短縮していって、労働をなくしてしまおうという極端な発想は問題含みである、と。労働からの解放を目指して、これ以上生産力を上げていくことは、地球環境に壊滅的な影響を及ぼすことになるからだ。

さらに、オートメーション化による労働時間の削減には、別の側面からも考える必要がある。エネルギーの問題だ。

ある工場で新技術が導入され、これまで一〇人で行っていた作業がひとりでできるようになったとしよう。そのとき、生産力は一〇倍に上がっているが、労働者個人の能力が一〇倍になったわけではない。労働者九人分の仕事を化石燃料のエネルギーによって置き換えているだけである。労働者という賃金奴隷の代わりに、化石燃料という「エネルギー奴隷」が働いているのだ。

ここで重要なのは、化石燃料の「エネルギー収支比」(ＥＲＯＥＩ)の高さである。エネルギー投資比率とも呼ばれるエネルギー収支比は、一単位のエネルギーを使って何単位のエネルギーが得られるかという指標である。

一九三〇年代の原油について見てみると、一単位のエネルギーを使って、一〇〇単位のエネルギーを得ることができた。つまり、残りの九九単位を自由に使えたのだ。ところが、その後、原油のエネルギー収支比は低下を続け、一単位のエネルギーを使って得られるエネルギーは、わずか一〇単位程度の値になっていることが、昨今、問題視されている。[15] 採掘しやすい場所の原油を掘りつくした結果がこれだ。

ところが、それでも原油のエネルギー収支比は、再生可能エネルギーと比較すれば格段に高い。太陽光は、一単位の投資で二・五〜四・三単位ほどしか得られない。トウモロコシのエタノールはなんと一対一に近いという。一単位のエネルギーを使って、一単位のエネルギーしか得られないなら、まったく意味がない。こうしたエネルギーは、いわば濃度が非常に「薄い」ため、より多くの資本や労働を投資しなくてはいけなくなる。

脱炭素社会に移行していく場合、エネルギー収支比の高い化石燃料は手放し、再生可能エネルギーに切り替えていくしかない。そうなれば、エネルギー収支比の低下によって、経済成長は困難になる。二酸化炭素排出量削減によって起こる生産力の低下は、「排出の罠」（emissions trap）と呼ばれている。[16]

そして、エネルギーという「奴隷」が減少すれば、今度は代わりに、人間が長時間、働く必要性が出てくる。当然、労働時間の短縮にもブレーキがかかり、生産の減速にもつながる。

二酸化炭素排出量を削減するための生産の減速を、私たちは受け入れるしかない。そして、「排出の罠」で生産力が落ちるからこそ、「使用価値」を生まない意味のない仕事を削減し、ほかの必要な部門に労働力を割り当てることがますます重要になる。生産力の向上で「労働の廃棄」や「労働からの解放」を実現するのは、脱炭素社会においては無理なのだ。

だからこそ、労働の中身を、充実した、魅力的なものに変えていくことが重要だというマルクスの主張こそが、再評価されないといけない。この認識から、次の構想が出てくる。

▼脱成長コミュニズムの柱③――画一的な分業の廃止

画一的な労働をもたらす分業を廃止して、労働の創造性を回復させる

ソ連のイメージが強いせいで、これに驚かれることもあるのだが、マルクス自身は、労働を「魅力的」にすることを求めていた。労働時間が短縮されても、労働の中身が退屈で辛いものであったら、人々はストレス解消に消費主義的活動に走るだろう。労働という活動の中身を変えて、ストレスを減らすことは、人間らしい生活を取り戻すために不可欠なのだ。

ところが、現代の生産現場を見れば、オートメーション化による資本の「包摂」が、労働の単調化に拍車をかけている。徹底したマニュアル化が作業効率を飛躍的に増大させる一方、労働者一人ひとりの自律性を剝奪していく。退屈で、無意味な労働が蔓延している。にもかかわらず、労働問題を忌避する旧世代の脱成長派は、この問題を十分に論じていない。既存の脱成長派の議論の枠組みにおいては、あくまでも、労働以外の時間において、創造的で、社会的な活動を実現することが目指されるのである。だから、労働時間は、オートメーション化でできるだけ短くして、あとは、辛くても耐え忍ぼうというわけだ。

それに対してマルクスは、労働を忌避すべきものとはまったく考えていなかった。むしろ、「労働が魅力的な労働、言い換えれば個人の自己実現であるための主体的および客体的な諸条件」を獲得し、創造性や自己実現の契機になることを、目指していたのである。[17]

労働以外の余暇としての自由時間を増やすだけでなく、労働時間のうちにおいても、その苦痛、無意味さをなくす。労働をより創造的な、自己実現の活動に変えていくのだ。

マルクスによれば、労働の創造性と自律性を取り戻すために必要な第一歩が、「分業の廃止」である。資本主義の分業体制のもとでは、労働は画一的で、単調な作業のうちへと閉じ込められている。それに対抗して、労働を魅力的なものにするためには、人々が多種多様な労働に従事できる生産現場の設計が好ましい。

だから、マルクスは繰り返し、「精神労働と肉体労働の対立」や「都市と農村の対立」の克服を将来社会の課題として提唱したのだった。

晩年の『ゴータ綱領批判』でも、この点が強調されている。将来社会においては、労働者たちが「分業に奴隷的に従属することがなくなり」、「労働がたんに生活のための手段であるだけでなく、労働そのものが第一の生命欲求」になる。そして、その暁には、労働者たちの能力の「全面的な発展」が実現できるはずだ、というのである。[18]

この目的のためにも、生涯にわたる平等な職業教育をマルクスは重視していた。労働者が資本による「包摂」を克服し、真の意味で、産業の支配者となるために、である。この視点から現代における実践を評価するならば、ワーカーズ・コープやその他の協同組合が職業訓練に力を入れていることには、大きな意義がある。

ここでも晩期マルクスの脱成長の立場から、さらに踏み込んでいえることがある。人間らしい労働を取り戻すべく画一的な分業をやめれば、経済成長のための効率化は最優先事項ではなくなる。利益よりも、やりがいや助け合いが優先されるからだ。そして、労働者の活動の幅が多様化し、作業負担の平等なローテーションや地域貢献などが重視されれば、当然、これも、経済活動の減速をもたらす。それは望ましいことなのである。

その際、科学やテクノロジーを拒否する必要はどこにもない。実際、技術の助けを借りることで、人々はより一層多様な活動に従事できるようになるだろう。これが「開放的技術」（二二六頁参照）の使い方である。

ただ、そのような技術を発展させるためには、労働者や消費者を支配しやすい「閉鎖的技術」中心の経済、すなわち利益優先の経済から脱却して、「使用価値」の生産に重点を置いた経済に転換しなくてはならないのだ。

「使用価値」に重きを置きつつ、労働時間を短縮するために、開放的技術を導入していこう。だが、そのような「働き方改革」を実行するためには、労働者たちが生産における意思決定権を握る必要がある。それが、ピケティも要求している「社会的所有」（二八九頁参照）である。

▼脱成長コミュニズムの柱④——生産過程の民主化
生産のプロセスの民主化を進めて、経済を減速させる

「社会的所有」によって、生産手段を〈コモン〉として民主的に管理するのだ。つまり、生産をする際にどのような技術を開発し、どういった使い方をするのかについて、より開かれた形での民主的な話し合いによって、決めようとするのである。

技術だけではない。エネルギーや原料についても民主的に決定されれば、さまざまな変化が生まれる。例えば、原子力で発電する電力会社とは契約を切って、地産地消の再生可能エネルギーを選択することになるかもしれない。

ここで晩期マルクスの視点から大事なのは、生産過程の民主化も、経済の減速を伴うということだ。生産過程の民主化とは、「アソシエーション」による生産手段の共同管理で

ある。つまり、なにを、どれだけ、どうやって生産するかについて、民主的に意思決定を行うことを目指す。当然、意見が違うこともあるだろう。強制的な力のない状態での意見調整には時間がかかる。「社会的所有」がもたらす決定的な変化は、意思決定の減速なのである。

これは、一部の大株主の意向が、優先的に反映される現在の企業の意思決定プロセスとは大きく異なる。大企業が刻一刻と変わる状況に合わせて、素早い意思決定を行うことができるのは、経営陣の意向に基づいて、非民主的な決定が行われているからである。マルクスはそれを「資本の専制」と呼んでいた。

それに対して、マルクスのアソシエーションは生産過程における民主主義を重視するがゆえに、経済活動を減速させる。だが、ソ連はこれを受け入れられず、官僚主導の独裁国家になってしまった。

脱成長コミュニズムが目指す生産過程の民主化は、社会全体の生産も変えていく。例えば新技術が特許によって守られて、製薬会社やGAFAのような一部の企業にだけ莫大な利潤をもたらす知的財産権やプラットフォームの独占は禁止される。むしろ、知識や情報は社会全体の〈コモン〉であるべきなのだ。知識がもつ「ラディカルな潤沢さ」は回復されなくてはならない。

その際、利潤獲得や市場シェア競争という動機が失われるなら、私企業によるイノベーションの速度は遅くなる可能性が高い。

だが、それは悪いことばかりではない。「人工的希少性」を生み出すための資本主義の「閉鎖的技術」の開発は、むしろ科学や技術の発展を妨げていることすらあるからだ。『ゴータ綱領批判』でも述べられているように、市場の強制から解放されることで、各人の能力が十分に発揮されるようになり、新しいイノベーションによって、効率化や生産力の上昇が起きる可能性も十分にある。

コミュニズムは、労働者や地球に優しい新たな「開放的技術」を〈コモン〉として発展させることを目指すのだ。

▼脱成長コミュニズムの柱⑤――エッセンシャル・ワークの重視

使用価値経済に転換し、労働集約型のエッセンシャル・ワークの重視を

第四章でも確認したように、晩年のマルクスは、生産力至上主義と決別し、自然的制約を受け入れるようになっていった。この点に関連して、最後に、近年もてはやされている

オートメーション化やＡＩ化には、明確な限界が存在することを強調しておこう。

一般に、機械化が困難で、人間が労働しないといけない部門を、「労働集約型産業」と呼ぶ。ケア労働などは、その典型である。脱成長コミュニズムは、この労働集約型産業を重視する社会に転換する。その転換によっても、経済は減速していくのだ。

労働集約型産業の重視が、経済を減速させるということを理解するために、ここで、ケア労働について、少し掘り下げておきたい。

まず、自明なこととして、ケア労働の部門において、オートメーション化を進めるのはかなり困難である。ケアやコミュニケーションが重視される社会的再生産の領域では、画一化やマニュアル化を徹底しようとしても、求められている作業は複雑で多岐にわたるため、イレギュラーな要素が常に発生してしまう。このイレギュラーな要素はどうしても排除できないため、ロボットやＡＩでは対応しきれないのである。

これこそ、ケア労働が「使用価値」を重視した生産であることの証（あかし）である。例えば、介護福祉士は単にマニュアルに則して、食事や着替えや入浴の介助を行うだけではない。日々の悩みの相談に乗り、信頼関係を構築するとともに、わずかな変化から体調や心の状態を見て取り、柔軟に、相手の性格やバックグラウンドに合わせてケースバイケースで対処する必要がある。保育士や教師も同じだ。

こうした特性から、ケア労働は「感情労働」と呼ばれる。ベルトコンベアでの作業とは違って、感情労働は相手の感情を無視したら、台無しになってしまう。だから、感情労働は、ひとりの労働者が扱う対象人数を二倍、三倍にしていくという形で生産性を上昇させることができない。ケアやコミュニケーションは、時間をかける必要がある。そしてなにより、サービスの受給者が、スピードアップを望んでいない。

もちろん、介護や看護の過程を徹底的にパターン化し、効率を上げることはある程度可能だ。だが、儲け（=「価値」）のために労働生産性を過度に追求するなら、最終的にはサービスの質（=「使用価値」）そのものが低下してしまう。

ところが、まさに機械化の困難さのせいで、労働集約的なケア労働部門は生産性が「低く」、高コストだとみなされている。そのため、官僚から現場に近いところまで含めたマネジメント層からは無理な効率化が求められたり、理不尽な改革やコストカットが断行されるようになったりしているのである。

▼ブルシット・ジョブvs.エッセンシャル・ワーク

資本主義社会でのエッセンシャル・ワークに対する圧迫には、「価値」と「使用価値」の極端な乖離という問題が潜んでいる。

現在高給をとっている職業として、マーケティングや広告、コンサルティング、そして金融業や保険業などがあるが、こうした仕事は重要そうに見えるものの、実は社会の再生産そのものには、ほとんど役に立っていない。

デヴィッド・グレーバーが指摘するように、これらの仕事に従事している本人さえも、自分の仕事がなくなっても社会になんの問題もないと感じているという。世の中には、無意味な「ブルシット・ジョブ（クソくだらない仕事）」が溢れているのである。

たしかに、私たちは無駄な会議をたくさん開き、プレゼンの資料を無駄に作り込み、誰も読まないようなFacebookの企業広報記事をまとめたり、フォトショップで写真を加工したりしている。

ここでの矛盾は、「使用価値」をほとんど生み出さないような労働が高給のため、そちらに人が集まってしまっている現状だ。一方、社会の再生産にとって必須な「エッセンシャル・ワーク（「使用価値」が高いものを生み出す労働）」が低賃金で、恒常的な人手不足になっている。

だからこそ、「使用価値」を重視する社会への移行が必要となる。それは、エッセンシャル・ワークが、きちんと評価される社会である。

これは、地球環境にとっても望ましい。ケア労働は社会的に有用なだけでなく、低炭素で、低資源使用なのだ。経済成長を至上目的にしないなら、男性中心型の製造業重視から脱却し、労働集約型のケア労働を重視する道が開ける。そして、これは、エネルギー収支比が低下していく時代にもふさわしい、労働のあり方である。

繰り返せば、ここにも減速の契機がある。ケア労働の生産性を上げるのは、質の低下を伴わずしては困難だからである。

▼ケア階級の叛逆

脱成長コミュニズムがケア労働に注目するのは、環境に優しいからだけではない。今、世界のあちこちで資本主義の論理に対抗して立ち上がっているのが、ケア労働の従事者だからだ。これが、グレーバーの言う「ケア階級の叛逆」(revolt of the caring classes)である[19]。

現在、ケア労働者に代表されるエッセンシャル・ワーカーは、役に立つ、やりがいのある労働をしているという理由で、低賃金・長時間労働を強いられている。まさに、やりがいの搾取だ。そのうえ、余計な管理や規則の手間ばかりを増やすだけで、実際には役立たずの管理者たちに虐げられている。

だが、ついに、エッセンシャル・ワーカーたちは、抵抗のために立ち上がりつつある。彼らも、これ以上の労働条件悪化には耐えられない。そしてなにより、コストカットのせいで自分が提供するサービスの質が低下することにも我慢できなくなっているのである。

その結果、日本でも、保育士一斉退職、医療現場からの異議申し立て、教員スト、介護ストが目立ってきている。それ以外にも、コンビニの二四時間営業停止や高速道路のサービスエリアでのストライキなども増えている。そして、それがＳＮＳで拡散されて、人々の支持を集めるようになっているのだ。[20]

これは世界的な流れである。こうした連帯の流れを、より広い、そしてよりラディカルな流れにつなげられるだろうか。この瞬間に、私たちは彼らと連帯できるだろうか。それとも「使用価値」を蔑ろにし、くだらない仕事を重視するブルシット・エコノミーに固執するのか。

これこそが、相互扶助の強化か、分断の深化かの分かれ道となるだろう。うまくいけば、より民主主義的な相互扶助のコミュニティ再形成が可能となり、別の社会への道が開けるはずだ。

▼自治管理の実践

ここで注目に値するのが、「ケア階級の叛逆」が、一時的な抗議活動で終わらず、さらに自治管理を目指す実践へとつながっていく可能性である。

その可能性が現れたのは、二〇一九年に世田谷区のとある保育園が突然倒産手続きを宣言し、閉園したときであった。

実は、近年、無責任な保育園経営が社会問題になりつつある。利益重視の経営会社は保育園の経営状態が悪化すると、突然閉園してしまうのである。

だが、子どもたちやその保護者たちの生活を考えれば、突然の閉園など、理不尽極まりない。そこで、保育士たちは、自らも会社の閉園の決断に戸惑いながらも、「介護・保育ユニオン」の力を借りて、なんと自主営業の道を選択したのだった。

すると、張りぼては崩れ去った。普段、儲け主義の会社経営者や、彼に雇われた園長は偉そうに振る舞っていたかもしれない。だが、それは典型的な、意味のない仕事、「ブルシット・ジョブ」だということが判明したのだ。現実の保育園運営を行っているのは、間違いなく保育士たちだった。だからこそ、経営者がいなくなっても、能力的には問題なく、事業を継続することができたのである。

もちろん、もともと経営状況もよくなかった保育園で、人件費などを捻出し、保護者との信頼関係を築くのは容易ではない。だが、この自主経営の試みは、労働者たちが、経営者によるやりがいの搾取を拒絶できることを証明した。

これはまさに、生産における自治管理を自らの手に取り戻し、サービスの質を守るための積極的な「叛逆」といえる。さらには、労働者（保育士）が消費者（保護者）と連帯することで、より安定した協同組合型の自主運営ができる可能性も開かれている。

▼脱成長コミュニズムが物質代謝の亀裂を修復する

最後に、脱成長コミュニズムという晩年のマルクスの到達点を、もう一度まとめておこう。

晩年のマルクスが提唱していたのは、生産を「使用価値」重視のものに切り替え、無駄な「価値」の創出につながる生産を減らして、労働時間を短縮することであった。労働者の創造性を奪う分業も減らしていく。それと同時に進めるべきなのが、生産過程の民主化だ。労働者は、生産にまつわる意思決定を民主的に行う。意思決定に時間がかかってもかまわない。また、社会にとって有用で、環境負荷の低いエッセンシャル・ワークの社会的評価を高めていくべきである。

その結果は、経済の減速である。たしかに、資本主義のもとでの競争社会に染まっていると、減速などという事態は受け入れにくい発想だろう。

しかし、利潤最大化と経済成長を無限に追い求める資本主義では、地球環境は守れない。人間も自然も、どちらも資本主義は収奪の対象にしてしまう。そのうえ、人工的希少性によって、資本主義は多くの人々を困窮させるだけである。

それよりも、減速した経済社会をもたらす脱成長コミュニズムの方が、人間の欲求を満たしながら、環境問題に配慮する余地を拡大することができる。生産の民主化と減速によって、人間と自然の物質代謝の「亀裂」を修復していくのだ。

もちろん、これは、電力や水の公営化、社会的所有の拡充、エッセンシャル・ワークの重視、農地改革などを含む、包括的なプロジェクトにならなくてはいけない。

そうすると、これまで見てきたワーカーズ・コープの興隆やケア階級の叛逆といった事例だけでは、あまりにも小さな抵抗のようにも見える。たしかに、そうかもしれない。けれども、世界では、ほかにも、数多くの資本主義への抵抗が存在している。そうした個々の抵抗が、点から面へと広がっている。

とりわけ、グローバル資本主義のせいで疲弊した都市において、人々の苦しみから模索が始まり、新しい経済を求めるうねりが起きているのだ。そして今、そうした運動が世界各地の都市、さらには国の政治を動かすまでになっている。

これらの抵抗運動が、必ずしも脱成長を掲げているわけではないし、コミュニズムを意識的に目指しているわけでもない。しかし、脱成長コミュニズムの萌芽(ほうが)を秘めている運動が広がっているのだ。なぜなら、「人新世」という環境危機の時代に、資本主義に対峙しながら、今とはまったく別の社会を生み出そうとしている運動は、必然的にそこに向かっていくからだ。

▼ブエン・ビビール(良く生きる)

この可能性は、「ブエン・ビビール」(buen vivir)という概念の普及にも表れている。この言葉は、直訳すれば、「良く生きる」という意味だが、もともとはエクアドルの先住民の言葉をスペイン語に訳したものである。二〇〇八年のエクアドル憲法の改正の際に、この言葉が採用され、国民の「ブエン・ビビール」の実現を保障する国の義務が明記されたのだ。

この言葉は南米で広がり、今では、欧米の左派によっても、使われるようになっている。西洋型の経済発展を追い求めるだけでなく、先住民の知恵からもっと学ぼうという価値観の見直しは、世界的に広がっていったのだ。

日本でも有名な、ブータンの「国民総幸福量」(GNH)もその一例といえる。

また、アメリカのスタンディングロックでの石油パイプライン建設反対運動では、神聖な水源を守るため先住民と白人が協力して、大規模な抗議活動が展開された。この運動にかかわっていたジャーナリストのナオミ・クラインも、いまや資本主義の超克をはっきりと掲げるようになっている。

なかでも注目したいのは、そのときに発せられた、彼女の次のような言葉だ。「将来世代への義務やあらゆる生命のつながり合いについての先住民の教えから学ぼうとする謙虚な姿勢を伴っていなくてはならない」というのである。[21] そして、彼女も脱成長の立場を受け入れている。

今、気候危機をきっかけとして、ヨーロッパ中心主義を改め、グローバル・サウスから学ぼうとする新しい運動が出てきている。そう、まさに晩年のマルクスが願っていたように。

そして、このコミュニズムの萌芽は、気候変動の危機の深まりとともに、より野心的になり、二一世紀の環境革命として花開く可能性を秘めている。

最終章では、その萌芽を紹介したい。

第八章　気候正義という「梃子（てこ）」

▼マルクスの「レンズ」で読み解く実践

脱成長コミュニズムの種が世界中で芽吹きつつある。本書の最後に、晩期マルクスの「レンズ」を通して、いくつかの都市の革新的な試みを見ていきたい。本書が発掘したマルクスの新たなレンズを使って見ると、そうした運動や実践のどういった側面をさらに発展させていくべきかが、おのずと浮かび上がってくる。晩期マルクスのおかげで世界は違って見えるのだ。ここにこそ理論の役割がある。

だが、理論家は現場の苦しみや抵抗の試みからも学んでいく。マルクスが進歩史観を完全に捨て、脱成長を受け入れるようになった背景には、グローバル・サウスへのまなざしがあった。そこに真剣なまなざしを向けたことが、彼の価値観を大きく変えたのだ。もしマルクスがヨーロッパ中心主義に固執したままだったら、晩年の認識にたどり着くことは不可能だっただろう。

こうした晩期マルクスのグローバル・サウスから学ぶ姿勢は、二一世紀に、ますます重要性を増している。というのも、資本主義が引き起こす環境危機は、第一章でも見たように、転嫁や外部化のせいでグローバル・サウスにおいて、その矛盾が激化しているからである。

▼自然回帰ではなく、新しい合理性を

ただ、誤解のないように繰り返せば、晩期マルクスの主張は、都市の生活や技術を捨てて、農耕共同体社会に戻ろうというものではない。それは、もはや不可能である。また、その暮らしを理想化する必要もない。彼らの暮らしにもいろいろな問題があるのは自明だろう。一方、都市にも技術発展にも、評価すべき点はたくさんある。その合理性を完全に否定してしまう必要は、もちろんどこにもない。

しかし、現在の都市の姿は問題含みで、修正が必要なのも間違いない。コミュニティの相互扶助も徹底的に解体され、大量のエネルギーと資源を浪費する生活は持続可能でもないからだ。いわば、都市化が行きすぎてしまった状態にある。

その結果、二酸化炭素排出量の約七割を占めているのは都市である。だから気候危機に立ち向かい、相互扶助を取り戻すためには、都市生活を変えなくてはならない。都市を見捨てて、山奥に閉じこもっても、最終的に、地球全体が「大洪水」に呑み込まれてしまえば、元も子もなくなってしまう。

つまり、ここで必要なのは、都市という資本が生み出した空間を批判し、新しい都市の合理性を生み出すことである。

幸いにも、合理的でエコロジカルな都市改革の動きが、地方自治体に芽生えつつある。なかでも、世界中から注目を浴びているのが「フィアレス・シティ（恐れ知らずの都市）」の旗を掲げるスペイン・バルセロナ市とともに闘う各国の自治体である。

最終章では、バルセロナの試みを、晩期マルクスの視点から評価してみたい。そうすることで、バルセロナの革命的意義が、はじめて浮かび上がってくるはずだ。

▼恐れ知らずの都市・バルセロナの気候非常事態宣言

「フィアレス・シティ」とは、国家が押しつける新自由主義的な政策に反旗を翻す革新的な地方自治体を指す。国家に対しても、グローバル企業に対しても恐れずに、住民のために行動することを目指す都市だ。

Airbnb の営業日数を規制したアムステルダムやパリ、グローバル企業の製品を学校給食から閉め出したグルノーブルなど、さまざまな都市の政党や市民団体が「フィアレス・シティ」のネットワークに参加している。ひとつの自治体だけの試みでは、グローバル化した資本主義を変えることはできない。だから、世界中のさまざまな都市や市民が連携し、知恵を交換しながら、新しい社会を作り出そうとしているのだ。

なかでも、最初に「フィアレス・シティ」の旗を立てたバルセロナ市政の取り組みは野心的である。その革新的な姿勢は二〇二〇年一月に発表されたバルセロナの「気候非常事態宣言」にも表れている。

この宣言は、「気候変動を止めよう」という薄っぺらいかけ声だけに終わるものではない。二〇五〇年までの脱炭素化（二酸化炭素排出量ゼロ）という数値目標をしっかりと掲げ、数十頁に及ぶ分析と行動計画を備えたマニフェストである。大都市とはいえ、首都でもない地方自治体のこの政策策定能力の高さにまずは驚かされる。しかも、宣言は、自治体職員の作文でもなく、シンクタンクによる提案書でもない。市民の力の結集なのだ。

行動計画には、包括的でかつ具体的な項目が二四〇以上も並ぶ。二酸化炭素排出量削減のために、都市公共空間の緑化、電力や食の地産地消、公共交通機関の拡充、自動車や飛行機・船舶の制限、エネルギー貧困の解消、ごみの削減・リサイクルなど、全面的な改革プランを掲げている。

その内容は、飛行機の近距離路線の廃止や市街地での自動車の速度制限（時速三〇キロ）

など、グローバル企業と対峙しなくては実現できないものも多く、「フィアレス・シティ」の闘う姿勢が表れている。ここには、経済成長ではなく、市民の生活と環境を守るという意志がはっきり読み取れる。前章で見た、晩期マルクスの脱成長社会のエッセンスである「価値」から「使用価値」への転換をここには見出すことができるのだ。

事実、宣言の「経済モデルの変革」の項目には、脱成長社会を目指す姿勢が色濃く出ている。

> 既存の経済モデルは、恒常的な成長と利潤獲得のための終わりなき競争に基づくもので、自然資源の消費は増え続けていく。こうして、地球の生態学的バランスを危機に陥れているこの経済システムは、同時に、経済格差も著しく拡大させている。豊かな国の、とりわけ最富裕層による過剰な消費に、グローバルな環境危機、特に気候危機のほとんどの原因があるのは、間違いない。[1]

資本主義における、終わりのない利潤競争と過剰消費が気候変動の原因であると厳しい言葉で強く批判しているのだ。このようなラディカルな主張が、市民のなかから生まれ、支持を集め、市政を動かすまでになっている。この一連の流れには、未来への希望がある。

▼社会運動が生んだ地域政党

もちろん、バルセロナの画期的な宣言は一夜でできたものではない。ここに至るまでには、一〇年にも及ぶ、粘り強い市民の取り組みが存在している。

周知のとおり、スペインは、リーマン・ショック以降のEUの経済危機で最も打撃を受けた国のひとつだ。当時の失業率は二五％に達し、貧困が広がり、EUの押しつける緊縮政策によって、社会保障や公共サービスの縮小を余儀なくされた。

その困窮に追い打ちをかけるように、バルセロナでは観光業の過剰発展、オーバー・ツーリズムが一般市民の生活を圧迫した。市民向けの賃貸住宅を観光客用の「民泊」に切り替えるオーナーが続出。家賃は急騰し、住まいを失う市民も数多く生まれた。物価も上昇した。バルセロナは、新自由主義的グローバル化の矛盾が、噴出した街だったのだ。

この酷い生活状況に耐えかねた若者たちが中心となって、「15M運動」と呼ばれる広場占拠運動が開始されたのは二〇一一年のことだ。その運動は形を変化させながら継続したが、その成果のひとつが、バルサローナ・アン・クムー（英語名バルセロナ・イン・コモン）

という地域密着型の市民プラットフォーム政党である。

二〇一五年の地方選挙では、できたばかりのこの政党が躍進し、党の中心人物であるアダ・クラウが市長に就任したのだ。彼女は反貧困運動に従事し、特に、住居の権利のための活動を続けてきた社会活動家であった。

運動とのつながりを捨てない新市長は、草の根の声を市政に持ち込むシステムを整備した。町内会的な住民グループの声も、水道やエネルギーなどいわば〈コモン〉の領域で働く人々の声も丁寧にすくい上げられる。市庁舎は市民へと開放され、市議会は、市民の声をまとめ上げるプラットフォームとして機能するようになったのである。ここでは、社会運動と政治が見事につながっている。

先ほどの宣言の起草プロセスも、同様である。二〇〇あまりの団体から三〇〇人以上の市民が参加した「気候非常事態委員会」での検討を通じて、宣言は執筆されたのだ。自然エネルギーの公営企業（Barcelona Energia）や住宅公団などでの業務に従事する人々も、ワークショップに参加した。

いわば、社会的生産の現場にいる各分野の専門家、労働者と市民の共同執筆だ。この宣言そのものが、じつに多様な市民参加型のプロジェクトなのである。そうでなければ、これほど具体性のある改革案は出てこない。マルクスが言うように、生産の次元から社会変革の知恵は育っていくのだ。

▼気候変動対策が生む横の連帯

もちろん、これまでもバルセロナでは、水、電力、住宅などをめぐって、さまざまな社会運動やプロジェクトが展開されてきた。だが、水道の公営化要求など、シングル・イシューごとのバラバラな取り組みだった運動を、互いに結びつけたのが気候変動問題だった。シングル・イシューの改革に、気候変動対策の視点を入れ込むことで、個別の問題を超えた横の連帯が生まれていったのだ。

例えば、電気代の値上げは、貧困世帯を直撃する。一方、地産地消を目指す公営の再生可能エネルギーに切り替えれば、地域経済を活性化させ、収益も地域コミュニティのために用いられることになる。当然、後者は気候変動対策だけでなく、貧困対策にもなる。太陽光パネルを設置した公営住宅を建設すれば、環境対策であると同時に、市民の暮らしの場を確保し、資本の狙うジェントリフィケーションへの抵抗になっていく。新しい地産地消型経済の活性化は、地域に新たな雇用を生み、若者の失業問題にも改善をもたらす。

さまざまな運動が、気候変動問題を媒介にしてつながることで、経済、文化、社会に及ぶ、より大きなシステム変革を目指すようになっているのである。

しかも、ここで目指されているのは、資本主義の生み出した人工的希少性を、〈コモン〉の「ラディカルな潤沢さ」で置き換えていくことにほかならない。

▼協同組合による参加型社会

政策の内容的にも、運動の方法論的にもここまで革新的な試みを、バルセロナが次々と成功させ、市民の支持を得ている秘密のひとつが、ワーカーズ・コープの伝統だ。そう、マルクスが「〝可能な〟コミュニズム」と呼んだ、労働者協同組合である。
もともとスペインは協同組合が盛んな土地柄で、とりわけバルセロナはワーカーズ・コープ以外にも、生活協同組合、共済組合、有機農産物消費グループなどが多数活動している「社会連帯経済」の中心地として名高い。社会連帯経済が、同市内の雇用の八％にあたる五万三〇〇〇人に雇用を生み出し、市内総生産の七％を占めるほどである。[2]
ワーカーズ・コープの活動の幅も極めて広く、製造業、農業、教育、清掃、住宅などの分野で各種事業が展開されてきた。若者の職業教育、失業者支援、地域住民の交流といった活動を通じて、オーバー・ツーリズムとジェントリフィケーションに対抗する地域住民主導型の街作りの道を模索している。

自治体と協同組合のつながりは、双方に良い結果をもたらす。自治体は、公共調達の発注先を決めるにあたり、ローカルなもの、公正なものを優先するようになり、協同組合が受注することが増えた。

一方で、協同組合の声が市政に届くようになり、政治も社会運動も活性化していく。短期の利潤を追求するのではなく、組合員たちの自律や参画、相互扶助を重視することが、生産という場を超えて、政治においても参加型民主主義を促進する。これまでにはなかった市民と政治のダイナミクスが生まれ、両者のパフォーマンスが向上していく。

これこそ、掠奪や収奪の経済モデルから、持続可能で、相互扶助に重きを置いた「参加型社会主義」への転換に向けた第一歩である。ここには、マルクスの言う「アソシエーション」が存在しているのだ。

▼気候正義にかなう経済モデルへ

では、いよいよこの野心的な気候非常事態宣言のなかで、最も画期的な部分についても触れていこう。バルセロナはこう強調する。先進国の大都市が、気候変動に与えている甚大な影響をはっきりと認めなければならず、その是正こそが「気候正義」を実践する第一歩であると。

気候正義（climate justice）という言葉は、日本語としては耳慣れない言葉かもしれないが、欧米では毎日のようにメディアを賑わせている。気候変動を引き起こしたのは先進国の富裕層だが、その被害を受けるのは化石燃料をあまり使ってこなかったグローバル・サウスの人々と将来世代である。この不公正を解消し、気候変動を止めるべきだという認識が、気候正義である。

そして、気候正義にかなう経済システムに変化していくためには、被害を最も受けやすいグローバル・サウスの女性から届けられる声をくみ上げていかなくてはならない、と宣言はいう。「実際、気候危機によって移住を迫られる八〇％が女性である。けれども、彼女たちは重要なケアの提供者である。もし、気候非常事態に挑もうとするなら、持続不可能で、不公正な経済モデルを転換しなくてはならない」。

そのうえで、先進国の大都市は、「協働的なケア労働」や、他者や自然との「友愛的関係」を重視して、「誰も取り残されない」社会への移行を先導する責任があるとバルセロナの宣言は、はっきりと表明している。もちろん、その費用を担うのは、「最も特権的な地位にある人々」であると訴える。[3] これこそ、「ケア階級の叛逆」である。

▼ミュニシパリズム――国境を越える自治体主義

ここで最も重要なのは、バルセロナが、単なる先進国の一都市の運動にとどまらず、グローバル・サウスへのまなざしをもっているという点である。そのことが、資本の専制に挑む国際的な連帯を生み出しつつあるのだ。

実際、バルセロナが呼びかけた「フィアレス・シティ」のネットワークは、アフリカ、南米、アジアにまで広がり、七七もの拠点が参加している。「フィアレス・シティ」が恐れ知らずに挑戦することができるのは、市民間の相互扶助だけでなく、都市間の協力関係があるからである。

例えば、水道事業のように、新自由主義政策が盛んだった時代に民営化されてしまった公共サービスを、再び公営化するためのノウハウなどもここで共有される。民間水道事業者は巨大なグローバル企業であることが多く、彼らとの交渉は苛烈で、ときには訴訟沙汰になることもあるが、国際的な「フィアレス・シティ」の横の連携から得られる知識が助けとなる。

　このように国境を越えて連帯する、革新自治体のネットワークの精神は「ミュニシパリズム」と呼ばれている。[4] 従来の地方自治体が閉鎖的であったのとは対照的に、国際的に開かれた自治体主義を目指しているのである。

▼グローバル・サウスから学ぶ

　しかし、ミュニシパリズムの試みが最初から完璧だったわけではない。当初、欧州から出発したミュニシパリズムは、むしろ、グローバル・サウスからの批判に直面したという。結局、ミュニシパリズムは、先進国の白人中心の運動ではないか、という批判だ。

　そもそも国家に依存しない参加型民主主義や共同管理の試みは、むしろグローバル・サウスに端を発するものであった。最も有名なのは、メキシコ・チアパス州の先住民が起こしたサパティスタの抵抗運動だろう。一九九四年の北米自由貿易協定（ＮＡＦＴＡ）発効のタイミングで始まった運動だが、欧州のミュニシパリズムのはるか以前に、新自由主義やグローバル資本主義にＮＯを突きつけていたわけだ。

　さらに別の例を挙げれば、苦しむ人々の国際連帯という意味では、国際農民組織ヴィア・カンペシーナ（Via Campesina、スペイン語で「農民の道」）が、サパティスタの抵抗運動と同じ時期に始まっている。農産品の貿易の自由化が加速した一九九三年に生まれたこの運動は、中南米の参加団体が最も多い。まさにグローバル・サウスの声だ。

農業を自分たちの手に取り戻し、自分たちで自治管理することは、生きるための当然の要求である。こうした要求は、「食料主権」と呼ばれる。

中小規模農業従事者の多いヴィア・カンペシーナが目指す伝統的農業やアグロエコロジーの方向性は当然、環境負荷も低い。この団体が発足した一九九〇年代といえば、冷戦終結後、二酸化炭素の排出量が激増した時期であった。その裏では、グローバル・サウスにおいて、サパティスタやヴィア・カンペシーナのような革新的な抵抗運動が展開されていたのだ。

グローバル資本主義が環境を破壊し続けたこの時代に、眠っていたのは先進国の方ではないか、そのような試みの先駆性を正当に評価し、学ぶ姿勢が必要なのではないか、とグローバル・サウスは疑問を投げかけたのだ。全世界で二億人以上の農業従事者がかかわっているといわれるヴィア・カンペシーナの運動にしても、知っている日本人はどれほどいるだろうか。

▼新しい啓蒙主義の無力さ

本書が、「帝国的生活様式」と「生態学的帝国主義」の批判とともに始まったのを思い出してほしい。グローバル・サウスからの富の収奪と環境負荷の転嫁によって、先進国の快適で豊かな生活が可能になっていることへの批判である。

環境負荷をグローバル・サウスに押しつける「外部化社会」、すなわち先進国において私たちは、不公正さに目をつぶり、地球で本当はなにが起こっているのかも知ろうとせずに、資本主義の夢を見続けてきた。

だからこそ、持続可能で公正な社会を目指すなら、帝国的生活様式や生態学的帝国主義に挑まないといけない。先進国一国内での消費パターンの変化程度では、問題は解決しない。グローバルな大転換が求められているのだ。

だが、グローバル・サウスからの収奪を前に、「世界市民」というコスモポリタンな理念を持ち出し、「啓蒙主義」の必要性を擁護するだけでは、明らかに不十分である。残酷な現実を前に抽象的理念を対置しても、虚(むな)しく響くだけだ。

むしろ、収奪に対する現実の抵抗実践に目を向ける必要がある。そのなかに、国際的連帯経済の構築に向けた具体的契機を見出すことが決定的に重要なのだ。

そして、これこそまさに、晩年のマルクスが試みていたことであった。資本主義の外部、今日でいうグローバル・サウスにおいて、資本主義の残虐性が剝き出しになっていることに、マルクスは気がついたのである。

だからこそ、ロシアの農耕共同体やインドの反植民地主義運動のなかから、晩年のマルクスは反資本主義運動の可能性を積極的に摂取しようとしていた。その到達点が、第四章で見たように、脱成長コミュニズムであった。

同じように、今日の持続可能で公正な社会を目指すミュニシパリズムの自治体も、前述の批判に応える形で、グローバル・サウスにおける抵抗運動から、積極的に学ぼうとしている。その核となるのが、「気候正義」と「食料主権」の運動なのだ。

▼食料主権を取り戻す

まずは食料主権について、掘り下げておきたい。

当然のこととして、人間は生きるために食物が必要であり、それゆえ食料は〈コモン〉であるべきである。ところが、グローバル・サウスで展開される資本主義アグリビジネスは、収穫物を先進国に輸出してしまう。だから、農業が盛んで、農産品の純輸出国であるにもかかわらず、国内では、飢餓に苦しむ貧困層が大勢いる。

これは、先進国の食卓を彩るための高価な輸出品が優先して生産され、実際の作業を行っている農民が生きていくのに必要な、廉価な食料は生産されていないせいだ。くわえて、多国籍企業の特許によって、種子や肥料、農薬をめぐる権利や情報が独占されていることも農家の経済的負担を過酷なものにしている。

商品としての「価値」のための生産が行われ、「使用価値」が蔑ろにされるという資本主義の矛盾が、グローバル・サウスにおいては、過酷な形で表れている。

例えば、南アフリカでは、イギリスの植民地支配に由来するアパルトヘイトという歪んだ制度の負の遺産によって、白人を中心とした二〇%の大規模農家が、南アフリカの農業生産額の八〇%を生み出すようになっている。そしてアフリカ最大の農産物輸出国のひとつであるにもかかわらず、飢餓率が二六%にのぼるという。[6] アパルトヘイトのもとで、地力が乏しく、水へのアクセスも悪い土地を割り当てられた、非白人の小規模農家は自給自足することさえも容易ではないのだ。新興国BRICSの一角を占めるといわれ、サッカー・ワールドカップまで開催したこの国にして、これほどの状況なのである。

こうした状況に抗して、市民は二〇一五年に「南アフリカ食料主権運動」(South African Food Sovereignty Campaign、以下「南ア食料主権運動」)という運動を開始した。[7] 参加者は、小規模農業経営者や農業労働者たちと、NGOや社会運動の担い手たちだ。彼らは草の根の協同組合型農業を促進するためのプラットフォームを作り出したのだ。これは、国家主導のトップダウン型アグリビジネスが人々に豊かな生活をもたらすことに失敗したことに対する叛逆といえる。

彼らが解決しようとしたのは、多くの貧しい農民が、持続可能な農業のために必要な知識も資金も持っていない状況であった。灌漑設備も整っていない土地で、知識がないままに農業に挑んで、すぐに失敗してしまう。そのまま借金をして、化学肥料や農薬を購入せざるを得ず、アグリビジネスの食い物にされてしまう。

だから、「南ア食料主権運動」のモデルでは、農民たちは、自分たちの手で協同組合を設立する。そして、地域のNGOが必要な農具などを貸し出し、有機栽培についての教育を行う。資本によって独占された技能を取り戻すために、マルクスも重視した職業訓練を丁寧にやっているのだ。

そうすることで、遺伝子組み換え作物や化学肥料に依存することなく、農民が種子を自家採取して管理する持続可能な有機栽培を根付かせることを目指しているのである。まさに〈コモン〉を取り戻す試みにほかならない。

▼グローバル・サウスから世界へ

もちろん、食料主権の運動だけでは不十分だということは、「ヴィア・カンペシーナ」も「南ア食料主権運動」も認識している。より大きな問題が迫っているからである。それが、本書のテーマ、気候変動だ。

実際、南アフリカの農業は気候変動によって脅かされている。ケープタウンでは、深刻な水不足が繰り返し起きるようになっている。今後、干ばつのリスクは飛躍的に高まっていくと予想されている。干ばつによる食料価格の高騰は人々の暮らしを直撃するだろう。だから、農業を持続可能で、安定した仕事にしていくことだけを目標にしていては、足りない。そもそも農業ができない地球環境になってしまえば、元も子もないのだ。こうして、食料主権の運動は気候正義の運動と結びつく。そして、まさにそのことによって、ローカルな運動は、世界中の運動とリンクするのである。

この流れがよくわかる例として、同国のサソール社への抗議活動を紹介しよう。

▼帝国的生産様式に挑む

ヨハネスブルグに本社を置くサソール社は石炭、石油、天然ガスを扱う資源企業である。サソール社の二酸化炭素排出量は毎年およそ六七〇〇万tにものぼり、この一企業だけでポルトガルの排出量を上回る。当然、サソール社の引き起こす大気汚染も深刻である。

なぜそんなに二酸化炭素排出量が多いのか。理由のひとつは、石油代替品である人造石油を石炭から精製しているためだ。もともと、アパルトヘイト時代の南アフリカは石油の禁輸措置を受けていた。そこで、当時国営企業だったサソール社は、ナチス・ドイツ時代に推進された、フィッシャー・トロプシュ法という技術を使って、人造石油を精製していたのだった。

ところが、原油の輸入が可能になった今でも、この手法を用いた事業は継続し、再び注目を浴びている。石油資源が枯渇し始めても、石炭はまだ世界に豊富にある。だから、石油の代替品の精製法として、サソール社の技術が注目されているのだ。だが、石炭から製造した合成燃料の使用による温室効果ガスの排出量は、石油を用いた場合の二倍近くになるといわれている。気候危機にとっては、致命的な転嫁の技術である。

だから当然のこととして、南アフリカの環境活動家たちは、あまりに負荷の高いサソール社の操業停止を求めている。興味深いのは、その運動方法である。南ア食料主権運動の中心メンバーのひとりでもあるヴィッシュ・サトガーは、南アフリカ一国の問題とせず、国際的な運動との連帯を求めたのだ。スローガンは、「息ができない!」(We Can't Breathe!) であった。

サトガーらが着目したのは、米国ルイジアナ州レイクチャールズの石油化学工業にサソール社が投資している事実だった。もちろん、このプロジェクトによって、アメリカでも多くの二酸化炭素が排出されることになる。

だから、サソール社への操業停止の要求は、気候変動を憂慮するアメリカの人々にとっても共通の課題であることを指摘したのである。そして、アメリカの「サンライズ・ムーブメント」や「未来のための金曜日」、「ブラック・ライブズ・マター」といった社会運動に、連帯を訴えかけたのだ。

いや、正確にいえば、これは、単なる二酸化炭素排出量の削減に向けた国際的連帯の呼びかけにとどまらない。ドイツのナチス、イギリスによる南アフリカでのアパルトヘイト、そしてアメリカの石油産業といった帝国主義の歴史を反省し、資本主義の負の遺産から決別することを求めた、グローバル・サウスからの先進国への呼びかけなのである。つまり、帝国的生産様式に挑むグローバルな連帯を求めているのだ。

このことは、「息ができない！」（We Can't Breathe!）という環境運動の標語が、「ブラック・ライブズ・マター」のスローガン（I Can't Breathe!）を踏襲しているものであることからもわかる。「息ができない！」は、二〇一四年にニューヨーク在住の黒人エリック・ガーナーが警官によって首を絞められ殺された際に、最後に発せられた言葉だったのだ。

南アフリカの環境運動は、同様の暴力がかの地でも日々繰り返されていることを告発する。さらには、奴隷貿易に端を発する帝国主義と人種差別の問題を気候変動問題につなげ、気候正義の文脈へと拡張するのである。

人権、気候、ジェンダー、そして資本主義。すべての問題はつながっているのだ。

このような呼びかけは、南アフリカからだけではない。世界中のさまざまな運動が、このような呼びかけを行っている。私たちは気づいていない、あるいは気づいても無視しているだけだ。だが、この呼びかけに応えなくては、気候正義を実現することはけっしてできない。

晩年のマルクスは、イングランドによるアイルランドの植民地支配を批判しながら、イングランドの労働者たちは、アイルランドの抑圧された人々と連帯しなくてはならないと述べた。そして、後者が解放されなければ、前者もけっして解放されないという意味で、革命の「梃子」はアイルランドにあると言い切ったのだ[8]。

まったく同じように、現代においては、グローバル・サウスにこそ、革命の「梃子」がある。果たして連帯は可能だろうか。

▼気候正義という「梃子」

実は、本章の冒頭で見たバルセロナの気候非常事態宣言は、まさにそのようなグローバル・サウスからの呼びかけに対する応答の試みのひとつなのである。ここで興味深いのは、呼びかけへの応答という行為が、実質的な「脱成長」経済への転換を迫るということである。

先に指摘したように、バルセロナの気候非常事態宣言は、先進国が排出する二酸化炭素による気候変動のせいで、途上国の、社会的に立場の弱い人々が大きな被害を受けることの不公正さをはっきりと認めている。そのうえで、先進国の大都市の責任を明示し、自国民だけでなく、真の意味で、「誰も取り残されない」という気候正義の目標を掲げている。

マルクスが非西欧・前資本主義社会から「脱成長」の理念を取り入れたように、バルセロナはグローバル・サウスから気候正義を取り入れたのだ。それが、あの革新的な気候非常事態宣言へとつながったのである。いわば、バルセロナは気候正義を革命の「梃子」にしようとしている。

なぜ気候正義が、そこまで重要なのだろうか。ここで、第二章や第五章の議論を思い出してほしい。トーマス・フリードマン、ジェレミー・リフキン、そしてアーロン・バスターニも、持続可能な経済への転換を訴えかけていた。だが、最終的には、経済成長を優先することで、周辺部からの収奪を強化することになってしまっている。

彼らに根本的に欠けているのは、グローバル・サウスへの視点である。いや、より正確にいえば、グローバル・サウスから学ぶ姿勢である。

先進国は、これまでも経済発展と環境問題を両立させてきたし、これからも両立できるように見える。だが、第一章でも見たように、その背後では、さまざまな問題がグローバル・サウスに転嫁され、不可視化されてきただけだった。だから、先進国と同じ方法で経済と環境の両立をグローバル・サウスでやろうとしても、うまくいくはずがない。もはや転嫁するところがどこにもないからである。現代の気候危機は、そのような外部化社会の究極的限界を端的に表している。

　フリードマンやバスターニのように、この危機から目を背け、デカップリングと資本主義の非物質的転回がすべてを解決するかのように吹聴することもできる。だが、気候正義という概念を真剣に受け止め、グローバル・サウスに目を向け、そこでの取り組みから学ぼうとすることもできる。そうすれば、持続可能なだけでなく、公正な社会を作るのに、なにが本当に必要なのかを考え始めることができるのだ。

▼脱成長を狙うバルセロナ

　もちろん、バルセロナも、太陽光発電や電気バスの導入など、大胆なインフラ改革を掲げている。反緊縮政策による財政出動も必要となる。だが、気候正義という観点を踏まえれば、この大改革は、グローバル・サウスの人々や自然環境を犠牲にするものであってはならない。そして、犠牲を生まないためには、資本主義の経済成長に終止符を打つ必要がある。

　だからこそ、「緑の経済成長」を掲げる代わりに、バルセロナの宣言は「恒常的な成長と利潤獲得のための終わりなき競争」をはっきりと批判したのである。

要するに、フリードマンらの「グリーン・ニューディール」とバルセロナの「気候非常事態宣言」の違いは、究極的には、「経済成長型」と「脱成長型」の違いである。グローバル・サウスから学ぶ姿勢を取り入れることによってこそ、持続可能な将来社会のビジョンはまったく違ったものになるのだ。

このバルセロナのやり方こそ、晩期マルクスと同じ歩みではないか。グローバル・サウスから学びながら、新しい国際的連帯の可能性を切り拓く。そうすることで、経済成長という生産力至上主義を捨て、「使用価値」を重視する社会のビジョンが生まれてくるのである。

▼従来の左派の問題点

バルセロナの目指す気候正義と比べると、結局、従来のマルクス主義が成長の論理にとらわれ続けてきたことがよくわかる。社会主義は、搾取をなくそうとした。だが、資本主義で実現された物質的な潤沢さを自国の労働者階級のために使うような社会を志してきたのだ。

そうやって実現される将来社会というのは、資本家がいないというだけで、あとはそれほど今の社会と変わらない。実際、ソ連の場合は、官僚が国営企業を管理しようとして、結果的には、「国家資本主義」と呼ぶべき代物になってしまった。

これでは、「人新世」の危機を前にして、マルクス主義は真にラディカルな対案を出すことはできない。資本主義の矛盾がこれほどまで深まっているにもかかわらず、マルクス主義の衰退が止まらないのはそのせいだ。

たしかに、左派が現在、抵抗しようとしている新自由主義は、より激しい労働者からの搾取を意味している。その新自由主義のなかでも、とりわけ緊縮政策は、社会保障費の削減、非正規雇用の増大による賃金低下、民営化による公共サービスの解体などを推進し、私たちの生活の質を低下させてきた。

だからといって、労働者たちに富を回そうと、反緊縮を掲げ、より多くの公共投資や再分配を行うよう、国家に要求すればいいのだろうか。もちろん、長期停滞を乗り越えることができて、景気が良くなれば、現状よりはマシになる。

だが、反緊縮を訴えるだけでは、自然からの収奪は止まらない。経済を回すだけでは「人新世」の危機は乗り越えられないのだ。

▼「ラディカルな潤沢さ」のために

そして、既存の左派の思考にはもうひとつ問題がある。反緊縮派の人々は、新自由主義の緊縮政策こそが希少性の原因だとみなしているのである。もしその思考が正しければ、財政出動によってより多くを生産し、さらなる蓄積を求め、経済成長することで、潤沢さをもたらすことが可能だということになる。だが、これは資本主義に親和的な思考法である。つまり、一見すると革新的な左派の対案の内実は、「今までどおり」の仕組みを維持しようとする保守的な思想なのである。

しかしその程度の改革では、足りない。新自由主義ではなく、資本主義こそが希少性の原因だからだ。それゆえ気候危機の時代には、政策の転換よりもさらにもう一歩進んで、社会システムの転換を志す必要がある。資本主義から抜け出し、脱成長を実現することで得られる「ラディカルな潤沢さ」こそ、晩期マルクスからの真の対案なのである。

▼時間稼ぎの政治からの決別

だから、本書では、〈コモン〉に注目しながら、生産の場における変革の可能性を考察してきた。そして、政策や法律、制度変更だけに頼る社会変革の道を、トップダウン型の

「政治主義」として批判した。そして、政治は経済に対して自律的ではなく、他律的だとも述べた（二一五頁参照）。

トップダウン型の政治主義の問題点として、とりわけ強調しておきたいのが、政治の選択肢の可能性が大きく狭められている現状だ。本書を通じて見てきたように、「緑の経済成長」を目指すグリーン・ニューディールも、ジオエンジニアリングのような夢の技術も、ＭＭＴのような経済政策も、危機を前にして常識破りの大転換を要求する裏では、その危機を生み出している資本主義という根本原因を必死に維持しようとしている。これが究極の矛盾である。

そのような政治にできることは、せいぜい問題解決の先送りにすぎない。だが、現在の地球環境においては、まさにこの時間稼ぎが致命傷となる。見せかけだけの対策に安心して人々が危機について真剣に考えることをやめてしまうのが、一番危険なのである。同じ理由から、国連のＳＤＧｓは批判されないといけない。中途半端な解決策ではなく、石油メジャー、大銀行、そしてＧＡＦＡのようなデジタル・インフラの社会的所有こそが必要なのだ。要するに、革命的なコミュニズムへの転換が求められているのだ。

ただ、ここで政治家を責めてもしょうがないだろう。気候変動対策をしても、グローバル・サウスの人々や未来の子どもたちは投票してくれないからである。政治家は、次の選挙よりも先の問題を考えることができない生き物なのだ。さらに、大企業からの献金やロビイングも政治家たちの大胆な意思決定を妨げている。したがって、気候危機に立ち向かうためには、民主主義そのものを刷新していかねばならない。

▼経済、政治、環境の三位一体の刷新を

民主主義の刷新はかつてないほど重要になっている。気候変動の対処には、国家の力を使うことが欠かせないからである。

本書では、〈コモン〉、つまり、私的所有や国有とは異なる生産手段の水平的な共同管理こそが、コミュニズムの基盤になると唱えてきた。だが、それは、国家の力を拒絶することを意味しない。むしろ、インフラ整備や産業転換の必要性を考えれば、国家という解決手段を拒否することは愚かでさえある。国家を拒否するアナーキズムは、気候危機に対処できない。だが、国家に頼りすぎることは、気候毛沢東主義に陥る危険性を孕んでいる。だからこそ、コミュニズムが唯一の選択肢なのである。

その際、専門家や政治家たちのトップダウン型の統治形態に陥らないようにするために

は、市民参画の主体性を育み、市民の意見が国家に反映されるプロセスを制度化していくことが欠かせない。

そのためには、国家の力を前提にしながらも、〈コモン〉の領域を広げていくことによって、民主主義を議会の外へ広げ、生産の次元へと拡張していく必要がある。協同組合、社会的所有や「〈市民〉営化」がその一例だ（第六章参照）。

同時に、議会民主主義そのものも大きく変容しなくてはならない。すでに見たように、地方自治体のレベルでは、ミュニシパリズムこそがそのような試みである（三三八頁参照）。そして、国家のレベルでは、「市民議会」がもう一つのモデルとなる（二一五頁参照）。

生産の〈コモン〉化、ミュニシパリズム、市民議会。市民が主体的に参画する民主主義が拡張すれば、どのような社会に住みたいかをめぐって、もっと根本的な議論を開始できるようになるだろう。つまり、働くことの意味、生きることの意味、自由や平等の意味をめぐって、オープンな形で、一から議論できるようになるはずだ。

意味を根本から問い直し、今、「常識」とみなされているものを転覆していく。この瞬間にこそ、既存の枠組みを超えていくような、真に「政治的なもの」が顕在化する。それこそが、「資本主義の超克」、「民主主義の刷新」、「社会の脱炭素化」という、三位一体のプロジェクトだ。経済、政治、環境のシナジー効果が増幅していくことで、社会システムの大転換を迫るのである。

▼持続可能で公正な社会への跳躍

そして、このプロジェクトの基礎となるのが、信頼と相互扶助である。なぜなら、信頼と相互扶助のない社会では、非民主的トップダウン型の解決策しか出てこないからだ。

ところが、新自由主義によって、相互扶助や他者への信頼が徹底的に解体された後の時代に私たちはいる。だとしたら、結局は、顔の見える関係であるコミュニティや地方自治体をベースにして信頼関係を回復していくしか道はない。

そんな地道な活動では間に合わないと焦る人もいるかもしれない。だが、ここでの希望は、一見ローカルに見えるコミュニティや地方自治体、社会運動が、いまや世界中の仲間とつながっているということだ。現代のグローバル資本主義に対抗するべく、多様なローカル運動が、世界中の運動とのつながりを構築し始めているのである。「希望をグローバル化するためにたたかいをグローバル化しよう」[9]、これはヴィア・カンペシーナのメッセージだ。

そして、そのような国際的連帯によって、資本と対峙する経験は、人々にさらなる力を与え、価値観を変えていく。人々の想像力は大きく広がっていき、今までであれば、思いつきもしなかったことを考え、行動に移すことができるようになる。

コミュニティや社会運動がどんどん動けば、政治家もより大きな変化に向けて動くことを恐れなくなる。バルセロナの市政やフランスの市民議会の例が象徴的である。

そうなれば、社会運動と政治の相互作用は促進されていく。そのときにこそ、ボトムアップ型の社会運動とトップダウン型の政党政治は、お互いの力を最大限に発揮できるようになるはずだ。「政治主義」とはまったく異なる民主主義の可能性が開けてくる。

ここまでくれば、無限の経済成長という虚妄とは決別し、持続可能で公正な社会に向けた跳躍がついに実現するだろう。閉ざされていた扉が開くのだ。

もちろん、この大きな跳躍の着地点は、相互扶助と自治に基づいた脱成長コミュニズムである。

おわりに――歴史を終わらせないために

マルクスで脱成長なんて正気か――。そういう批判の矢が四方八方から飛んでくることを覚悟のうえで、本書の執筆は始まった。

左派の常識からすれば、マルクスは脱成長など唱えていないということになっている。右派は、ソ連の失敗を懲りずに繰り返すのか、と嘲笑するだろう。さらに、「脱成長」という言葉への反感も、リベラルのあいだで非常に根強い。

それでも、この本を書かずにはいられなかった。最新のマルクス研究の成果を踏まえて、気候危機と資本主義の関係を分析していくなかで、晩年のマルクスの到達点が脱成長コミュニズムであり、それこそが「人新世」の危機を乗り越えるための最善の道だと確信したからだ。

本書を最後まで読んでくださった方なら、人類が環境危機を乗り切り、「持続可能で公正な社会」を実現するための唯一の選択肢が、「脱成長コミュニズム」だということに、納得してもらえたのではないか。

前半部分で仔細に検討したように、ＳＤＧｓもグリーン・ニューディールも、そしてジオエンジニアリングも、気候変動を止めることはできない。「緑の経済成長」を追い求める「気候ケインズ主義」は、「帝国的生活様式」と「生態学的帝国主義」をさらに浸透させる結果を招くだけである。その結果、不平等を一層拡大させながら、グローバルな環境危機を悪化させてしまうのだ。

資本主義が引き起こしている問題を、資本主義という根本原因を温存したままで、解決することなどできない。解決の道を切り拓くには、気候変動の原因である資本主義そのものを徹底的に批判する必要がある。

しかも、希少性を生み出しながら利潤獲得を行う資本主義こそが、私たちの生活に欠乏をもたらしている。資本主義によって解体されてしまった〈コモン〉を再建する脱成長コミュニズムの方が、より人間的で、潤沢な暮らしを可能にしてくれるはずだ。

それでも資本主義を延命させようとするなら、気候危機がもたらす混乱のなか、社会は野蛮状態に逆戻りすることを運命づけられている。冷戦終結直後にフランシス・フクヤマは、「歴史の終わり」を唱え、ポストモダンは、「大きな物語」の失効を宣言した。だが、その後の三〇年間で明らかになったように、資本主義を等閑視した冷笑主義の先に待っているのは、「文明の終わり」という形での、まったく予期せぬ「歴史の終わり」である。だからこそ、私たちは連帯して、資本に緊急ブレーキをかけ、脱成長コミュニズムを打ち立てなければならないのである。

＊

ただ、そうはいっても、私たちは資本主義の生活にどっぷりつかって、それに慣れ切ってしまっている。本書で掲げられた理念や内容には、大枠で賛同してくれても、システムの転換というあまりにも大きな課題を前になにをしていいかわからず、途方に暮れてしまう人が多いだろう。

もちろん、資本主義と、それを牛耳る一％の超富裕層に立ち向かうのだから、エコバッグやマイボトルを買うというような簡単な話ではない。困難な「闘い」になるのは間違いない。そんなうまくいくかどうかもわからない計画のために、九九％の人たちを動かすなんて到底無理だ、としり込みしてしまうかもしれない。

しかし、ここに「三・五%」という数字がある。なんの数字かわかるだろうか。ハーヴァード大学の政治学者エリカ・チェノウェスらの研究によると、「三・五%」の人々が非暴力的な方法で、本気で立ち上がると、社会が大きく変わるというのである。[1]

フィリピンのマルコス独裁を打倒した「ピープルパワー革命」(一九八六年)、大統領のエドアルド・シェワルナゼを辞任に追い込んだグルジアの「バラ革命」(二〇〇三年)は、「三・五%」の非暴力的な市民不服従がもたらした社会変革の、ほんの一例だ。

そして、ニューヨークのウォール街占拠運動も、バルセロナの座り込みも、最初は少人数で始まった。グレタ・トゥーンベリの学校ストライキなど「たったひとり」だ。「1% vs. 99%」のスローガンを生んだウォール街占拠運動の座り込みに本格的に参加した数も、入れ代わり立ち代わりで、数千人だろう。

それでも、こうした大胆な抗議活動は、社会に大きなインパクトをもたらした。デモは数万~数十万人規模になる。SNSでその動画は数十万~数百万回拡散される。そうなると、選挙では、数百万の票になる。これぞ、変革の道である。

資本主義と気候変動の問題に本気で関心をもち、熱心なコミットメントをしてくれる人々を三・五%集めるのは、なんだかできそうな気がしてこないだろうか。それどころか、資本主義の格差や環境破壊に怒り、将来の世代やグローバル・サウスのために闘う想像力をもって、一緒に闘ってくれそうな人は、日本なら、もっといてもおかしくないくらいだ。そうした人たちが、今はさまざまな理由から動けないほかの人の分まで、大胆な決意とともに、まずアクションを起こしていく。

ワーカーズ・コープでもいい、学校ストライキでもいい、有機農業でもいい。地方自治体の議員を目指すのだっていい。環境NGOで活動するのも大切だ。仲間と市民電力を始めてもいい。もちろん、今所属している企業に厳しい環境対策を求めるのも、大きな一歩となる。労働時間の短縮や生産の民主化を実現するなら、労働組合しかない。

そのうえで、気候非常事態宣言に向けて署名活動もすべきだし、富裕層への負担を求める運動を展開していく必要もある。そうやって、相互扶助のネットワークを発展させ、強靱なものに鍛え上げていこう。

すぐにやれること・やらなくてはならないことはいくらでもある。だから、システムの変革という課題が大きいことを、なにもしないことの言い訳にしてはいけない。一人ひとりの参加が三・五%にとっては決定的に重要なのだから。

これまで私たちが無関心だったせいで、一％の富裕層・エリート層が好き勝手にルールを変えて、自分たちの価値観に合わせて、社会の仕組みや利害を作りあげてしまった。

けれども、そろそろ、はっきりとしたＮＯを突きつけるときだ。冷笑主義を捨て、九九％の力を見せつけてやろう。そのためには、まず三・五％が、今この瞬間から動き出すのが鍵である。その動きが、大きなうねりとなれば、資本の力は制限され、民主主義は刷新され、脱炭素社会も実現されるに違いない。

＊

本書の冒頭で「人新世」とは、資本主義が生み出した人工物、つまり負荷や矛盾が地球を覆った時代だと説明した。ただ、資本主義が地球を壊しているという意味では、今の時代を「人新世」ではなく、「資本新世」と呼ぶのが正しいのかもしれない。

けれども、人々が力を合わせて連帯し、資本の専制から、この地球という唯一の故郷を守ることができたなら、そのときには、肯定的にその新しい時代を「人新世」と呼べるようになるだろう。本書は、その未来に向けた一筋の光を探り当てるために、資本について徹底的に分析した「人新世の資本論」である。

もちろん、その未来は、本書を読んだあなたが、三・五%のひとりとして加わる決断をするかどうかにかかっている。

註

日本語の文献及び翻訳書の引用文には、表記や表現を筆者が適宜改めた箇所がある。
引用文中の［　］は、筆者による補足である。

マルクスからの翻訳は、次のような略称を用いて、巻数と頁数を記載した。
『全集』――大内兵衛・細川嘉六監訳『マルクス＝エンゲルス全集』（大月書店）
『資本論草稿集』――資本論草稿集翻訳委員会訳『マルクス資本論草稿集』（大月書店）
『資本論』――資本論翻訳委員会訳『資本論』（新日本出版社）

第１章

1　Jason Hickel, "The Nobel Prize for Climate Catastrophe," *Foreign Policy*: https://foreignpolicy.com/2018/12/06/the-nobelprize-for-climate-catastrophe/(last access on 2020.5.15).

2　William D. Nordhaus, "To Slow or Not to Slow: The Economics of The Greenhouse Effect," *The Economic Journal* 101, no. 407 (1991): 920-937.

3　ウィリアム・ノードハウス『気候カジノ――経済学から見た地球温暖化問題の最適解』藤崎香里訳、日経ＢＰ社、二〇一五年、九七頁。この本の議論からもわかるように、ノードハウスは、後になって、もう少し気温上昇の制約を厳しくするようになっているが、それでも一・五℃～二℃という一般的なラインからは程遠い、二℃～三℃を目標としている。さらに二℃目標は「それほど科学的ではない」とまで言っている（二五二頁）。

4　Nina Chestney, "Climate policies put world on track for 3.3C warming: study," *Reuters*: https://www.reuters.com/article/us-climate-changeaccord-warming/climate-policies-put-world-on-track-for-3-3cwarming-study-idUSKBNIOA0Z2 (last access on 2020.5.15).

5　Climate Central, "New Report and Maps: Rising Seas Threaten Land Home to Half a Billion": https://sealevel.climatecentral.org/news/global-mapping-choices (last access on 2020.6.30)

6　Ulrich Brand and Markus Wissen, *Imperiale Lebensweise: Zur Ausbeutung von Mensch und Natur im Globalen Kapitalismus* (Munich: oekom, 2017), 64-65.

7　映画「THE TRUE COST」が一連の問題を知るのに適している。

8　Stephan Lessenich, *Neben uns die Sintflut: Wie wir auf Kosten anderer leben* (Munich: Piper, 2018), 166.

9　水野和夫『資本主義の終焉と歴史の危機』集英社新書、二〇一四年。

10　もちろん、ウォーラーステインから影響を受けて、さまざまな論者が自然からの収奪の問題を分析してきた。そのひとつがブラジル・アマゾンの問題を扱ったステファン・G・バンカーの古典的名作である。Stephen G. Bunker, "Modes of Extraction, Unequal Exchange, and the Progressive Underdevelopment of an Extreme Periphery: The Brazilian Amazon, 1600-1980," *American Journal of Sociology* 89, no. 5 (1984): 1017-1064. その後、このアプローチは、「生態学的不等価交換」(ecologically unequal exchange)

として展開されている。代表的なものとしては、以下を挙げておく。Alf Hornborg, "Towards an ecological theory of unequal exchange: Articulating world system theory and ecological economics," *Ecological Economics* 25, no.1 (1998): 127-136; Andrew K. Jorgenson & James Rice, "Structural Dynamics of International Trade and Material Consumption: A Cross-National Study of the Ecological Footprints of Less-Developed Countries," *Journal of World-Systems Research* 11, no.1 (2005): 57-77.

11　マルクス・ガブリエル、マイケル・ハート、ポール・メイソン、斎藤幸平『資本主義の終わりか、人類の終焉か？―未来への大分岐』集英社新書、二〇一九年、一五六～一五七頁。

12　ポール・エーリック、アン・エーリック『人口が爆発する！―環境・資源・経済の視点から』水谷美穂訳、新曜社、一九九四年、三六頁。

13　グレタのCOP24での演説の日本語全文は、以下のニュースサイトに掲載されている。https://www.cnn.co.jp/world/35130247.html (last access on 2020.5.15).

14　デイビッド・ウォレス・ウェルズ『地球に住めなくなる日―「気候崩壊」の避けられない真実』藤井留美訳、NHK出版、二〇二〇年、一一頁。

15　二〇一九年四月二三日、英国議会での講演から。https://www.theguardian.com/environment/2019/apr/23/greta-thunberg-full-speech-to-mps-you-did-not-act-in-time (last access on 2020.5.15).

16　斎藤幸平『大洪水の前に―マルクスと惑星の物質代謝』堀之内出版、二〇一九年、第四章。

17　"Researchers dramatically clean up ammonia production and cut costs": https://phys.org/news/2019-04-ammonia-production.html (last access on 2020.5.15).

18　Fredrick B. Pike, *The United States and the Andean Republics: Peru, Bolivia, and Ecuador* (Cambridge MA: Harvard University Press, 1977), 84.

19　「生態学的帝国主義」はアルフレッド・W・クロスビーの用語として有名であるが、ここで依拠しているのは以下の論考である。Brett Clark and John Bellamy Foster, "Ecological Imperialism and the Global Metabolic Rift: Unequal Exchange and the Guano/ Nitrates Trade," *International Journal of Comparative Sociology* 50, no. 3-4 (2009): 311-334. 藤原辰史『稲の大東亜共栄圏―帝国日本の〈緑の革命〉』（吉川弘文館、二〇一二年）も「生態学的帝国主義」の概念を用いて、クロスビーとの差異を論じているが、クラークとフォスターも、どちらかといえば、藤原の立場に近い。

20　森さやか「コロナがもたらす人道危機」「世界」二〇二〇年六月号、一四〇～一四一頁。

21　ビル・マッキベン『ディープエコノミー―生命を育む経済へ』大槻敦子訳、英治出版、二〇〇八年、三〇頁。

22　"Auf der Flucht vor dem Klima?," *FAZ*. https://www.faz.net/aktuell/wissen/klima/gibt-es-schon-heute-klimafluechtlinge-14081159-p3.html (last access on 2020.5.15).

23　"The unseen driver behind the migrant caravan: climate change," *The Guardian*: https://www.theguardian.com/world/2018/oct/30/migrant-caravan-causes-climate-change-central-america (last access on 2020.5.15).

24　イマニュエル・ウォーラーステインほか『資本主義に未来はあ

るか―歴史社会学からのアプローチ』若森章孝・若森文子訳、唯学書房、二〇一九年、三七頁。

25 イマニュエル・ウォーラーステイン『入門・世界システム分析』山下範久訳、藤原書店、二〇〇六年、一八五頁。

第二章

1 トーマス・フリードマン『グリーン革命 増補改訂版（上・下）』伏見威蕃訳、日本経済新聞出版社、二〇一〇年、下・三三一頁。

2 The New Climate Economy, *Unlocking the Inclusive Growth Story of the 21st Century: Accelerating Climate Action in Urgent Times*, 10: https://newclimateeconomy.report/2018/wp-content/uploads/sites/6/2019/04/NCE_2018Report_Full_FINAL.pdf（last access on 2020.5.15）.

3 ヨハン・ロックストローム、マティアス・クルム『小さな地球の大きな世界―プラネタリー・バウンダリーと持続可能な開発』谷淳也ほか訳、丸善出版、二〇一八年、七九頁。

4 Johan Rockström, "Önsketänkande med grön tillväxt–vi måste agera," *Svenska Dagbladet*: https://www.svd.se/onsketankande-med-gron-tillvaxt--vi-maste-agera/av/jchan-rockstrom（last access on 2020.5.15）.

5 Cameron Hepburn and Alex Bowen, "Prosperity with growth: Economic growth, climate change and environmental limits," in Roger Fouquet（ed.）, *Handbook on Energy and Climate Change*（Cheltenham: Edward Elgar Publishing 2013）, 632.

6 Peter A. Victor, *Managing without Growth: Slower by Design, not Disaster* 2nd ed.（Cheltenham: Edward Elgar Publishing, 2019）, 15.

7 以下の論文も参照のこと。Jason Hickel and Giorgos Kallis, "Is Green Growth Possible?" *New Political Economy*（2019）, 9.

8 ノードハウス『気候カジノ』前掲書、三一頁。

9 Tim Jackson, *Prosperity without Growth: Foundations for the Economy of Tomorrow* 2nd ed.（London: Routledge, 2017）, 87, 102. 第一版には邦訳も存在する。ティム・ジャクソン『成長なき繁栄』田沢恭子訳、一灯舎、二〇一二年。

10 Ibid., 92.

11 ジェレミー・リフキン『グローバル・グリーン・ニューディール―2028年までに化石燃料文明は崩壊、大胆な経済プランが地球上の生命を救う』幾島幸子訳、NHK出版、二〇二〇年。

12 "Climate crisis: 11,000 scientists warn of 'untold suffering'," *The Guardian*: https://www.theguardian.com/environment/2019/nov/05/climate-crisis-11000-scientists-warn-of-untold-suffering（last access on 2020.5.15）.

13 Kevin Anderson, "Response to the IPCC 1.5℃ Special Report": http://blog.policy.manchester.ac.uk/posts/2018/10/response-to-the-ipcc-1-5c-special-report/（last access on 2020.5.15）.

14 Kate Aronoff et al., *A Planet to Win: Why We Need a Green New Deal*（London: Verso, 2019）, 148-149.

15 アムネスティ・インターナショナル「命を削って掘る鉱石―コンゴ民主共和国における人権侵害とコバルトの国際取引」: https://www.amnesty.or.jp/library/report/pdf/drc_201606.pdf（last access on 2020.5.15）.

16 "Apple and Google named in US lawsuit over Congolese child cobalt mining deaths," *The Guardian*: https://www.theguardian.com/global-development/2019/dec/16/apple-and-google-named-in-us-lawsuit-over-congolese-child-cobalt-mining-deaths（last

access on 2020.5.15).

17 Thomas O. Wiedmann et al., "The Material Footprint of Nations," *Proceedings of the National Academy of Sciences of the United States of America* 112, no. 20 (2015): 6271-6276.

18 Victor, *Managing without Growth*, op. cit., 109.

19 *The Circularity Gap Report 2020*: https://www.circularity-gap.world/2020 (last access on 2020.5.15).

20 Samuel Alexander and Brendan Gleeson, *Degrowth in the Suburbs: A Radical Urban Imaginary* (New York: Palgrave Macmillan, 2019), 77. 二酸化炭素排出量が減らない理由のひとつが、途上国の経済発展によってガソリン車が今後さらに増大するからである。

21 ギョーム・ピトロン『レアメタルの地政学―資源ナショナリズムのゆくえ』児玉しおり訳、原書房、二〇二〇年、四三頁。

22 Kevin Anderson and Glen Peters, "The trouble with negative emissions," *Science* 354, issue 6309 (2016): 182-183. 日本語で読める批判としては、バーツラフ・シュミル『エネルギーの不都合な真実―原発、バイオ燃料、太陽光・風力発電、天然ガス どの選択が正しいのか』立木勝訳、エクスナレッジ、二〇一二年、第五章を参照。

23 パタゴニアの映画「ARTIFISHAL（アーティフィッシャル）」のサブタイトルより。

24 Vaclav Smil, *Growth: From Microorganisms to Megacities* (Cambridge, MA: The MIT Press, 2019), 511. 「ガーディアン」紙のインタビューでは、シュミルは明確に「成長は終わらなくてはならない」と述べている。https://www.theguardian.com/books/2019/sep/21/vaclav-smil-interview-growth-must-end-economists (last access on 2020.5.15). シュミルの膨大なデータに裏付けられた議論を、リフキンや諸富徹『資本主義の新しい形』（岩波書店、二〇二〇年）の「非物質化」や「デカップリング」をめぐる楽観的な議論と比較してほしい。

25 Jackson, *Prosperity without Growth*, op. cit., 143.

26 ナオミ・クライン『これがすべてを変える―資本主義vs.気候変動（上・下）』幾島幸子・荒井雅子訳、岩波書店、二〇一七年、上・一二六頁。

第三章

1 代表的な批判としては、Jason Hickel, *The Divide: A Brief Guide to Global Inequality and its Solutions* (London: Windmill Books, 2018) がある。エコロジカルな視点からの批判は、ハーマン・E・デイリー『持続可能な発展の経済学』新田功ほか訳、みすず書房、二〇〇五年、八頁。

2 ケイト・ラワース『ドーナツ経済学が世界を救う―人類と地球のためのパラダイムシフト』黒輪篤嗣訳、河出書房新社、二〇一八年、五五～六四頁。

3 Daniel W. O'Neill et al., "A good life for all within planetary boundaries," *Nature Sustainability* 1 (2018): 88-95.

4 Kate Raworth, "A Safe and Just Space for Humanity," *Oxfam Discussion Paper* (2012), 19. とはいえ、一・二五ドル／日という貧困ラインの数値が低すぎるという意見もあるだろう。ラワースの挙げている数値は二〇一二年のものであるが、その後、世界銀行は、貧困ラインを一・九ドル／日に改定した。もちろん、それでも足りずに、一〇ドル／日にしないと意味がないという批判もある。当然、この貧困ラインを上げていけばいくほど、問題解決に必要な追加の環境負荷は増大していくため、ドーナツ経済を実現するための困難さは増していく。

5 「世界の平均寿命ランキング・男女国別順位、WHO 2018年版」、*MEMORVA*: https://memorva.jp/ranking/unfpa/who_whs_life_expectancy.php (last access on 2020.5.15).

6 O'Neill et al., "A good life for all within planetary boundaries," op. cit., 92.

7 Joel Wainwright and Geoff Mann, *Climate Leviathan: A Political Theory of Our Planetary Future* (London: Verso, 2018) でも、四種類の未来が論じられている。

8 ヴォルフガング・シュトレーク『時間かせぎの資本主義―いつまで危機を先送りできるか』鈴木直訳、みすず書房、二〇一六年、五五～五六頁。

9 「中日新聞」二〇一七年二月一一日朝刊、「考える広場」における上野千鶴子の発言。

10 実際、エリザベス・ウォーレンは中道的なグリーン・ニューディールで選挙を戦おうとして、失敗した。中途半端な解決策はジェネレーション・レフトの支持を集めることができなかったのである。ジェネレーション・レフトについては、Keir Milburn, *Generation Left* (Cambridge: Polity, 2019) を参照。

11 新世代の議論のまとめとしては、Giacomo D'Alisa et al. (ed.), *Degrowth: A Vocabulary for a New Era* (London: Routledge, 2015) が役に立つ。

12 セルジュ・ラトゥーシュ『経済成長なき社会発展は可能か?―〈脱成長〉と〈ポスト開発〉の経済学』中野佳裕訳、作品社、二〇一〇年、二四六頁。

13 広井良典『定常型社会―新しい「豊かさ」の構想』岩波新書、二〇〇一年、一六二～一六三頁。

14 佐伯啓思『経済成長主義への訣別』新潮社、二〇一七年、七九頁、三三頁。

15 ジョセフ・E・スティグリッツ『スティグリッツ PROGRESSIVE CAPITALISM』山田美明訳、東洋経済新報社、二〇二〇年。

16 スラヴォイ・ジジェク『絶望する勇気―グローバル資本主義・原理主義・ポピュリズム』中山徹・鈴木英明訳、青土社、二〇一八年、六八～七〇頁。

17 広井良典『ポスト資本主義―科学・人間・社会の未来』岩波新書、二〇一五年、v頁。最近では相沢幸悦『定常型社会の経済学―成長・拡大の呪縛からの脱却』(ミネルヴァ書房、二〇二〇年)でも、同じような主張がなされている。

18 ラワース『ドーナツ経済学が世界を救う』前掲書、六九頁。

19 水野『資本主義の終焉と歴史の危機』前掲書、一八〇頁。

第四章

1 アントニオ・ネグリ、マイケル・ハート『〈帝国〉―グローバル化の世界秩序とマルチチュードの可能性』水嶋一憲ほか訳、以文社、二〇〇三年、三八九頁。

2 宇沢弘文『社会的共通資本』岩波新書、二〇〇〇年、五頁。

3 Karl Marx, *Das Kapital* Band I, in *Marx-Engels-Werke* Band 23 (Berlin: Dietz Verlag 1972), 791.

4 ジジェク『絶望する勇気』前掲書、二三頁。

5 デヴィッド・グレーバー『官僚制のユートピア―テクノロジー、構造的愚かさ、リベラリズムの鉄則』酒井隆史訳、以文社、二〇一七年、二一七～二一八頁。

6 カール・マルクス、フリードリヒ・エンゲルス『共産党宣言』森田成也訳、光文社古典新訳文庫、二〇二〇年、六二～六三頁。

7　『資本論』第一巻、三〇四頁。
8　Karl Marx, *Marx-Engels-Gesamtausgabe*, II. Abteilung Band 4.2 (Berlin: Dietz Verlag, 1993), 752-753. 『資本論』第三巻、一四二一頁。この箇所は、マルクスの草稿と現行版の『資本論』で文章が違うので、草稿を参照して、訳を変更してある。
9　『資本論』第一巻、八六八頁。
10　斎藤『大洪水の前に』前掲書、第五章。
11　『全集』第三二巻、四五頁。
12　例えば、Suniti Kumar Ghosh, "Marx on India," *Monthly Review* 35, no. 8 (1984): 39-53.
13　『資本論』第一巻、一〇頁、傍点引用者。
14　エドワード・サイード『オリエンタリズム（上・下）』今沢紀子訳、平凡社ライブラリー、一九九三年、上・三五一～三五三頁、傍点引用者。
15　『全集』第九巻、一二七頁。
16　『全集』第九巻、二一三頁。
17　『資本論草稿集』⑥、一六〇～一六一頁。こうした発言は、全体主義の肯定としても読めてしまう。
18　『全集』第一九巻、三九二頁。
19　『全集』第四巻、五九三頁。
20　ケヴィン・B・アンダーソン『周縁のマルクス――ナショナリズム、エスニシティおよび非西洋社会について』平子友長監訳、社会評論社、二〇一五年、三四九頁。
21　例えば、和田春樹『マルクス・エンゲルスと革命ロシア』勁草書房、一九七五年。英語圏では、Teodor Shanin (ed.), *Late Marx and the Russian Road: Marx and 'the peripheries of capitalism'* (New York: Monthly Review Press, 1983) がある。
22　Georg Ludwig von Maurer, *Geschichte der Dorfverfassung in Deutschland* (Erlangen: Ferdinand Enke, 1865), 313.
23　『全集』第三二巻、四三頁。
24　『全集』第三二巻、四四頁。
25　『資本論』第三巻、一四五四頁。
26　『全集』第一九巻、三八九頁。
27　『全集』第一九巻、二三八頁。
28　MEGA I/25. S. 220. 『全集』第一九巻、三九三頁。
29　『全集』第一九巻、二一一頁。
30　例えば、G. A. Cohen, *Self-Ownership, Freedom, and Equality* (Cambridge: Cambridge University Press, 1995), 10.
31　『資本論』第三巻、一四二〇頁、傍点引用者。
32　『全集』第一九巻、三九三頁。
33　『全集』第一九巻、二一一頁、傍点引用者。この指摘は佐々木隆治氏に負っている。今後この時期のノートを精査し、主張を裏づける必要があるだろう。

第五章

1　Aaron Bastani, *Fully Automated Luxury Communism: A Manifesto* (London: Verso, 2019), 38.
2　Bruno Latour, "Love Your Monsters: Why We Must Care for Our Technologies as We Do Our Children," *Breakthrough Journal* no. 2 (2011): 19-26.
3　Nick Srnicek and Alex Williams, *Inventing the Future: Postcapitalism and a World Without Work* (London: Verso, 2015), 15.
4　Bastani, *Fully Automated Luxury Communism*, op. cit., 195.
5　「政治主義」については、前掲『未来への大分岐』第一部第二章を参照のこと。

6　市民議会の動向については、三上直之「気候変動と民主主義―欧州で広がる気候市民会議」『世界』二〇二〇年六月号を参照。

7　ロブ・ホプキンスは厳しい。「西洋社会に生きる私たちは、実践的な技能という観点から見れば、これまで地球上に生きた人類の中で、もっとも役に立たない世代だと言っても過言ではないでしょう」『トランジション・ハンドブック―地域レジリエンスで脱石油社会へ』城川桂子訳、第三書館、二〇一三年、一五四頁。あるいは、こうした無力化は、イリッチの言葉を使えば、「根本的独占」である。イヴァン・イリッチ『エネルギーと公正』大久保直幹訳、晶文社、一九七九年、四五頁。

8　ハリー・ブレイヴァマン『労働と独占資本―20世紀における労働の衰退』富沢賢治訳、岩波書店、一九七八年、一二八頁。

9　『資本論』第三巻、一四三五頁。

10　André Gorz, *Écologica* (Paris: Galilée, 2008), 48.

11　Ibid., 16.

12　「『裕福26人の資産』＝『38億人分』　なお広がる格差」、「朝日新聞」デジタル版、二〇一九年一月二二日：https://www.asahi.com/articles/ASM1Q3PGGM1QUHBI00G.html (last access on 2020.5.15).

第六章

1　もちろん、彼らはいきなり勤勉な労働者になったわけではなく、当初は浮浪者や物乞い、山賊になり、都市の治安を脅かした。ここでもまた国家の暴力によって、彼らが時間を守って、真面目に働く労働者になるよう規律訓練しなくてはならなかった。

2　Andreas Malm, *Fossil Capital: The Rise of Steam Power and the Roots of Global Warming* (London: Verso, 2016).

3　このパラドックスに再注目したのは、「定常型経済」を提唱したことで有名なアメリカの環境経済学者ハーマン・デイリーである。Herman E. Daly, "The Return of Lauderdale's Paradox," *Ecological Economics* 25, no. 1 (1998): 21-23.

4　James Maitland, Earl of Lauderdale, *An Inquiry into the Nature and Origin of Public Wealth: and into the Means and Causes of its Increase* (Edinburgh: Archibald Constable and Co., 1819), 58. 傍点引用者。

5　Ibid., 53-55.

6　Stefano B. Longo, Rebecca Clausen, and Brett Clark, *The Tragedy of the Commodity: Oceans, Fisheries, and Aquaculture* (New Brunswick: Rutgers University Press, 2015). そもそも、不特定多数者がコモンズを利用できる場合には、我先にという掠奪が始まって、最終的には資源の枯渇を招いてしまうという、「コモンズの悲劇」という発想は誤っている。むしろ、経済学者エリノア・オストロムがノーベル賞を受賞した研究で明らかにしたように、持続可能な生産が行われている場合も数多くあったのである。Elinor Ostrom, *Governing the Commons: The Evolution of Institutions for Collective Action* (Cambridge: Cambridge University Press, 2015).

7　デヴィッド・ハーヴェイ『ニュー・インペリアリズム』本橋哲也訳、青木書店、二〇〇五年、一四六頁。

8　「米富裕層の資産、コロナ禍の3カ月で62兆円増える」：https://www.cnn.co.jp/business/35154855.html (last access on 2020.6.22).

9　この矛盾は近年、「富のパラドックス」として、ローダデールも参照しながら展開されている。John Bellamy Foster and Brett

Clark, *The Robbery of Nature: Capitalism and the Ecological Rift* (New York: Monthly Review Press, 2020), 58.

10　ジェイムス・スーズマン『「本当の豊かさ」はブッシュマンが知っている』佐々木知子訳、NHK出版、二〇一九年。また、この点については、デヴィッド・グレーバーの紹介しているマーシャル・サーリンズのサモア島人に対する宣教師の説教についてのジョークが冴えているので、是非読んでほしい。デヴィッド・グレーバー『負債論―貨幣と暴力の5000年』酒井隆史監訳、以文社、二〇一六年、五八九頁。

11　奴隷制と賃労働についての関係は、植村邦彦『隠された奴隷制』集英社新書、二〇一九年、第四章が詳しい。

12　『資本論草稿集』①、三五四頁。

13　ナオミ・クライン『新版　ブランドなんか、いらない』松島聖子訳、大月書店、二〇〇九年。

14　Foster and Clark, *The Robbery of Nature* op. cit., 253. 広告がもたらす消費へのインパクトについては Robert J. Brulle and Lindsay E. Young, "Advertising, Individual Consumption Levels, and the Natural Environment, 1900-2000," *Sociological Inquiry* vol. 77, no. 4 (2007): 522-542.

15　和田武、豊田陽介、田浦健朗、伊東真吾編著『市民・地域共同発電所のつくり方―みんなが主役の自然エネルギー普及』かもがわ出版、二〇一四年、一二～一八頁。

16　『全集』第一六巻、一九四頁。

17　『全集』第一七巻、三二〇頁。

18　ヨハン・モスト原著、カール・マルクス加筆・改訂『マルクス自身の手による資本論入門』大谷禎之介訳、大月書店、二〇〇九年、一六五頁の訳者による註釈を参照。

19　*Alternative Models of Ownership*: https://labour.org.uk/wp-content/uploads/2017/10/Alternative-Models-of-Ownership.pdf (last access on 2020.5.15).

20　Jason Hickel, "Degrowth: a theory of radical abundance," *Real-World Economics Review*, no. 87 (2019): 54-68.

21　『資本論』第三巻、一四三四～一四三五頁。

22　まさに、フランスのエコ社会主義者コルネリュウス・カストリアディスが述べていたように、「社会の自治の問題はまた社会の自己＝規制の問題」なのだ。C・カストリアディス、D・コーン・ベンディット、ルーヴァン・ラ・ヌーヴの聴衆『エコロジーから自治へ』江口幹訳、緑風出版、一九八三年、四〇頁。

23　Giorgos Kallis, *Limits: Why Malthus Was Wrong and Why Environmentalists Should Care* (Stanford: Stanford University Press, 2019).

第七章

1　"The Boogaloo: Extremists' New Slang Term for A Coming Civil War," *ADL*: https://www.adl.org/blog/the-boogaloo-extremists-new-slang-term-for-a-coming-civil-war (last access on 2020.7.28).

2　マイク・デイヴィス「疫病の年に」マニュエル・ヤン訳、「世界」二〇二〇年五月号、三八頁。

3　ジジェク『絶望する勇気』前掲書、六七～六八頁。

4　Thomas Piketty, *Capital et Idéologie* (Paris: Seuil, 2019), 1112.

5　Ibid., 60.

6　例えば、「自治」(autogestion) はカストリアディスにとってのキーワードである。コルネリュウス・カストリアディス『社会主義の再生は可能か―マルクス主義と革命理論』江口幹訳、三一書房、一九八七年、二二四頁。

7　Alexander and Gleeson, *Degrowth in the Suburbs*, op. cit. 179.

8　木村つぐみ「コペンハーゲン市に『公共』の果樹。街全体を都市果樹園に」: https://ideasforgood.jp/2020/01/18/copenhagen-public-fruit/ (last access on 2020.5.15).

9　このような問題意識が存在していたので、コロナ禍によるロックアウトの解除後、ヨーロッパの各都市では、自動車の乗り入れが禁止され、自転車道が大幅に拡張される動きが出てきている。なかでも野心的なのはイタリア・ミラノ市である。これは、日本のように、コロナ禍をきっかけにして、むしろ、自家用車での移動が増大している国とは対照的である。この事例からもわかるように、危機の瞬間に備えて、平時から準備しておくことが重要なのである。

10　Rob Hopkins, *From What is to What If: Unleashing the Power of Imagination to Create the Future We Want* (White River Junction: Chelsea Green Publishing Company, 2019), 126.

11　フレドリック・ジェイムソンほか著、スラヴォイ・ジジェク編『アメリカのユートピア―二重権力と国民皆兵制』田尻芳樹ほか訳、書肆心水、二〇一八年、一三頁。

12　マニュエル・カステル『都市とグラスルーツ―都市社会運動の比較文化理論』石川淳志監訳、法政大学出版局、一九九七年、五一七頁。ちなみに、『未来への大分岐』での「政治主義」批判のせいで、私が政治そのものを軽視しているかのような誤解が見受けられるが、それは違う。ここでのポイントは、社会運動なしには、政党も機能しないということである。カステルも引用した文章に続けて次のように述べている。「政党なしでは、また開放的政治システムなしでは、社会運動によって生みだされた新しい諸価値、諸要求、諸欲求は衰退する（それはつねに、どうしてもそうなる）ばかりでなく、社会改革や制度変革を創出するための灯火さえも消えてしまうであろう」。

13　岩佐茂・佐々木隆治編著『マルクスとエコロジー―資本主義批判としての物質代謝』（堀之内出版、二〇一六年）に所収のカール・エーリッヒ・フォルグラーフの論文では、そのような意見が示されている（二七六頁）。

14　もちろん、失業率が増えては意味がないので、ワークシェアが必要だ。また、単にワークシェアするだけでは賃金が減ってしまうため、「賃上げを伴うワークシェア」こそが鍵となる。

15　水野和夫『閉じてゆく帝国と逆説の21世紀経済』集英社新書、二〇一七年、二二三〜二二五頁。

16　Victor, *Managing without Growth*, op. cit. 127-128.

17　『資本論草稿集』②、三四〇頁。

18　『全集』第一九巻、二一頁。

19　David Graeber, "Against Economics," *The New York Review of Books* (December 2019): https://www.nybooks.com/articles/2019/12/05/against-economics/ (last access on 2020.5.22).

20　今野晴貴『ストライキ2・0―ブラック企業と闘う武器』集英社新書、二〇二〇年、六八〜七一頁。

21　Naomi Klein, *On Fire: The [Burning] Case for a Green New Deal* (New York: Simon & Schuster, 2019), 251.

第八章

1　*This is not a Drill: Climate Emergency Declaration*, 19.: https://www.barcelona.cat/emergenciaclimatica/sites/default/files/

2020-01/Climate_Emergency_Declaration.pdf (last access on 2020.5.22).

2　廣田裕之「カタルーニャ州における連帯経済の現況―バルセロナ市を中心として」、集広舎ホームページ：https://shukousha.com/column/hirota/4630/ (last access on 2020.7.28).

3　*Climate Emergency Declaration*, op. cit., 5.

4　岸本聡子『水道、再び公営化！―欧州・水の闘いから日本が学ぶこと』集英社新書、二〇二〇年、第七章。また、ミュニシパリズムについての本章の記述は、岸本氏に多くを負っていることを感謝とともに示しておきたい。

5　*7Steps to Build a Democratic Economy: The Future is Public Conference Report*, 7: https://www.tni.org/files/publication-downloads/tni_7_steps_to_build_a_democratic_economy_online.pdf (last access on 2020.5.22).

6　Andrew Bennie, "Locking in Commercial Farming: Challenges for Food Sovereignty and the Solidarity Economy," in Vishwas Satgar (ed.), *Co-Operatives in South Africa: Advancing Solidarity Economy Pathways from Below* (Pietermaritzburg: University of KwaZulu-Natal Press, 2019), 216.

7　ＳＡＦＳＣのホームページ：https://www.safsc.org.za/ (last access on 2020.5.22).

8　『全集』第三二巻、三三六頁。

9　「国際農民組織ビア・カンペシーナとは？」、「しんぶん赤旗」二〇〇八年七月一七日：http://www.jcp.or.jp/akahata/aik07/2008-07-17/ftp20080717faq12_01_0.html (last access on 2020.5.22).

おわりに

1　Erica Chenoweth and Maria J. Stephan, *Why Civil Resistance Works: The Strategic Logic of Nonviolent Conflict* (New York: Columbia University Press, 2012). まとめとしては、David Robson, "The '3.5% rule': How a small minority can change the world," *BBC*: https://www.bbc.com/future/article/20190513-it-only-takes-35-of-people-to-change-the-world (last access on 2020.5.24). チェノウェスらの研究は、「絶滅への叛逆」に直接的な影響を与えている。

本書はＪＳＰＳ科研費若手研究「環境危機の時代における脱成長とグリーンニューディールの批判的統合」(20K13466) ならびに韓国研究財団 NRF-2018S1A3A2075204の支援を受けており、その成果として刊行されるものである。

図版作成／ＭＯＴＨＥＲ

斎藤幸平（さいとう こうへい）

一九八七年生まれ。大阪市立大学大学院経済学研究科准教授。ベルリン・フンボルト大学哲学科博士課程修了。博士（哲学）。専門は経済思想、社会思想。*Karl Marx's Ecosocialism: Capital, Nature, and the Unfinished Critique of Political Economy*（邦訳『大洪水の前に』）によって、権威ある「ドイッチャー記念賞」を歴代最年少で受賞。同書は世界五カ国で刊行。編著に『未来への大分岐』など。

人新世の「資本論」

集英社新書一〇三五A

二〇二〇年九月二二日　第一刷発行
二〇二一年九月一一日　第二一刷発行

著者……斎藤幸平
発行者……樋口尚也
発行所……株式会社集英社
東京都千代田区一ツ橋二-五-一〇　郵便番号一〇一-八〇五〇
電話　〇三-三二三〇-六三九一（編集部）
〇三-三二三〇-六〇八〇（読者係）
〇三-三二三〇-六三九三（販売部）書店専用

装幀……原　研哉
印刷所……大日本印刷株式会社　凸版印刷株式会社
製本所……加藤製本株式会社

定価はカバーに表示してあります。

ISBN 978-4-08-721135-1 C0233
Printed in Japan

a pilot of wisdom

集英社新書　好評既刊

政治・経済――A

- 「憲法改正」の真実　樋口陽一／小林節
- 世界を動かす巨人たち〈政治家編〉　池上彰
- 安倍官邸とテレビ　砂川浩慶
- 普天間・辺野古 歪められた二〇年　宮城大蔵／渡辺豪
- イランの野望 浮上する「シーア派大国」　鵜塚健
- 自民党と創価学会　佐高信
- 世界「最終」戦争論 近代の終焉を超えて　内田樹／姜尚中
- 日本会議 戦前回帰への情念　山崎雅弘
- 不平等をめぐる戦争 グローバル税制は可能か？　上村雄彦
- 中央銀行は持ちこたえられるか　河村小百合
- 近代天皇論 ――「神聖」か、「象徴」か　片山杜秀／島薗進
- 地方議会を再生する　相川俊英
- ビッグデータの支配とプライバシー危機　宮下紘
- スノーデン 日本への警告　エドワード・スノーデン／青木理 ほか
- 閉じてゆく帝国と逆説の21世紀経済　水野和夫
- 新・日米安保論　柳澤協二／伊勢崎賢治／加藤朗

- 世界を動かす巨人たち〈経済人編〉　池上彰
- アジア辺境論 これが日本の生きる道　内田樹／姜尚中
- ナチスの「手口」と緊急事態条項　長谷部恭男／石田勇治
- 「在日」を生きる ある詩人の闘争史　金時鐘／佐高信
- 改憲的護憲論　松竹伸幸
- 決断のとき――トモダチ作戦と涙の基金　小泉純一郎／取材・構成 常井健一
- 公文書問題 日本の「闇」の核心　瀬畑源
- 国体論 菊と星条旗　白井聡
- 広告が憲法を殺す日　本間龍／南部義典
- よみがえる戦時体制 治安体制の歴史と現在　荻野富士夫
- 権力と新聞の大問題　望月衣塑子／マーティン・ファクラー
- 「改憲」の論点　木村草太／青井未帆 ほか
- 保守と大東亜戦争　中島岳志
- 富山は日本のスウェーデン　井手英策
- スノーデン 監視大国 日本を語る　エドワード・スノーデン／国谷裕子 ほか
- 「働き方改革」の嘘　久原穏
- 国権と民権　佐高信／早野透

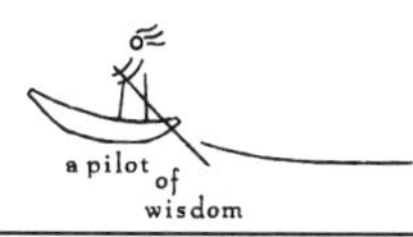

限界の現代史　内藤正典
除染と国家　21世紀最悪の公共事業　日野行介
安倍政治　100のファクトチェック　南　彰／望月衣塑子
「通貨」の正体　浜　矩子
隠された奴隷制　植村邦彦
未来への大分岐　マルクス・ガブリエル／マイケル・ハート／ポール・メイソン／斎藤幸平・編
「国連式」世界で戦う仕事術　滝澤三郎
国家と記録　政府はなぜ公文書を隠すのか？　瀬畑　源
水道、再び公営化！　欧州・水の闘いから日本が学ぶこと　岸本聡子
改訂版　著作権とは何か　文化と創造のゆくえ　福井健策
朝鮮半島と日本の未来　姜　尚中
人新世の「資本論」　斎藤幸平
国対委員長　辻元清美
アフリカ　人類の未来を握る大陸　別府正一郎
〈全条項分析〉日米地位協定の真実　松竹伸幸
日本再生のための「プランB」　兪　炳匡
新世界秩序と日本の未来　内田　樹／姜　尚中

世界大麻経済戦争　矢部　武
中国共産党帝国とウイグル　橋爪大三郎／中田　考
安倍晋三と菅直人　尾中香尚里
ジャーナリズムの役割は空気を壊すこと　森　達也／望月衣塑子
代表制民主主義はなぜ失敗したのか　藤井達夫
会社ではネガティブな人を活かしなさい　友原章典
自衛隊海外派遣　隠された「戦地」の現実　布施祐仁
北朝鮮　拉致問題　極秘文書から見える真実　有田芳生
アフガニスタンの教訓　挑戦される国際秩序　山本忠通／内藤正典
原発再稼働　葬られた過酷事故の教訓　日野行介
北朝鮮とイラン　福原裕二／吉村慎太郎
歴史から学ぶ　相続の考え方　神山敏夫
非戦の安全保障論　柳澤協二／伊勢﨑賢治／加藤　朗／林　吉永
西山太吉　最後の告白　西山太吉／佐高　信
日本酒外交　酒サムライ外交官、世界を行く　門司健次郎
日本の電機産業はなぜ凋落したのか　桂　幹
ウクライナ侵攻とグローバル・サウス　別府正一郎

集英社新書　好評既刊

社会――B

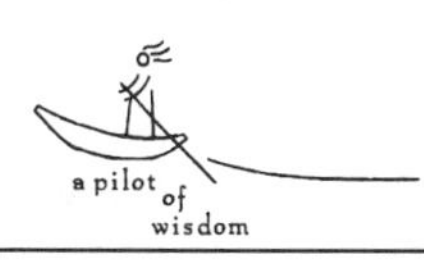

女性差別はどう作られてきたか　中村敏子
原子力の精神史――〈核〉と日本の現在地　山本昭宏
ヘイトスピーチと対抗報道　角南圭祐
世界の凋落を見つめて クロニクル2011－2020　四方田犬彦
「自由」の危機――息苦しさの正体　藤原辰史／内田樹ほか
「非モテ」からはじめる男性学　西井開
妊娠・出産をめぐるスピリチュアリティ　橋迫瑞穂
マジョリティ男性にとってまっとうさとは何か　杉田俊介
書物と貨幣の五千年史　永田希
インド残酷物語 世界一たくましい民　池亀彩
シンプル思考　里崎智也
韓国カルチャー 隣人の素顔と現在　伊東順子
「それから」の大阪　スズキナオ
ドンキにはなぜペンギンがいるのか　谷頭和希
何が記者を殺すのか 大阪発ドキュメンタリーの現場から　斉加尚代
フィンランド 幸せのメソッド　堀内都喜子
私たちが声を上げるとき アメリカを変えた10の問い　和泉真澄／坂下史子ほか

「黒い雨」訴訟　小山美砂
差別は思いやりでは解決しない　神谷悠一
ファスト教養 10分で答えが欲しい人たち　レジー
非科学主義信仰 揺れるアメリカ社会の現場から　及川順
おどろきのウクライナ　橋爪大三郎／大澤真幸
対論 1968　笠井潔／絓秀実
武器としての国際人権　藤田早苗
小山田圭吾の「いじめ」はいかにつくられたか　片岡大右
クラシックカー屋一代記　涌井清春／金子浩久構成
カオスなSDGs グルっと回せばうんこ色　酒井敏
「イクメン」を疑え！　関口洋平
差別の教室　藤原章生
ハマのドン 横浜カジノ阻止をめぐる闘いの記録　松原文枝
なぜ豊岡は世界に注目されるのか　中貝宗治
続・韓国カルチャー 描かれた「歴史」と社会の変化　伊東順子
トランスジェンダー入門　周司あきら／高井ゆと里
スポーツの価値　山口香

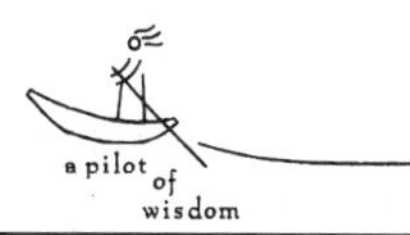

「おっぱい」は好きなだけ吸うがいい　加島祥造
科学の危機　金森修
悪の力　姜尚中
生存教室 ディストピアを生き抜くために　内田樹／光岡英稔
ルバイヤートの謎 ペルシア詩が誘う考古の世界　金子民雄
感情で釣られる人々 なぜ理性は負け続けるのか　堀内進之介
永六輔の伝言 僕が愛した「芸と反骨」　矢崎泰久・編
淡々と生きる 100歳プロゴルファーの人生哲学　内田棟
若者よ、猛省しなさい　下重暁子
イスラーム入門 文明の共存を考えるための99の扉　中田考
ダメなときほど「言葉」を磨こう　萩本欽一
ゾーンの入り方　室伏広治
人工知能時代を〈善く生きる〉技術　堀内進之介
究極の選択　桜井章一
母の教え 10年後の『悩む力』　姜尚中
一神教と戦争　橋爪大三郎／中田考
善く死ぬための身体論　内田樹／成瀬雅春

世界が変わる「視点」の見つけ方　佐藤可士和
いま、なぜ魯迅か　佐高信
人生にとって挫折とは何か　下重暁子
全体主義の克服　マルクス・ガブリエル／中島隆博
悲しみとともにどう生きるか　柳田邦男／若松英輔 ほか
原子力の哲学　戸谷洋志
退屈とポスト・トゥルース　マーク・キングウェル／上岡伸雄・訳
「利他」とは何か　伊藤亜紗・編
はじめての動物倫理学　田上孝一
ポストコロナの生命哲学　福岡伸一／伊藤亜紗／藤原辰史
哲学で抵抗する　高桑和巳
いまを生きるカント倫理学　秋元康隆
未来倫理　戸谷洋志
日本のカルトと自民党 政教分離を問い直す　橋爪大三郎
アジアを生きる　姜尚中
サークル有害論 なぜ小集団は毒されるのか　荒木優太
スーフィズムとは何か イスラーム神秘主義の修行道　山本直輝

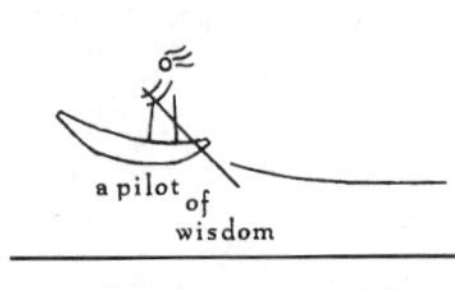

集英社新書　好評既刊

ことばの危機　大学入試改革・教育政策を問う
阿部公彦／沼野充義／納富信留／大西克也／安藤　宏
東京大学文学部広報委員会・編　1024-B
「実用性」を強調し、文学を軽視しようとする教育政策はいかなる点で問題なのか。東大文学部の必読講演録。

国家と移民　外国人労働者と日本の未来
鳥井一平　1025-B
技能実習生に「時給三〇〇円」の奴隷労働を強いる日本社会が、持続可能な「移民社会」になる条件を解説。

「慵斎叢話」15世紀朝鮮奇譚の世界
野崎充彦　1026-D
科挙合格官僚・成俔が著した、儒教社会への先入観を打ち破る奇異譚を繙く、朝鮮古典回帰のすすめ。

LGBTとハラスメント
神谷悠一／松岡宗嗣　1027-B
いまだに失言や炎上事例が後を絶たない分野の「よくある勘違い」や「新常識」を実践的に紹介する。

変われ！東京　自由で、ゆるくて、閉じない都市
隈　研吾／清野由美　1028-B
コロナ後の東京はどう変わるのか。都市生活者に「小さな場所」という新たな可能性を提示する。

「生存競争（サバイバル）」教育への反抗
神代健彦　1029-E
低迷する日本経済を教育で挽回しようとする日本の教育政策への、教育学からの反抗。確かな希望の書！

谷崎潤一郎　性慾と文学
千葉俊二　1030-F
谷崎研究の第一人者が作品を詳細に検証。魅惑的な女性の美しさを描き続けた作家の人生観に迫る。

英米文学者と読む「約束のネバーランド」
戸田　慧　1031-F
気鋭の研究者が大ヒット漫画を文学や宗教から分析。大人気作品の考察本にして英米文学・文化の入門書。

全体主義の克服
マルクス・ガブリエル／中島隆博　1032-C
世界は新たな全体主義に巻き込まれつつある。その現象を哲学的に分析し、克服の道を示す画期的な対談！

東京裏返し　社会学的街歩きガイド
吉見俊哉　1033-B
周縁化されてきた都心北部はいま中心へと「裏返し」されようとしている。マップと共に都市の記憶を辿る。